만렙

만렙은 찰만(滿)과 레벨(Level)의 합성어로, 게임 등에서 지원하는 최대 레벨을 의미한다.

만렙 수학은 "내 수준에 맞는 유형서로 나의 수학 실력을 최대치까지 끌어올려 보자" 라는 의미로 사용되었으며,

두 수준의 유형서 PM, AM으로 구분된다.

세상이 변해도
배움의 즐거움은
변함없도록

시대는 빠르게 변해도
배움의 즐거움은
변함없어야 하기에

어제의 비상은
남다른 교재부터
결이 다른 콘텐츠
전에 없던 교육 플랫폼까지

변함없는 혁신으로
교육 문화 환경의 새로운 전형을
실현해왔습니다.

비상은 오늘, 다시 한번
새로운 교육 문화 환경을 실현하기 위한
또 하나의 혁신을 시작합니다.

오늘의 내가 어제의 나를 초월하고
오늘의 교육이 어제의 교육을 초월하여
배움의 즐거움을 지속하는 혁신,

바로, 메타인지학습을.

상상을 실현하는 교육 문화 기업 비상

메타인지학습

초월을 뜻하는 meta와 생각을 뜻하는 인지가 결합된 메타인지는
자신이 알고 모르는 것을 스스로 구분하고 학습계획을 세우도록 하는
궁극의 학습 능력입니다. 비상의 메타인지학습은 메타인지를 키워주어
공부를 100% 내 것으로 만들도록 합니다.

핵심 유형 마스터

만렙 PM

고등 **수학**(하)

만렙 PM의 특징

시험 빈출 핵심 유형 최다 수록

☑ 너무 쉬워서 시험에 안 나오는 문제는 NO

☑ 너무 어려워서 시험에 안 나오는 문제도 NO

기초 문제는 필요 없고 시험에 출제되는 상 수준의 문제까지 풀고 싶은 학생에게 최적화된 구성으로, 실속 있게 내 실력을 레벨업할 수 있다.

유형별로 모든 난이도의 문제를 한 번에 배열

☑ 1단계, 2단계, 3단계, …마다 같은 개념의 문제가 반복되는 구성이 지루하다.

☑ 유형별 문제를 한 번에 마스터하기 어렵다.

유형별로 시험에 출제되는 모든 문제를 한 번에 학습하기를 원하는 학생에게 최적화된 구성으로, 유형을 빠르게 마스터할 수 있다.

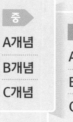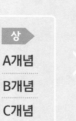

Structure

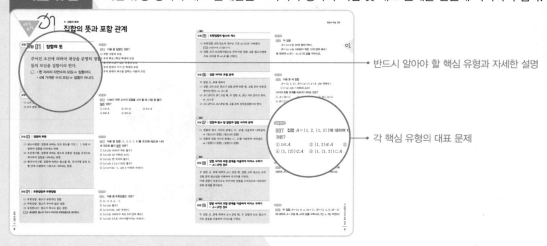
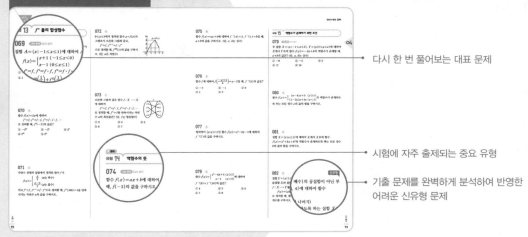

만렙 PM의 차례

Contents

함수

경우의 수

 수학(상)

※ 만렙 PM 수학(상)은 별도 판매됩니다.

01

집합의 뜻과
포함 관계

집합의 뜻과 포함 관계

유형 01 | 집합의 뜻

주어진 조건에 의하여 대상을 분명히 정할 수 있을 때, 그 대상들의 모임을 집합이라 한다.

예 · 한 자리의 자연수의 모임 ➡ 집합이다.
· 4에 가까운 수의 모임 ➡ 집합이 아니다.

대표 문제

001 다음 중 집합인 것은?

① 착한 사람의 모임
② 우리 학교 1학년 학생의 모임
③ 음악에 소질이 있는 학생의 모임
④ 우리 반에서 키가 큰 학생의 모임
⑤ 우리 반에서 축구를 잘하는 사람의 모임

유형 02 | 집합과 원소 사이의 관계

(1) a가 집합 A의 원소이면 ➡ $a \in A$
(2) b가 집합 A의 원소가 아니면 ➡ $b \notin A$

대표 문제

002 10보다 작은 소수의 집합을 A라 할 때, 다음 중 옳지 않은 것은?

① $1 \notin A$ ② $2 \in A$ ③ $5 \in A$
④ $8 \notin A$ ⑤ $9 \in A$

유형 03 | 집합의 표현

(1) 원소나열법: 집합에 속하는 모든 원소를 기호 { } 안에 나열하여 집합을 나타내는 방법
(2) 조건제시법: 집합에 속하는 원소의 공통된 성질을 조건으로 제시하여 집합을 나타내는 방법
(3) 벤다이어그램: 집합에 속하는 원소를 원, 직사각형 등의 도형 안에 나열하여 그림으로 나타내는 방법

대표 문제

003 다음 중 집합 $\{1, 3, 5, 7, 9\}$를 조건제시법으로 나타낸 것으로 옳지 않은 것은?

① $\{x \mid x$는 10보다 작은 홀수$\}$
② $\{x \mid x$는 10 이하의 소수$\}$
③ $\{x \mid x$는 한 자리의 홀수$\}$
④ $\{x \mid x$는 $1 \leq x < 10$인 홀수$\}$
⑤ $\{x \mid x = 2n-1, n$은 5 이하의 자연수$\}$

유형 04 | 유한집합과 무한집합

(1) 유한집합: 원소가 유한개인 집합
(2) 무한집합: 원소가 무수히 많은 집합
(3) 공집합($\emptyset$): 원소가 하나도 없는 집합

참고 공집합은 원소의 개수가 0이므로 유한집합으로 생각한다.

대표 문제

004 다음 중 유한집합인 것은?

① $\{1, 2, 3, 4, \cdots\}$
② $\{x \mid x$는 홀수$\}$
③ $\{x \mid x = 2n, n$은 자연수$\}$
④ $\{x \mid x$는 100보다 작은 5의 양의 배수$\}$
⑤ $\{x \mid x$는 3으로 나누어떨어지는 자연수$\}$

유형 **05** | 유한집합의 원소의 개수

(1) 유한집합 A의 원소의 개수는 기호 $n(A)$로 나타낸다.

참고 $n(\varnothing)=0$, $n(\{\varnothing\})=1$

(2) 집합 A가 조건제시법으로 주어지면 집합 A를 원소나열법으로 나타낸 후 $n(A)$를 구한다.

대표 문제

005 두 집합
$$A=\{x\,|\,x\text{는 20의 양의 약수}\},$$
$$B=\{x\,|\,x\text{는 100보다 작은 12의 양의 배수}\}$$
에 대하여 $n(B)-n(A)$의 값을 구하시오.

유형 **06** | 집합 사이의 포함 관계

두 집합 A, B에 대하여

(1) 집합 A의 모든 원소가 집합 B에 속할 때, A를 B의 부분집합이라 한다. ➡ $A\subset B$

(2) $A\subset B$이고 $B\subset A$일 때, 두 집합 A, B는 서로 같다고 한다.
➡ $A=B$

(3) $A\subset B$이고 $A\neq B$일 때, A를 B의 진부분집합이라 한다.

대표 문제

006 다음 중 세 집합
$$A=\{2,\,3,\,5\},\ B=\{x\,|\,1<x<8,\,x\text{는 자연수}\},$$
$$C=\{x\,|\,x\text{는 7 이하의 소수}\}$$
사이의 포함 관계를 바르게 나타낸 것은?

① $A\subset B\subset C$ ② $A\subset C\subset B$ ③ $B\subset A\subset C$

④ $B\subset C\subset A$ ⑤ $C\subset B\subset A$

유형 **07** | 집합과 원소 및 집합과 집합 사이의 관계

(1) 집합과 원소 사이의 관계는 $\in$, $\notin$를 사용하여 나타낸다.
➡ (원소)$\in$(집합), (원소)$\notin$(집합)

(2) 집합과 집합 사이의 관계는 $\subset$, $\not\subset$를 사용하여 나타낸다.
➡ (집합)$\subset$(집합), (집합)$\not\subset$(집합)

대표 문제

007 집합 $A=\{1,\,2,\,\{1,\,2\}\}$에 대하여 다음 중 옳지 <u>않은</u> 것은?

① $1\in A$ ② $\{1,\,2\}\notin A$ ③ $\{1,\,2\}\subset A$

④ $\{1,\,\{2\}\}\not\subset A$ ⑤ $\{1,\,\{1,\,2\}\}\subset A$

유형 **08** | 집합 사이의 포함 관계를 이용하여 미지수 구하기 – $A\subset B$인 경우

두 집합 A, B에 대하여 $A\subset B$일 때, 집합 A의 원소는 모두 집합 B의 원소임을 이용하여 미지수를 구한다.

이때 집합이 부등식으로 주어지면 집합을 수직선으로 나타내어 포함 관계를 알아본다.

대표 문제

008 두 집합 $A=\{x\,|\,1<x\leq 3\}$, $B=\{x\,|\,a<x<2a+5\}$에 대하여 $A\subset B$가 성립하도록 하는 정수 a의 개수를 구하시오.

유형 **09** | 집합 사이의 포함 관계를 이용하여 미지수 구하기 – $A=B$인 경우

두 집합 A, B에 대하여 $A=B$일 때, 두 집합의 모든 원소가 서로 같음을 이용하여 미지수를 구한다.

대표 문제

009 두 집합 $A=\{4,\,9,\,a,\,3a+1\}$, $B=\{2,\,4,\,9,\,3b-2\}$에 대하여 $A=B$일 때, ab의 값을 구하시오. (단, a, b는 자연수)

핵심유형 01 | 집합의 뜻과 포함 관계

유형 10 | 부분집합의 개수

원소의 개수가 n인 집합 A에 대하여
(1) 집합 A의 부분집합의 개수 ➡ 2^n
(2) 집합 A의 진부분집합의 개수 ➡ $2^n - 1$

대표 문제

010 집합 $A = \{x \mid x$는 45의 양의 약수$\}$의 부분집합의 개수는?

① 8   ② 16   ③ 32

④ 64   ⑤ 128

★ 중요

유형 11 | 특정한 원소를 갖거나 갖지 않는 부분집합의 개수

원소의 개수가 n인 집합 A에 대하여 집합 A의 부분집합 중 특정한 원소 k개를 반드시 원소로 갖는 (또는 갖지 않는) 부분집합의 개수 ➡ 2^{n-k} (단, $k < n$)

> 참고 집합 A의 부분집합 중 특정한 원소 k개는 반드시 원소로 갖고 l개는 원소로 갖지 않는 부분집합의 개수 ➡ 2^{n-k-l} (단, $k+l < n$)

대표 문제

011 집합 $A = \{0, 1, 2, 3\}$의 부분집합 중 0을 반드시 원소로 갖는 부분집합의 개수는?

① 2   ② 4   ③ 8

④ 16   ⑤ 32

유형 12 | $A \subset X \subset B$를 만족시키는 집합 X의 개수

$A \subset X \subset B$를 만족시키는 집합 X의 개수는 집합 B의 부분집합 중 집합 A의 모든 원소를 반드시 원소로 갖는 부분집합의 개수이다.

대표 문제

012 두 집합 $A = \{1, 2\}$, $B = \{1, 2, 3, 4, 5\}$에 대하여 $A \subset X \subset B$를 만족시키는 집합 X의 개수를 구하시오.

유형 13 | 여러 가지 부분집합의 개수

(1) '또는', '적어도' 등의 표현이 있는 부분집합의 개수
  ➡ 전체 부분집합의 개수에서 주어진 조건을 만족시키지 않는 부분집합의 개수를 빼서 구한다.
(2) 원소에 대한 조건이 주어진 부분집합의 개수
  ➡ 주어진 조건을 만족시키는 부분집합을 일일이 나열하여 구한다.

대표 문제

013 집합 $A = \{1, 2, 3, 4, 5\}$의 부분집합 중 1 또는 2를 원소로 갖는 부분집합의 개수는?

① 8   ② 16   ③ 24

④ 32   ⑤ 40

핵심유형 완성하기

유형 01 집합의 뜻

014 대표 문제 다시 보기

다음 보기 중 집합인 것만을 있는 대로 고른 것은?

보기
ㄱ. 1보다 작은 자연수의 모임
ㄴ. 맛있는 음식의 모임
ㄷ. 유명한 농구 선수의 모임
ㄹ. 3에 가장 가까운 자연수의 모임

① ㄱ, ㄴ   ② ㄱ, ㄷ   ③ ㄱ, ㄹ
④ ㄴ, ㄷ   ⑤ ㄴ, ㄹ

015 하

다음 중 집합이 아닌 것은?

① 태양계 행성의 모임
② 가장 작은 소수의 모임
③ 15의 양의 약수의 모임
④ 우리 반에서 시력이 좋은 학생의 모임
⑤ 우리 반에서 생일이 3월인 여학생의 모임

016 하

다음 보기 중 집합인 것의 개수를 구하시오.

보기
ㄱ. 인구가 많은 도시의 모임
ㄴ. 큰 짝수의 모임
ㄷ. 우리 반에서 혈액형이 O형인 학생의 모임
ㄹ. 3으로 나누어 나머지가 2인 자연수의 모임

유형 02 집합과 원소 사이의 관계

017 대표 문제 다시 보기

18의 양의 약수의 집합을 A라 할 때, 다음 중 옳은 것은?

① $1 \notin A$ ② $4 \in A$ ③ $6 \notin A$
④ $9 \in A$ ⑤ $18 \notin A$

018 중

방정식 $x^3 - x^2 - 2x = 0$의 해의 집합을 A라 할 때, 다음 중 옳지 않은 것은?

① $-2 \in A$ ② $-1 \in A$ ③ $0 \in A$
④ $1 \notin A$ ⑤ $2 \in A$

019 중

유리수 전체의 집합을 Q, 실수 전체의 집합을 R라 할 때, 다음 중 옳은 것은?

① $\sqrt{2} \in Q$ ② $3 \notin Q$ ③ $\dfrac{2}{5} \notin R$
④ $\sqrt{3} \in R$ ⑤ $1 + \sqrt{2} \notin R$

유형 03 집합의 표현

020 대표 문제 다시 보기

다음 중 오른쪽 벤다이어그램의 집합 A를
조건제시법으로 바르게 나타낸 것은?

① $A=\{x\,|\,x$는 4의 양의 약수$\}$

② $A=\{x\,|\,x$는 8의 양의 약수$\}$

③ $A=\{x\,|\,x$는 16의 양의 약수$\}$

④ $A=\{x\,|\,x$는 16 이하의 2의 양의 배수$\}$

⑤ $A=\{x\,|\,x$는 20 이하의 4의 양의 배수$\}$

A
$\begin{array}{cc} 1 & 2 & 4 \\ & 8 & 16 \end{array}$

021 하

다음 집합 중 나머지 넷과 다른 하나는?

① $\{1,\ 2,\ 3,\ 4,\ \cdots,\ 10\}$

② $\{x\,|\,x<11,\ x$는 자연수$\}$

③ $\{x\,|\,x$는 10 이하의 자연수$\}$

④ $\{x\,|\,x$는 한 자리의 자연수$\}$

⑤ $\{x\,|\,1\le x\le10,\ x$는 자연수$\}$

022 중

집합 $\{4,\ 8,\ 12,\ 16,\ 20\}$을 조건제시법으로 나타내면
$$\{x\,|\,x는\ k보다\ 작은\ 4의\ 양의\ 배수\}$$
일 때, 자연수 k의 최댓값을 구하시오.

023 중

두 집합 $A=\{0,\ 1,\ 2\}$, $B=\{2,\ 4,\ 6\}$에 대하여 집합
$C=\{x\,|\,x=a+b,\ a\in A,\ b\in B\}$를 원소나열법으로 나타내
시오.

024 중

집합 $A=\{x\,|\,x$는 자연수$\}$에 대하여 집합
$$B=\{x\,|\,x=2^a\times3^b,\ a\in A,\ b\in A\}$$
라 할 때, 다음 중 집합 B의 원소가 <u>아닌</u> 것은?

① 6 ② 9 ③ 12

④ 18 ⑤ 24

유형 04 유한집합과 무한집합

025 대표 문제 다시 보기

다음 보기 중 유한집합인 것만을 있는 대로 고르시오.

보기
ㄱ. $\{x\,|\,x$는 2보다 작은 소수$\}$

ㄴ. $\{x\,|\,x^2=0\}$

ㄷ. $\{x\,|\,x=4n,\ n$은 자연수$\}$

ㄹ. $\{x\,|\,x$는 $x^2>4$인 자연수$\}$

026 하

다음 중 무한집합인 것은?

① $\{x \,|\, x$는 가장 작은 자연수$\}$

② $\{x \,|\, x$는 두 자리의 짝수$\}$

③ $\{x \,|\, x$는 $x^2 < 1$인 유리수$\}$

④ $\{x \,|\, x$는 $0 < x < 1$인 자연수$\}$

⑤ $\{x \,|\, x^2 - 2x - 3 = 0\}$

027 중

다음 중 공집합인 것은?

① $\{\varnothing\}$

② $\{x \,|\, x$는 짝수인 소수$\}$

③ $\{x \,|\, |x| < 2, \ x$는 정수$\}$

④ $\{x \,|\, x^2 + 4x + 3 < 0, \ x$는 자연수$\}$

⑤ $\{ab \,|\, 0 \leq a \leq 1, \ 0 \leq b \leq 1\}$

028 중

집합 $\{x \,|\, x^2 + 2x + k = 0, \ x$는 실수$\}$가 공집합이 되도록 하는 정수 k의 최솟값을 구하시오.

029 대표 문제 다시 보기

두 집합

$\quad A = \{x \,|\, x$는 $1 \leq x \leq 10$인 소수$\}$,

$\quad B = \{x \,|\, x$는 50 이하의 3의 양의 배수$\}$

에 대하여 $n(A) + n(B)$의 값은?

① 18   ② 19   ③ 20

④ 21   ⑤ 22

030 하

다음 중 옳지 <u>않은</u> 것은?

① $n(\varnothing) = 0$

② $n(\{0\}) = 1$

③ $n(\{a, \, b, \, c\}) = 3$

④ $n(\{4\}) + n(\{5\}) = 2$

⑤ $n(\{1, \, 2, \, 3\}) - n(\{1, \, 2\}) = 3$

031 중

집합 $A = \{(x, \, y) \,|\, x^2 + y^2 = 1, \ x, \, y$는 정수$\}$에 대하여 $n(A)$는?

① 2   ② 4   ③ 6

④ 8   ⑤ 10

032 중

두 집합

$A=\{x\,|\,x$는 6의 양의 약수$\}$,

$B=\{x\,|\,x$는 k 이하의 자연수, k는 자연수$\}$

에 대하여 $n(A)+n(B)=9$일 때, k의 값은?

① 5   ② 6   ③ 7

④ 8   ⑤ 9

033 중

집합 $A=\left\{x\,\middle|\,x=\dfrac{24}{a+3},\ x,\ a$는 자연수$\right\}$에 대하여 $n(A)$는?

① 3   ② 4   ③ 5

④ 6   ⑤ 7

034 상

자연수를 원소로 갖는 집합 A가

'$x\in A$이면 $4-x\in A$'

를 만족시킬 때, $n(A)$의 최댓값을 구하시오.

유형 **06** 집합 사이의 포함 관계

035 대표 문제 다시 보기

다음 중 세 집합 $A=\{-2,\ -1,\ 0,\ 1,\ 2\}$, $B=\{x\,|\,x^2=1\}$, $C=\{x\,|\,|x|\leq 1,\ x$는 정수$\}$ 사이의 포함 관계를 바르게 나타낸 것은?

① $A\subset B\subset C$ ② $A\subset C\subset B$ ③ $B\subset A\subset C$

④ $B\subset C\subset A$ ⑤ $C\subset A\subset B$

036 하

집합 $\{x\,|\,x$는 9의 양의 약수$\}$의 진부분집합을 모두 구하시오.

037 하

정수 전체의 집합을 Z, 유리수 전체의 집합을 Q, 실수 전체의 집합을 R라 할 때, 다음 중 세 집합 Z, Q, R 사이의 포함 관계를 바르게 나타낸 것은?

① $Z\subset Q\subset R$ ② $Z\subset R\subset Q$ ③ $Q\subset Z\subset R$

④ $Q\subset R\subset Z$ ⑤ $R\subset Z\subset Q$

038 중

다음 중 두 집합 A, B에 대하여 $A \subset B$이고 $B \subset A$인 것은?

① $A=\{2, 4, 6, 8, 10\}$, $B=\{x|x$는 짝수$\}$

② $A=\{1, 2, 3, 4\}$, $B=\{x|x$는 5보다 작은 자연수$\}$

③ $A=\{x|x$는 10 이하의 소수$\}$, $B=\{1, 2, 3, 5, 7\}$

④ $A=\{x|x^2-x=0\}$, $B=\{x|-2<x<2$, x는 정수$\}$

⑤ $A=\{x|x$는 6의 양의 약수$\}$, $B=\{x|x$는 3의 양의 배수$\}$

039 중

다음 중 세 집합 $A=\{0, 1, 2\}$, $B=\{x+y|x \in A, y \in A\}$, $C=\{xy|x \in A, y \in A\}$ 사이의 포함 관계를 바르게 나타낸 것은?

① $A \subset B \subset C$ ② $A \subset C \subset B$ ③ $B \subset C \subset A$

④ $C \subset A \subset B$ ⑤ $C \subset B \subset A$

★ 중요

유형 **07** 집합과 원소 및 집합과 집합 사이의 관계

040 대표 문제 다시 보기

집합 $A=\{a, b, \{b, c\}, d\}$에 대하여 다음 보기 중 옳은 것만을 있는 대로 고르시오.

┌ 보기 ─────────────────
ㄱ. $a \in A$ ㄴ. $c \in A$
ㄷ. $\{a, b\} \subset A$ ㄹ. $\{b, c\} \subset A$
└─────────────────────

041 하

두 집합 A, B가 오른쪽 벤다이어그램과 같을 때, 다음 중 옳지 <u>않은</u> 것은?

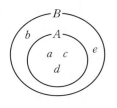

① $c \in B$ ② $e \notin A$

③ $\{a\} \subset A$ ④ $\{c, d\} \not\subset B$

⑤ $\{a, b, c\} \not\subset A$

042 하

두 집합

     $A=\{x|x=3n$, n은 4 이하의 자연수$\}$,

     $B=\{x|x$는 12의 양의 약수$\}$

에 대하여 다음 중 옳지 <u>않은</u> 것은?

① $9 \in A$ ② $10 \notin B$

③ $\{3, 6, 9\} \subset A$ ④ $\{2, 4, 6\} \subset B$

⑤ $\{1, 2, 4, 8\} \subset B$

043 중

집합 $A=\{\varnothing, 1, \{2\}, 3\}$에 대하여 다음 중 옳지 <u>않은</u> 것은?

① $\varnothing \in A$ ② $2 \in A$ ③ $\varnothing \subset A$

④ $\{\varnothing\} \subset A$ ⑤ $\{2\} \not\subset A$

★ 중요

유형 **08** 집합 사이의 포함 관계를 이용하여
미지수 구하기 – $A \subset B$인 경우

044 대표 문제 다시 보기

두 집합 $A=\{x|a<x<9\}$, $B=\{x|-4\leq x\leq -3a\}$에 대하여 $A \subset B$가 성립하도록 하는 상수 a의 값의 범위를 구하시오.

045 중

세 집합 $A=\{x|x\leq 3\}$, $B=\{x|x<a\}$, $C=\{x|x\leq 7\}$에 대하여 $A \subset B \subset C$가 성립하도록 하는 정수 a의 개수는?

① 3   ② 4   ③ 5
④ 6   ⑤ 7

046 중

두 집합 $A=\{1, a+2\}$, $B=\{4, a-1, 2a-1\}$에 대하여 $A \subset B$일 때, 상수 a의 값은?

① -2   ② -1   ③ 1
④ 2   ⑤ 4

★ 중요

유형 **09** 집합 사이의 포함 관계를 이용하여
미지수 구하기 – $A=B$인 경우

047 대표 문제 다시 보기

두 집합 $A=\{6, 9, a, a+2\}$, $B=\{1, 6, 9, b-1\}$에 대하여 $A=B$일 때, $a+b$의 값을 구하시오. (단, a, b는 자연수)

048 하

두 집합 $A=\{a+b, 7\}$, $B=\{3a-2b, 4\}$가 서로 같을 때, $a-b$의 값은? (단, a, b는 상수)

① -2   ② -1   ③ 0
④ 1   ⑤ 2

049 중

두 집합 $A=\{x|x^2+x+a=0\}$, $B=\{b, 4\}$에 대하여 $A=B$일 때, ab의 값을 구하시오. (단, a, b는 상수)

050 중

두 집합 $A=\{2, 9, a^2-2a+3\}$, $B=\{2a+4, 5-4a, 6\}$에 대하여 $A \subset B$이고 $B \subset A$일 때, 상수 a의 값을 구하시오.

유형 **10** 부분집합의 개수

051 대표 문제 다시 보기

집합 $A=\{x|x$는 36의 양의 약수$\}$의 부분집합의 개수를 구하시오.

052 하

집합 $A=\{x|x$는 10 미만의 소수$\}$의 진부분집합의 개수는?

① 3　　　　　② 7　　　　　③ 15

④ 31　　　　　⑤ 63

053 중

다음 집합 중 부분집합의 개수가 32인 것은?

① $\{a,\,b,\,c,\,d\}$

② $\{\varnothing,\,1,\,2,\,\{3,\,4\}\}$

③ $\{x|x<5,\,x$는 자연수$\}$

④ $\{x|x$는 32의 양의 약수$\}$

⑤ $\{x|x$는 30 이하의 6의 양의 배수$\}$

054 중

집합 A의 부분집합의 개수가 64이고, 집합 B의 진부분집합의 개수가 255일 때, $n(A)+n(B)$의 값을 구하시오.

유형 **11** 특정한 원소를 갖거나 갖지 않는 부분집합의 개수

055 대표 문제 다시 보기

집합 $A=\{1,\,3,\,5,\,7\}$의 부분집합 중 5, 7을 원소로 갖지 않는 부분집합의 개수를 구하시오.

056 중

집합 $A=\{x|x=2n,\,n$은 7 이하의 자연수$\}$의 진부분집합 중 6, 12를 반드시 원소로 갖는 부분집합의 개수는?

① 31　　　　　② 32　　　　　③ 63

④ 64　　　　　⑤ 127

057 중

집합 $A=\{a,\,b,\,c,\,d,\,e,\,f\}$에 대하여 $a{\in}X,\,c{\in}X,\,e{\notin}X$를 만족시키는 집합 A의 부분집합 X의 개수를 구하시오.

058 상

자연수 k에 대하여 집합 $A=\{x|x$는 k 이하의 자연수$\}$일 때, 집합 A의 부분집합 중 2, 7은 반드시 원소로 갖고 3, 4, 5는 원소로 갖지 않는 부분집합의 개수가 64이다. 이때 k의 값을 구하시오.

유형 12 $A \subset X \subset B$를 만족시키는 집합 X의 개수

059 대표문제 다시 보기

두 집합

$A = \{x \mid x^2 - 4x + 3 = 0\}$,

$B = \{x \mid x는\ 75의\ 양의\ 약수\}$

에 대하여 $A \subset X \subset B$를 만족시키는 집합 X의 개수는?

① 2   ② 4   ③ 8

④ 16   ⑤ 32

060 중

두 집합 $A = \{a,\ b\}$, $B = \{a,\ b,\ c,\ d,\ e\}$에 대하여
$A \subset X \subset B$를 만족시키는 집합 X 중 e를 원소로 갖지 않는
집합의 개수를 구하시오.

061 중

집합 $A = \{x \mid x는\ 20의\ 양의\ 약수\}$에 대하여 다음 조건을 모
두 만족시키는 집합 X의 개수를 구하시오.

(개) $\{1,\ 2\} \subset X$ (내) $X \subset A$ (대) $X \neq A$

062 상

두 집합 $A = \{1,\ 2,\ 3,\ 4,\ \cdots,\ n\}$, $B = \{1,\ 2,\ 3,\ 6\}$에 대하
여 $B \subset X \subset A$를 만족시키는 집합 X의 개수가 32일 때, 자
연수 n의 값을 구하시오.

유형 13 여러 가지 부분집합의 개수

063 대표문제 다시 보기

집합 $A = \{x \mid x = 3n - 1,\ n은\ 7\ 이하의\ 자연수\}$의 부분집합
중 5 또는 8을 원소로 갖는 부분집합의 개수는?

① 48   ② 64   ③ 96

④ 112   ⑤ 120

064 중

집합 $A = \{x \mid x는\ 10\ 이하의\ 자연수\}$의 부분집합 중 소수인
원소만으로 이루어진 부분집합의 개수를 구하시오.

065 중

집합 $A = \{x \mid x는\ 30\ 이하의\ 5의\ 양의\ 배수\}$의 부분집합 중 적
어도 1개의 홀수를 원소로 갖는 부분집합의 개수를 구하시오.

066 상

집합 $A = \{6,\ 7,\ 8,\ 9,\ 10\}$의 부분집합 중 원소의 합이 25 이
상인 부분집합의 개수는?

① 8   ② 9   ③ 10

④ 11   ⑤ 12

067
유형 01

다음 중 집합이 <u>아닌</u> 것은?

① 36의 소인수의 모임
② 세계에서 가장 높은 건물의 모임
③ 3의 양의 배수의 모임
④ 우리 반에서 수학을 잘하는 학생의 모임
⑤ 우리 반에서 안경을 낀 학생의 모임

068
유형 02

4의 양의 배수의 집합을 A, 32의 양의 약수의 집합을 B라 할 때, 다음 중 옳지 <u>않은</u> 것은?

① $4 \in A$ ② $10 \notin A$ ③ $16 \in B$
④ $18 \notin B$ ⑤ $24 \in B$

069
유형 03

다음 중 집합 $\{1, 2, 3, 4, 6, 8, 12, 24\}$를 조건제시법으로 바르게 나타낸 것은?

① $\{x \mid x$는 8의 양의 약수$\}$
② $\{x \mid x$는 12의 양의 약수$\}$
③ $\{x \mid x$는 24의 양의 약수$\}$
④ $\{x \mid x$는 24 이하의 2의 양의 배수$\}$
⑤ $\{x \mid x$는 24 이하의 4의 양의 배수$\}$

070
유형 03

집합 $A = \{x \mid x^2 - 2x - 3 < 0,\ x$는 정수$\}$의 모든 원소의 합은?

① 3   ② 4   ③ 5
④ 6   ⑤ 7

071
유형 03

두 집합 $A = \{-2, 0, 2\}$, $B = \{1, 2\}$에 대하여 집합 $C = \{ab \mid a \in A,\ b \in B\}$를 원소나열법으로 나타내시오.

072
유형 04

다음 보기 중 무한집합인 것만을 있는 대로 고르시오.

> **보기**
> ㄱ. $\{x \mid x$는 100의 양의 약수$\}$
> ㄴ. $\{x \mid x$는 1보다 작은 양의 실수$\}$
> ㄷ. $\{x \mid x$는 세 자리의 홀수$\}$
> ㄹ. $\{x \mid |x| > 0,\ x$는 정수$\}$

073

다음 중 옳지 <u>않은</u> 것은?

① $n(\{\varnothing\})=1$

② $n(\{2,\ 4,\ 8\})=3$

③ $n(\{x\,|\,x는\ 49의\ 양의\ 약수\})=3$

④ $n(\{0,\ 1,\ 2,\ 3\})-n(\{0,\ 1,\ 2\})=1$

⑤ $n(\{1,\ 2,\ \{3,\ 4\}\})=4$

074

집합 $A=\{x\,|\,x^2-4x+k=0\}$에 대하여 $n(A)=1$이 되도록 하는 실수 k의 값은?

① 2   ② 3   ③ 4

④ 5   ⑤ 6

075

자연수 전체의 집합의 부분집합 A에 대하여

    ‘$a\in A$이면 $\dfrac{16}{a}\in A$’

를 만족시키는 집합 A의 개수를 구하시오. (단, $A\neq\varnothing$)

076

다음 중 세 집합 $X=\{x\,|\,x는\ 정사각형\}$,

$Y=\{x\,|\,x는\ 직사각형\}$, $Z=\{x\,|\,x는\ 평행사변형\}$ 사이의 포함 관계를 바르게 나타낸 것은?

① $X\subset Y\subset Z$ ② $X\subset Z\subset Y$ ③ $Y\subset X\subset Z$

④ $Z\subset X\subset Y$ ⑤ $Z\subset Y\subset X$

077

집합 $A=\{\varnothing,\ \{\varnothing\},\ 1,\ \{2,\ 3\}\}$에 대하여 다음 보기 중 옳은 것만을 있는 대로 고른 것은?

> **보기**
>
> ㄱ. $\varnothing\in A$ ㄴ. $\{\varnothing\}\notin A$
>
> ㄷ. $\{2,\ 3\}\subset A$ ㄹ. $\{1,\ \{2,\ 3\}\}\subset A$

① ㄱ, ㄴ   ② ㄱ, ㄷ   ③ ㄱ, ㄹ

④ ㄴ, ㄹ   ⑤ ㄷ, ㄹ

078

두 집합

    $A=\{x\,|\,x^2-x-6=0\}$,

    $B=\{x\,|\,x는\ a보다\ 작은\ 정수\}$

에 대하여 $A\subset B$가 성립하도록 하는 정수 a의 최솟값을 구하시오.

079
유형 08

세 집합 $A=\{x\mid 0<x\le a\}$, $B=\{x\mid (x-1)(x-2)\le 0\}$, $C=\{x\mid x^2-4x-12<0\}$에 대하여 $B\subset A\subset C$가 성립하도록 하는 정수 a의 개수를 구하시오.

080
유형 09

두 집합 $A=\{-1,\ 3,\ a^2-3a\}$, $B=\{4,\ a-1,\ 7-2a\}$에 대하여 $A\subset B$이고 $B\subset A$일 때, 상수 a의 값을 구하시오.

081
유형 10

자연수 n에 대하여 집합 A_n을
$$A_n=\{x\mid x\text{는 }n\text{의 양의 약수}\}$$
라 할 때, 집합 A_{16}의 부분집합의 개수를 a, 집합 A_{18}의 진부분집합의 개수를 b라 하자. 이때 $a+b$의 값을 구하시오.

082
유형 10

자연수 k에 대하여 집합 $A=\{x\mid x\text{는 }k\text{보다 작은 소수}\}$의 진부분집합의 개수가 31이 되도록 하는 모든 k의 값의 합은?

① 20   ② 25   ③ 30
④ 35   ⑤ 40

083
유형 11

집합 $A=\{x\mid x\text{는 }30\text{의 양의 약수}\}$의 부분집합 중 1은 반드시 원소로 갖고 2, 3, 6은 원소로 갖지 않는 부분집합의 개수는?

① 2   ② 4   ③ 8
④ 16   ⑤ 32

084
유형 12

두 집합
$$A=\{x\mid x\text{는 }10\text{ 이하의 자연수}\},$$
$$B=\{x\mid x\text{는 }10\text{ 이하의 소수}\}$$
에 대하여 다음 조건을 모두 만족시키는 집합 X의 개수는?

(가) $B\subset X\subset A$	(나) $X\ne A,\ X\ne B$

① 30   ② 62   ③ 64
④ 126   ⑤ 128

085
유형 13

두 집합 $A=\{1,\ 3,\ 5,\ 7\}$, $B=\{x\mid x\text{는 }20\text{ 이하의 홀수}\}$에 대하여 다음 조건을 모두 만족시키는 집합 X의 개수를 구하시오.

(가) $A\subset X\subset B$	(나) $n(X)\ge 6$

집합의 연산

02 집합의 연산

★중요
유형 01 | 합집합과 교집합

(1) 합집합: 두 집합 A와 B의 모든 원소로 이루어진 집합
→ $A \cup B = \{x \mid x \in A$ 또는 $x \in B\}$
(2) 교집합: 두 집합 A와 B에 공통으로 속하는 원소로 이루어진 집합 → $A \cap B = \{x \mid x \in A$ 그리고 $x \in B\}$

대표 문제

001 세 집합
$A = \{x \mid x$는 9 미만의 홀수$\}$,
$B = \{x \mid x$는 18의 양의 약수$\}$,
$C = \{x \mid x$는 24의 양의 약수$\}$
에 대하여 집합 $A \cup (B \cap C)$를 구하시오.

유형 02 | 서로소인 집합

두 집합 A, B가 서로소이다.
→ 두 집합 A, B에 공통인 원소가 하나도 없다.
→ $A \cap B = \varnothing$

참고 공집합은 모든 집합과 서로소이다.

대표 문제

002 다음 중 집합 $\{2, 4, 6, 8\}$과 서로소인 집합은?
① $\{1, 2, 4, 5, 10, 20\}$　② $\{x \mid x$는 $1 < x < 10$인 짝수$\}$
③ $\{x \mid x$는 10 이하의 소수$\}$　④ $\{x \mid x$는 15의 양의 약수$\}$
⑤ $\{x \mid x^2 - 5x + 4 = 0\}$

★중요
유형 03 | 여집합과 차집합

(1) 여집합: 전체집합 U의 부분집합 A에 대하여 U의 원소 중 A에 속하지 않는 모든 원소로 이루어진 집합
→ $A^C = \{x \mid x \in U$ 그리고 $x \notin A\}$
(2) 차집합: 집합 A에 속하지만 집합 B에는 속하지 않는 원소로 이루어진 집합 → $A - B = \{x \mid x \in A$ 그리고 $x \notin B\}$

대표 문제

003 전체집합 $U = \{x \mid x$는 12 이하의 자연수$\}$의 두 부분집합
$A = \{x \mid x$는 12의 약수$\}$, $B = \{x \mid x$는 4의 배수$\}$
에 대하여 집합 $A^C - B$의 모든 원소의 합을 구하시오.

유형 04 | 집합의 연산과 벤다이어그램

연산이 나타내는 집합을 벤다이어그램으로 나타낸 후 주어진 벤다이어그램과 비교한다.

대표 문제

004 다음 중 오른쪽 벤다이어그램의 색칠한 부분을 나타내는 집합은?
① $A \cap (B - C)$　② $(A - B) \cap C$
③ $(B - A) \cap C$　④ $B - (A \cap C)$
⑤ $C - (A \cup B)$

유형 05 | 집합의 연산을 이용하여 미지수 구하기

주어진 집합의 연산을 이용하여 방정식을 세운 후 미지수의 값을 구한다. 이때 구한 값이 주어진 조건을 만족시키는지 반드시 확인한다.

대표 문제

005 두 집합 $A = \{1, 4, a^2 - a\}$, $B = \{2, a-1, a^2+3\}$에 대하여 $A \cap B = \{1, 2\}$일 때, 상수 a의 값을 구하시오.

유형 06 | 집합의 연산에 대한 성질

전체집합 U의 두 부분집합 A, B에 대하여
(1) $A \cup A = A$, $A \cap A = A$ (2) $A \cup \varnothing = A$, $A \cap \varnothing = \varnothing$
(3) $A \cup U = U$, $A \cap U = A$ (4) $A \cup A^C = U$, $A \cap A^C = \varnothing$
(5) $U^C = \varnothing$, $\varnothing^C = U$ (6) $(A^C)^C = A$
(7) $A - B = A \cap B^C$
참고 $A \subset B$이면 ➡ $A \cup B = B$, $A \cap B = A$, $A - B = \varnothing$, $B^C \subset A^C$

대표 문제
006 전체집합 U의 서로 다른 두 부분집합 A, B에 대하여 $A \cap B = A$일 때, 다음 중 옳지 않은 것은?
① $A \cup B = B$ ② $A^C \cap B^C = B^C$ ③ $B - A = \varnothing$
④ $A \cap B^C = \varnothing$ ⑤ $B^C \subset A^C$

유형 07 | 조건을 만족시키는 집합의 개수 구하기

주어진 조건을 이용하여 집합 사이의 포함 관계를 구한 후 집합이 반드시 갖는 원소와 갖지 않는 원소를 찾는다.

대표 문제
007 두 집합 $A = \{2, 4, 6\}$, $B = \{1, 2, 3, 4, 5, 6, 7\}$에 대하여 $A \cup X = X$, $B \cap X = X$를 만족시키는 집합 X의 개수를 구하시오.

유형 08 | 집합의 연산 법칙

전체집합 U의 세 부분집합 A, B, C에 대하여
(1) 교환법칙: $A \cup B = B \cup A$, $A \cap B = B \cap A$
(2) 결합법칙: $(A \cup B) \cup C = A \cup (B \cup C)$,
$(A \cap B) \cap C = A \cap (B \cap C)$
(3) 분배법칙: $A \cup (B \cap C) = (A \cup B) \cap (A \cup C)$,
$A \cap (B \cup C) = (A \cap B) \cup (A \cap C)$
(4) 드모르간 법칙: $(A \cup B)^C = A^C \cap B^C$, $(A \cap B)^C = A^C \cup B^C$

대표 문제
008 전체집합 U의 두 부분집합 A, B에 대하여 다음 중 집합 $(A - B)^C \cap B^C$과 항상 같은 집합은?
① $A \cup B$ ② $A \cap B$ ③ $A - B$
④ $B - A$ ⑤ $(A \cup B)^C$

유형 09 | 배수 또는 약수의 집합의 연산

(1) 자연수 k의 양의 배수의 집합을 A_k라 하고 두 자연수 m, n의 최소공배수를 p라 하면 ➡ $A_m \cap A_n = A_p$
(2) 자연수 k의 양의 약수의 집합을 B_k라 하고 두 자연수 m, n의 최대공약수를 q라 하면 ➡ $B_m \cap B_n = B_q$

대표 문제
009 자연수 k의 양의 배수의 집합을 A_k라 할 때, 다음 중 집합 $(A_3 \cup A_6) \cap (A_4 \cup A_{12})$와 같은 집합은?
① A_3 ② A_4 ③ A_6
④ A_8 ⑤ A_{12}

유형 10 | 방정식 또는 부등식의 해의 집합의 연산

(1) 방정식의 해의 집합의 연산이 주어진 경우
➡ 각 집합을 원소나열법으로 나타낸 후 주어진 조건을 이용한다.
(2) 부등식의 해의 집합의 연산이 주어진 경우
➡ 각 부등식의 해의 집합을 수직선 위에 나타낸 후 교집합은 공통 범위, 합집합은 합친 범위임을 이용한다.

대표 문제
010 두 집합
$A = \{x \,|\, x^2 - 3x - 4 > 0\}$, $B = \{x \,|\, x^2 + ax + b \le 0\}$
에 대하여 $A \cup B = \{x \,|\, x$는 모든 실수$\}$, $A \cap B = \{x \,|\, 4 < x \le 5\}$일 때, $a + b$의 값을 구하시오. (단, a, b는 상수)

집합의 연산

유형 **11** | 집합의 새로운 연산

집합에서 새롭게 정의된 연산은 집합의 연산 법칙을 이용하거나 벤다이어그램을 이용한다.

대표 문제

011 전체집합 U의 두 부분집합 A, B에 대하여 연산 $\triangle$를
$$A \triangle B = (A \cup B) - (A \cap B)$$
라 할 때, 다음 중 옳지 <u>않은</u> 것은?

① $A \triangle A = \varnothing$ ② $A \triangle \varnothing = A$ ③ $A \triangle U = U$

④ $A \triangle A^C = U$ ⑤ $A \triangle B = B \triangle A$

★중요
유형 **12** | 유한집합의 원소의 개수

전체집합 U의 세 부분집합 A, B, C에 대하여
(1) $n(A \cup B) = n(A) + n(B) - n(A \cap B)$
(2) $n(A \cup B \cup C) = n(A) + n(B) + n(C)$
$$-n(A \cap B) - n(B \cap C) - n(C \cap A)$$
$$+n(A \cap B \cap C)$$
(3) $n(A^C) = n(U) - n(A)$
(4) $n(A - B) = n(A) - n(A \cap B) = n(A \cup B) - n(B)$

대표 문제

012 두 집합 A, B에 대하여
$$n(A) = 15, \ n(B) = 10, \ n(A - B) = 10$$
일 때, $n(A \cup B)$는?

① 5 ② 10 ③ 15

④ 20 ⑤ 25

유형 **13** | 유한집합의 원소의 개수의 최댓값과 최솟값

전체집합 U의 두 부분집합 A, B에 대하여 $n(A) \geq n(B)$일 때
(1) $n(A \cap B)$가 최대가 되는 경우
   ➡ $B \subset A$일 때이다.
   ➡ $n(A \cap B) = n(B)$
(2) $n(A \cap B)$가 최소가 되는 경우
   ➡ $n(A \cup B)$가 최대일 때이다.
   ➡ $A \cup B = U$일 때, 즉 $n(A \cup B) = n(U)$이다.

대표 문제

013 전체집합 U의 두 부분집합 A, B에 대하여
$$n(U) = 24, \ n(A) = 16, \ n(B) = 12$$
일 때, $n(A \cap B)$의 최댓값 M과 최솟값 m에 대하여 $M - m$의 값을 구하시오.

유형 **14** | 유한집합의 원소의 개수의 활용

주어진 조건을 전체집합 U와 그 부분집합 A, B로 나타낸 후 다음을 이용한다.
(1) '또는', '적어도 하나는 ~하는' ➡ $A \cup B$
(2) '모두 ~하는' ➡ $A \cap B$
(3) '어느 것도 ~하지 않는' ➡ $(A \cup B)^C$
(4) '하나만 ~하는' ➡ $(A - B) \cup (B - A)$

대표 문제

014 어느 반 학생 35명 중에서 축구를 좋아하는 학생이 23명, 농구를 좋아하는 학생이 16명, 축구와 농구 중 어느 것도 좋아하지 않는 학생이 7명일 때, 축구와 농구를 모두 좋아하는 학생 수는?

① 5 ② 7 ③ 9

④ 11 ⑤ 13

핵심 유형 완성하기

★ 중요
유형 01 합집합과 교집합

015 대표 문제 다시 보기

세 집합 $A=\{x|x$는 10 이하의 소수$\}$,
$B=\{x|x$는 30의 양의 약수$\}$, $C=\{x|x$는 4의 양의 약수$\}$
에 대하여 $n((A\cap B)\cup C)$를 구하시오.

016 하

세 집합 $A=\{1,\ 3,\ 5,\ 7\}$, $B=\{4,\ 5,\ 6,\ 7\}$,
$C=\{x|x$는 14의 양의 약수$\}$에 대하여 다음 중 옳지 <u>않은</u> 것은?

① $A\cap B=\{5,\ 7\}$
② $B\cap C=\{7\}$
③ $A\cup C=\{1,\ 2,\ 3,\ 5,\ 7,\ 14\}$
④ $(A\cap B)\cup C=\{1,\ 2,\ 5,\ 7,\ 14\}$
⑤ $A\cup(B\cap C)=\{1,\ 2,\ 3,\ 5,\ 7\}$

017 중

두 집합 A, B에 대하여 $A=\{2,\ 3,\ 4,\ 5\}$, $A\cap B=\{2,\ 5\}$,
$A\cup B=\{2,\ 3,\ 4,\ 5,\ 6,\ 7\}$일 때, 집합 B를 구하시오.

018 상 신유형

집합 $\{x|x$는 8 미만의 자연수$\}$의 공집합이 아닌 부분집합 X
에 대하여 집합 X의 모든 원소의 합을 $S(X)$라 하자. 집합 X
가 다음 조건을 모두 만족시킬 때, $S(X)$의 최댓값을 구하시오.

> (가) $X\cap\{3,\ 4,\ 5\}=\{4\}$
> (나) $S(X)$의 값은 홀수이다.

유형 02 서로소인 집합

019 대표 문제 다시 보기

다음 중 집합 $\{x|x$는 8의 양의 약수$\}$와 서로소인 집합은?

① $\{-2,\ 2\}$
② $\{3,\ 5,\ 7\}$
③ $\{4,\ 6,\ 8\}$
④ $\{x|x$는 8의 양의 배수$\}$
⑤ $\{x|x$는 10보다 작은 홀수$\}$

020 하

다음 중 두 집합 A, B가 서로소가 <u>아닌</u> 것은?

① $A=\{x|x$는 짝수$\}$, $B=\{x|x$는 홀수$\}$
② $A=\{x|x$는 유리수$\}$, $B=\{x|x$는 무리수$\}$
③ $A=\{x|x$는 마름모$\}$, $B=\{x|x$는 정사각형$\}$
④ $A=\{x|x$는 6의 양의 약수$\}$, $B=\{x|x$는 4의 양의 배수$\}$
⑤ $A=\{x|x^2+x=0\}$, $B=\{x|x^2-3x+2=0\}$

021 중

집합 $A=\{a,\ b,\ c,\ d,\ e\}$의 부분집합 중에서 집합 $B=\{d,\ e\}$
와 서로소인 집합의 개수는?

① 4   ② 8   ③ 16
④ 32   ⑤ 64

★중요

유형 03 여집합과 차집합

022 대표 문제 다시 보기

전체집합 $U=\{1, 2, 3, 4, \cdots, 10\}$의 두 부분집합

$\qquad A=\{x|x=2k+1, k\text{는 자연수}\}$,

$\qquad B=\{x|x=3k-1, k\text{는 자연수}\}$

에 대하여 집합 $(A-B)^C$의 모든 원소의 합을 구하시오.

023 하

전체집합 $U=\{1, 2, 3, 4, \cdots, 8\}$의 두 부분집합

$\qquad A=\{x|x\text{는 8의 약수}\}$, $B=\{x|x\text{는 2의 배수}\}$

에 대하여 다음 중 옳지 않은 것은?

① $A\cup B=\{1, 2, 4, 6, 8\}$　② $A\cap B=\{2, 4, 8\}$

③ $A^C=\{3, 5, 6, 7\}$　④ $B^C=\{1, 3, 5, 7\}$

⑤ $A-B=\{6\}$

024 중

전체집합 $U=\{x|x\text{는 10 이하의 자연수}\}$의 두 부분집합 A, B에 대하여

$\qquad A-B=\{1, 2, 8\}$, $A\cap B=\{3, 7\}$,

$\qquad (A\cup B)^C=\{6, 10\}$

일 때, 집합 B를 구하시오.

025 중

두 집합 A, B에 대하여

$\qquad A=\{1, 2, 4, 5, 7, 8\}$,

$\qquad (A-B)\cup(B-A)=\{1, 3, 4, 6, 7, 9\}$

일 때, 집합 B의 모든 원소의 합을 구하시오.

유형 04 집합의 연산과 벤다이어그램

026 대표 문제 다시 보기

다음 중 오른쪽 벤다이어그램의 색칠한 부분을 나타내는 집합은?

① $A\cap B\cap C$　② $A\cup(B\cap C)$

③ $A-(B\cap C)$　④ $A-(B\cup C)$

⑤ $A-(B-C)$

027 중

다음 보기 중 오른쪽 벤다이어그램의 색칠한 부분을 나타내는 집합인 것만을 있는 대로 고르시오.

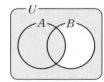

보기

ㄱ. $(A-B)^C$　　　ㄴ. $(B-A)^C$

ㄷ. $A^C\cup B$　　　ㄹ. $A\cup B^C$

028 중

다음 중 오른쪽 벤다이어그램의 색칠한 부분을 나타내는 집합은?

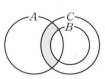

① $A\cap(B\cap C)$

② $(A\cup C)-B$

③ $(A\cap B)-C$

④ $(A\cap C)-B$

⑤ $(A-C)-B$

유형 05 집합의 연산을 이용하여 미지수 구하기

029 대표 문제 다시 보기

두 집합 $A=\{3,\ 5,\ a^2-2a-1\}$, $B=\{2,\ 4,\ 3a-4\}$에 대하여 $B-A=\{4\}$일 때, 상수 a의 값을 구하시오.

030 중

두 집합 $A=\{-2,\ 1,\ 2a+b\}$, $B=\{3,\ 5,\ a-b\}$에 대하여 $A\cap B=\{-2,\ 5\}$일 때, $a+b$의 값을 구하시오.

(단, a, b는 상수)

031 중

두 집합 $A=\{3,\ a,\ a+2\}$, $B=\{5,\ -a+6,\ a^2-2a+3\}$에 대하여 $A-B=\{2\}$일 때, 집합 B의 모든 원소의 합은?

(단, a는 상수)

① 8　　　　　② 9　　　　　③ 10
④ 11　　　　　⑤ 12

032 중

두 집합 $A=\{3,\ 4,\ a-2\}$, $B=\{-2,\ a+1,\ 2a-3\}$에 대하여 $A\cup B=\{-2,\ 1,\ 3,\ 4\}$일 때, 상수 a의 값은?

① -2　　　　② 0　　　　　③ 3
④ 5　　　　　⑤ 7

033 상

두 집합 $A=\{a+2,\ a^2+1\}$, $B=\{a+7,\ a^2\}$에 대하여 $(A-B)\cup(B-A)=\{5,\ 9\}$일 때, 모든 상수 a의 값의 합은?

① -3　　　　② -1　　　　③ 1
④ 3　　　　　⑤ 5

유형 06 집합의 연산에 대한 성질

034 대표 문제 다시 보기

전체집합 U의 두 부분집합 A, B에 대하여 $A\cup B=A$일 때, 다음 보기 중 항상 옳은 것만을 있는 대로 고른 것은?

보기
ㄱ. $A\subset B$　　　　　ㄴ. $A\cap B=B$
ㄷ. $A^c\subset B^c$　　　　ㄹ. $B^c-A^c=\varnothing$

① ㄱ, ㄴ　　　② ㄱ, ㄹ　　　③ ㄴ, ㄷ
④ ㄷ, ㄹ　　　⑤ ㄱ, ㄴ, ㄷ

035 하

전체집합 U의 두 부분집합 A, B에 대하여 다음 중 옳지 않은 것은?

① $U^c=\varnothing$　　　　　　② $A\cup A^c=U$
③ $U-A^c=A$　　　　　　④ $A-B=A^c\cap B$
⑤ $A\cup(U\cap B)=A\cup B$

036 중

전체집합 U의 공집합이 아닌 두 부분집합 A, B에 대하여 $A-B=A$일 때, 다음 중 옳지 <u>않은</u> 것은?

① $A \cap B = \varnothing$ ② $B-A=B$ ③ $A \subset B$
④ $A \subset B^C$ ⑤ $B \subset A^C$

037 중

전체집합 U의 공집합이 아닌 서로 다른 두 부분집합 A, B에 대하여 다음 중 나머지 넷과 <u>다른</u> 하나는?

① $A-B^C$ ② $B-A^C$
③ $A \cup (B \cap B^C)$ ④ $B \cap (U-A^C)$
⑤ $(A \cap B) \cap (A \cup A^C)$

038 중

전체집합 U의 서로 다른 두 부분집합 A, B에 대하여 $B^C \subset A^C$일 때, 다음 중 나머지 넷과 <u>다른</u> 하나는?

① $A \cup B$ ② $B-A^C$ ③ $B \cap (A \cup B)$
④ $B \cup (A \cap B)$ ⑤ $B \cup (A-B)$

유형 **07** 조건을 만족시키는 집합의 개수 구하기

039 대표 문제 다시 보기

두 집합 $A=\{1, 3, 5, 7, 9\}$, $B=\{2, 3, 5, 7\}$에 대하여
$$(A \cap B) \cup X = X, \quad (A \cup B) \cap X = X$$
를 만족시키는 집합 X의 개수를 구하시오.

040 중

전체집합 $U=\{x \,|\, x$는 10 이하의 자연수$\}$의 두 부분집합 A, X에 대하여 $A=\{x \,|\, x$는 소수$\}$일 때, $A \cup X=U$를 만족시키는 집합 X의 개수는?

① 4 ② 8 ③ 16
④ 32 ⑤ 64

041 중

전체집합 $U=\{1, 2, 3, 4, 5, 6, 7, 8\}$의 두 부분집합 $A=\{1, 3, 5, 7\}$, $B=\{4, 8\}$에 대하여
$$A-X=\varnothing, \quad B \cap X^C=B$$
를 만족시키는 집합 U의 부분집합 X의 개수는?

① 2 ② 4 ③ 8
④ 16 ⑤ 32

042 상

전체집합 $U=\{x \,|\, x$는 20의 양의 약수$\}$의 두 부분집합 $A=\{1, 2, 5\}$, $B=\{5, 10\}$에 대하여
$$(A-B) \cap X=\{2\}, \quad B \cup X=X$$
를 만족시키는 집합 U의 부분집합 X의 개수는?

① 4 ② 8 ③ 16
④ 32 ⑤ 64

★ 중요

유형 **08** 집합의 연산 법칙

043 대표 문제 다시 보기

전체집합 U의 세 부분집합 A, B, C에 대하여 다음 중 집합 $(A-C)-(B-C)$와 항상 같은 집합은?

① $A-B$ ② $(A \cap B)-C$ ③ $(A \cup B)-C$

④ $A-(B \cap C)$ ⑤ $A-(B \cup C)$

044 중

세 집합 A, B, C에 대하여

$$A \cup B = \{1, 2, 3, 4, 5\}, \quad A \cup C = \{2, 4, 6\}$$

일 때, 집합 $A \cup (B \cap C)$의 모든 원소의 합은?

① 6   ② 7   ③ 8

④ 9   ⑤ 10

045 중

전체집합 $U = \{x \,|\, x$는 5 이하의 자연수$\}$의 두 부분집합 A, B에 대하여

$$A^C \cup B^C = \{1, 2, 4, 5\}, \quad B \cap (A \cap B)^C = \{5\}$$

일 때, 집합 B^C은?

① $\{1, 2\}$ ② $\{3, 5\}$ ③ $\{1, 2, 4\}$

④ $\{1, 2, 5\}$ ⑤ $\{1, 3, 5\}$

046 중

전체집합 U의 두 부분집합 A, B에 대하여

$$\{(A-B) \cup B\}^C = \varnothing$$

일 때, 다음 중 항상 옳은 것은?

① $A \subset B$ ② $B \subset A$ ③ $A \subset B^C$

④ $A \cap B = \varnothing$ ⑤ $A \cup B = U$

047 중

전체집합 U의 두 부분집합 A, B에 대하여

$$\{(A \cap B) \cup (A-B)\} \cup B = A$$

일 때, 다음 중 항상 옳은 것은?

① $A \cap B = A$ ② $A \cup B = A$ ③ $A \cap B = \varnothing$

④ $A-B = \varnothing$ ⑤ $B^C \subset A^C$

048 상

전체집합 U의 세 부분집합 A, B, C에 대하여 다음 중 옳지 <u>않은</u> 것은?

① $A \cap (A^C \cup B) = A \cap B$

② $(A-B) \cup (A-C) = A-(B \cup C)$

③ $A-(B-C) = (A-B) \cup (A \cap C)$

④ $(A \cup B) \cap (A^C \cap B^C) = \varnothing$

⑤ $(A \cap B)-(A \cap C) = (A \cap B)-C$

유형 09 배수 또는 약수의 집합의 연산

049 대표 문제 다시 보기

자연수 k의 양의 배수의 집합을 A_k라 할 때,
$(A_2 \cap A_3) \cap (A_8 \cup A_{16}) = A_n$을 만족시키는 자연수 n의 값을 구하시오.

050 중

자연수 n의 양의 약수의 집합을 A_n이라 할 때, 다음 중 집합 $A_{16} \cap A_{24} \cap A_{32}$에 속하는 원소가 아닌 것은?

① 1   ② 2   ③ 4
④ 6   ⑤ 8

051 중

전체집합 $U=\{x|x$는 100 이하의 자연수$\}$의 부분집합 $A_k=\{x|x$는 자연수 k의 배수$\}$에 대하여 집합 $A_2 \cap (A_3 \cup A_4)$의 원소의 개수를 구하시오.

052 상

두 집합
$\qquad A_m=\{x|x$는 자연수 m의 양의 배수$\}$,
$\qquad B_n=\{x|x$는 자연수 n의 양의 약수$\}$
에 대하여 $A_p \subset (A_4 \cap A_5)$를 만족시키는 자연수 p의 최솟값과 $B_q \subset (B_{20} \cap B_{30})$을 만족시키는 자연수 q의 최댓값의 합을 구하시오.

유형 10 방정식 또는 부등식의 해의 집합의 연산

053 대표 문제 다시 보기

두 집합 $A=\{x|x^2-x-6 \le 0\}$, $B=\{x|x^2+ax+b \le 0\}$에 대하여 $A \cap B=\{x|1 \le x \le 3\}$, $A \cup B=\{x|-2 \le x \le 5\}$일 때, $a-b$의 값을 구하시오. (단, a, b는 상수)

054 중

두 집합 $A=\{x|x^2-5x+6=0\}$,
$B=\{x|x^3-ax^2-4a(x-1)=0\}$에 대하여 $A-B=\{3\}$일 때, 집합 $B-A$의 모든 원소의 합은? (단, a는 상수)

① -5 ② -4 ③ -3
④ -2 ⑤ -1

055 중

두 집합 $A=\{x|x^2-5x+4<0\}$,
$B=\{x|x^2-2(k+1)x+4k<0\}$에 대하여 $A \cap B=B$일 때, 실수 k의 최댓값을 구하시오. (단, $k>1$)

056 상   신유형

전체집합 $U=\{x|x$는 실수$\}$의 두 부분집합 $A=\{x||x|<2\}$, $B=\{x||x-k|<3\}$에 대하여 집합 $A \cap B$에 속하는 정수가 1개가 되도록 하는 상수 k의 값의 범위를 구하시오.

유형 **11** 집합의 새로운 연산

057 대표 문제 다시 보기

전체집합 U의 두 부분집합 A, B에 대하여 연산 ☆를
$$A ☆ B = (A-B) \cup (B-A)$$
라 할 때, 다음 중 옳지 <u>않은</u> 것은?

① $A ☆ \varnothing = A$ ② $U ☆ A = A^c$ ③ $A ☆ A = A$
④ $U ☆ \varnothing = U$ ⑤ $A ☆ B = B ☆ A$

058 중

전체집합 U의 두 부분집합 A, B에 대하여 연산 ◎를
$$A ◎ B = (A \cup B) \cap (A \cup B^c)$$
이라 할 때, 다음 중 $(B ◎ A) ◎ A$와 항상 같은 집합은?

① A ② B ③ $A \cup B$
④ $A \cap B$ ⑤ $A-B$

059 상

전체집합 U의 두 부분집합 A, B에 대하여 연산 ◇를
$$A ◇ B = (A \cup B) \cap (A \cap B)^c$$
이라 할 때, 다음 보기 중 옳은 것만을 있는 대로 고른 것은?

보기
ㄱ. $A ◇ A^c = \varnothing$
ㄴ. $A ◇ B = B ◇ A$
ㄷ. $(A ◇ B) ◇ C = A ◇ (B ◇ C)$
　　　(단, 집합 C는 전체집합 U의 부분집합이다.)

① ㄱ ② ㄴ ③ ㄱ, ㄷ
④ ㄴ, ㄷ ⑤ ㄱ, ㄴ, ㄷ

유형 **12** ★ 중요 유한집합의 원소의 개수

060 대표 문제 다시 보기

전체집합 U의 두 부분집합 A, B에 대하여
$$n(U)=30, \ n(A)=12, \ n(B)=15, \ n(A \cap B)=7$$
일 때, $n(A^c \cap B^c)$은?

① 10 ② 11 ③ 12
④ 13 ⑤ 14

061 중

전체집합 U의 두 부분집합 A, B에 대하여
$$n(U)=25, \ n(A^c \cup B^c)=20, \ n(A^c)=16$$
일 때, $n(A-B)$를 구하시오.

062 중

전체집합 U의 두 부분집합 A, B에 대하여 $n(U)=18$, $n(A-B)=5$, $n(B-A)=7$, $n(A^c \cap B^c)=4$일 때, $n(A \cap B)$를 구하시오.

063 상

세 집합 A, B, C에 대하여 $A \cap B = \varnothing$이고 $n(A)=8$, $n(B)=9$, $n(C)=14$, $n(A \cup C)=16$, $n(B \cup C)=18$일 때, $n(A \cup B \cup C)$를 구하시오.

유형 13 유한집합의 원소의 개수의 최댓값과 최솟값

064 대표 문제 다시 보기

전체집합 U의 두 부분집합 A, B에 대하여
$$n(U)=50, \ n(A^C)=16, \ n(B)=28$$
일 때, $n(A\cap B)$의 최댓값 M과 최솟값 m에 대하여 $M-m$의 값은?

① 16   ② 18   ③ 20

④ 22   ⑤ 24

065 중

전체집합 U의 두 부분집합 A, B에 대하여
$$n(U)=35, \ n(A)=20, \ n(B)=25$$
일 때, $n(B-A)$의 최솟값을 구하시오.

066 상

전체집합 U의 두 부분집합 A, B에 대하여
$$n(A)=8, \ n(B)=15, \ n(A\cap B)\geq 3$$
일 때, $n(A\cup B)$의 최댓값 M과 최솟값 m에 대하여 $M+m$의 값을 구하시오.

유형 14 유한집합의 원소의 개수의 활용

067 대표 문제 다시 보기

어느 반 학생 40명 중에서 수학 참고서를 가지고 있는 학생이 32명, 영어 참고서를 가지고 있는 학생이 24명, 두 참고서를 모두 가지고 있는 학생이 18명일 때, 두 참고서 중 어느 것도 가지고 있지 않은 학생 수를 구하시오.

068 중

50명의 학생을 대상으로 야구와 축구에 대한 선호도를 조사하였더니 야구를 좋아하는 학생이 22명, 야구와 축구 중 어느 것도 좋아하지 않는 학생이 13명이었다. 이때 축구만 좋아하는 학생 수를 구하시오.

069 중

어느 기념품 가게를 방문한 고객 28명 중에서 손거울을 구매한 고객이 16명, 책갈피를 구매한 고객이 12명이었다. 이때 손거울과 책갈피 중 어느 것도 구매하지 않은 고객 수의 최댓값을 구하시오.

070 상

선우네 반 학생 40명 중에서 속초에 가 본 학생이 15명, 부산에 가 본 학생이 16명, 광주에 가 본 학생이 22명이고, 세 곳 모두 가 본 학생이 3명이다. 속초, 부산, 광주 중 한 곳도 가 보지 않은 학생은 없다고 할 때, 세 곳 중 두 곳만 가 본 학생 수를 구하시오.

071 상 신유형

100명의 학생을 대상으로 한국사 체험 학습과 과학 체험 학습을 신청한 학생 수를 조사하였더니 한국사 체험 학습을 신청한 학생은 과학 체험 학습을 신청한 학생보다 10명이 많았고, 어느 체험 학습도 신청하지 않은 학생은 적어도 하나의 체험 학습을 신청한 학생보다 40명이 적었다. 이때 과학 체험 학습만 신청한 학생 수의 최댓값을 구하시오.

072
유형 01

두 집합 A, B에 대하여
$$B=\{3, 7, 9\}, A \cap B=\{3\}, A \cup B=\{1, 3, 5, 7, 9\}$$
일 때, 집합 A는?

① $\{1, 3\}$ ② $\{1, 5\}$ ③ $\{3, 5\}$
④ $\{1, 3, 5\}$ ⑤ $\{1, 3, 5, 7\}$

073
유형 02

집합 $A=\{1, 2, 3, 4, 5\}$의 부분집합 중에서 집합 $B=\{x|x$는 한 자리의 홀수$\}$와 서로소인 집합의 개수는?

① 4 ② 8 ③ 16
④ 32 ⑤ 64

074
유형 03

전체집합 $U=\{x|x$는 8 이하의 자연수$\}$의 두 부분집합
$$A=\{x|x는 8의 약수\}, B=\{x|x는 4의 배수\}$$
에 대하여 집합 $A-B^C$의 모든 원소의 합은?

① 4 ② 6 ③ 8
④ 10 ⑤ 12

075
유형 03

전체집합 $U=\{x|x$는 10보다 작은 자연수$\}$의 두 부분집합 A, B에 대하여
$$A-B=\{3, 6\}, B-A=\{5, 9\},$$
$$(A \cup B)^C=\{2, 4, 8\}$$
일 때, 집합 $A \cap B$는?

① $\{1, 7\}$ ② $\{3, 8\}$ ③ $\{1, 2, 7\}$
④ $\{2, 3, 8\}$ ⑤ $\{1, 2, 3, 7\}$

076
유형 04

다음 중 오른쪽 벤다이어그램의 색칠한 부분을 나타내는 집합은?

① $(A \cap B)^C$
② $(A-B)^C$
③ $U-A$
④ $(A-B) \cup (B-A)$
⑤ $(A \cup B^C) \cap (A^C \cup B)$

077
유형 05

두 집합 $A=\{3, 4, 7, a+b\}$, $B=\{4, 5, -a+3b\}$에 대하여 $A-B=\{3\}$일 때, ab의 값은? (단, a, b는 상수)

① 3 ② 5 ③ 6
④ 8 ⑤ 9

078
유형 05+06

전체집합 $U=\{x|x$는 실수$\}$의 두 부분집합
$$A=\{a^2-2a,\ 2,\ 7\},\ B=\{a^2-a,\ 3\}$$
에 대하여 $A^C \subset B^C$을 만족시키는 실수 a의 값을 구하시오.

079
유형 06

전체집합 U의 두 부분집합 A, B에 대하여 $B-A=B$일 때, 다음 보기 중 항상 옳은 것만을 있는 대로 고른 것은?

보기
ㄱ. $A \cap B = \varnothing$ ㄴ. $A \subset B^C$
ㄷ. $A-B=A$ ㄹ. $B^C \subset A^C$

① ㄱ, ㄴ   ② ㄱ, ㄹ   ③ ㄴ, ㄷ
④ ㄷ, ㄹ   ⑤ ㄱ, ㄴ, ㄷ

080
유형 06

전체집합 U의 두 부분집합 A, B에 대하여
$$(A^C \cap B) \cup (A \cap B^C) = \varnothing$$
일 때, 다음 중 항상 옳은 것은?

① $A \subset B^C$ ② $A=B$ ③ $A \cap B = \varnothing$
④ $B-A=B$ ⑤ $A \cup B = U$

081
유형 07

전체집합 $U=\{x|x$는 10 이하의 자연수$\}$의 두 부분집합
$A=\{x|x$는 10의 약수$\}$, $B=\{x|x$는 8의 약수$\}$에 대하여
$$(A-B) \cup X = X,\ B \cup X = X$$
를 만족시키는 집합 U의 부분집합 X의 개수를 구하시오.

082
유형 07

두 집합 $A=\{1,\ 2,\ 3,\ 6,\ 9,\ 18\}$, $B=\{1,\ 2,\ 3,\ 4,\ 6,\ 12\}$에 대하여 $X \subset A$, $n(X \cap B)=3$을 만족시키는 집합 X의 개수는?

① 8   ② 12   ③ 16
④ 20   ⑤ 24

083
유형 08

전체집합 U의 두 부분집합 A, B에 대하여 $B \subset A$일 때, 다음 중 집합 $(A-B)^C \cap B^C$과 항상 같은 집합은?

① A ② A^C ③ B^C
④ $A \cup B$ ⑤ $A \cap B$

084
유형 08

전체집합 U의 두 부분집합 A, B에 대하여 다음 보기 중 항상 옳은 것만을 있는 대로 고른 것은?

보기
ㄱ. $(A \cap B^C) \cup B = B$
ㄴ. $(A-B)^C \cap A = A \cap B$
ㄷ. $(A \cap B) \cup (A^C \cup B)^C = A$

① ㄱ   ② ㄴ   ③ ㄱ, ㄷ
④ ㄴ, ㄷ   ⑤ ㄱ, ㄴ, ㄷ

085
유형 09

자연수 k의 양의 배수의 집합을 A_k라 할 때,

$$A_n \cap A_2 = A_{2n}, \ A_n - A_3 = \varnothing$$

을 만족시키는 30 이하의 자연수 n의 개수는?

① 5   ② 6   ③ 7
④ 8   ⑤ 9

086
유형 10

실수 전체의 집합 R의 세 부분집합

$A = \{x \,|\, x^2 - 6x + 8 > 0\}$,
$B = \{x \,|\, x^2 + ax + b \leq 0\}$,
$C = \{x \,|\, x^2 + 2x + 4 > 0\}$

에 대하여 $A \cup B = C$, $A \cap B = \{x \,|\, -1 \leq x < 2\}$일 때, $a + b$
의 값을 구하시오. (단, a, b는 상수)

087
유형 11

전체집합 U의 두 부분집합 A, B에 대하여 연산 $\triangleright$를

$$A \triangleright B = (A \cup B) \cap (A^c \cup B)$$

라 할 때, 다음 중 $(A \triangleright B) \triangleright C$와 항상 같은 집합은?

(단, 집합 C는 전체집합 U의 부분집합이다.)

① A ② B ③ C
④ $A \cup B \cup C$ ⑤ $A \cap B \cap C$

088
유형 12

전체집합 U의 두 부분집합 A, B에 대하여

$$n(U) = 42, \ n(A \cap B) = 16, \ n(A^c \cap B^c) = 24$$

일 때, $n(A) + n(B)$의 값을 구하시오.

089
유형 12

전체집합 U의 두 부분집합 A, B에 대하여 $n(A) = 21$,
$n(A^c \cap B) = 7$, $n((A - B) \cup (B - A)) = 14$일 때,
$n(A \cap B)$는?

① 14   ② 15   ③ 16
④ 17   ⑤ 18

090
유형 13

전체집합 U의 두 부분집합 A, B에 대하여

$$n(U) = 28, \ n(A) = 14, \ n(B) = 18$$

일 때, $n(A \cap B)$의 최댓값과 최솟값의 차를 구하시오.

091
유형 14

어느 반 학생 36명을 대상으로 두 영화 A, B를 관람한 학생
수를 조사하였더니 영화 A를 관람한 학생이 31명, 영화 A는
관람하였지만 영화 B는 관람하지 않은 학생이 20명, 두 영화
중 어느 것도 관람하지 않은 학생이 4명이었다. 이때 영화 B
를 관람한 학생 수를 구하시오.

03

명제

명제

유형 01 | 명제

참인지 거짓인지를 분명하게 판별할 수 있는 문장이나 식을 명제라 한다.

예 • 사과는 맛있다. ➡ 명제가 아니다.
 • 2는 4의 배수이다. ➡ 거짓인 명제이다.

유형 02 | 명제와 조건의 부정

명제 또는 조건 p에 대하여 'p가 아니다.'를 p의 부정이라 하고, 기호 $\sim p$로 나타낸다.

➡ $\sim p$의 부정은 p이다. 즉, $\sim(\sim p)=p$이다.

참고 • '$x=a$'의 부정 ➡ '$x \neq a$'
 • '$a<x<b$'의 부정 ➡ '$x \leq a$ 또는 $x \geq b$'
 • '또는'의 부정 ➡ '그리고'
 • '그리고'의 부정 ➡ '또는'

유형 03 | 진리집합

전체집합의 원소 중에서 어떤 조건을 참이 되게 하는 모든 원소의 집합을 그 조건의 진리집합이라 한다.

참고 두 조건 p, q의 진리집합을 각각 P, Q라 할 때
 • '$\sim p$'의 진리집합 ➡ P^C
 • 'p 또는 q'의 진리집합 ➡ $P \cup Q$
 • 'p 그리고 q'의 진리집합 ➡ $P \cap Q$

★ 중요
유형 04 | 명제의 참, 거짓

(1) 두 조건 p, q에 대하여 명제 'p이면 q이다.'를 기호 $p \longrightarrow q$로 나타낸다.
(2) 두 조건 p, q의 진리집합을 각각 P, Q라 할 때
 ① $P \subset Q$이면 명제 $p \longrightarrow q$는 참이다.
 ② $P \not\subset Q$이면 명제 $p \longrightarrow q$는 거짓이다.

참고 명제가 거짓임을 보일 때는 가정 p는 만족시키지만 결론 q는 만족시키지 않는 예, 즉 반례가 하나라도 있음을 보이면 된다.

유형 05 | 명제의 참, 거짓과 진리집합 사이의 관계

두 조건 p, q의 진리집합을 각각 P, Q라 할 때
(1) 명제 $p \longrightarrow q$가 참이면 $P \subset Q$이다.
(2) $P \subset Q$이면 명제 $p \longrightarrow q$가 참이다.

대표 문제

001 다음 중 명제가 <u>아닌</u> 것은?

① $x+2 \leq 5$ ② $x=1$이면 $x+2=3$이다.
③ 짝수인 소수는 2뿐이다. ④ 3은 무리수이다.
⑤ 정사각형은 마름모이다.

대표 문제

002 두 조건 p: $x>1$, q: $x \geq 5$에 대하여 조건 '$\sim p$ 또는 q'의 부정은?

① $x \leq 1$ ② $x<5$ ③ $1<x<5$
④ $1<x \leq 5$ ⑤ $1 \leq x \leq 5$

대표 문제

003 전체집합 $U=\{x \mid x$는 정수$\}$에 대하여 두 조건 p, q가
  p: $x^2-x-6=0$, q: $x^2-4 \leq 0$
일 때, 조건 'p 그리고 q'의 진리집합을 구하시오.

대표 문제

004 다음 중 거짓인 명제는?

① $x=-1$이면 $x^2+x=0$이다.
② $|x|=1$이면 $x^2=1$이다.
③ $|x|<1$이면 $x^2<1$이다.
④ x가 3의 배수이면 x는 6의 배수이다.
⑤ x가 4의 양의 약수이면 x는 8의 양의 약수이다.

대표 문제

005 전체집합 U에 대하여 두 조건 p, q의 진리집합을 각각 P, Q라 하자. 명제 $p \longrightarrow \sim q$가 참일 때, 다음 중 항상 옳은 것은?

① $P \subset Q$ ② $Q \subset P$ ③ $P \cap Q=\varnothing$
④ $P \cup Q=U$ ⑤ $P-Q=\varnothing$

★ 중요

유형 06 | 명제가 참이 되도록 하는 상수 구하기

두 조건 p, q의 진리집합을 각각 P, Q라 할 때, 명제 $p \longrightarrow q$가 참이 되도록 하는 미지수의 값은 $P \subset Q$가 되도록 두 집합 P, Q를 수직선 위에 나타내어 구한다.

 대표 문제

006 두 조건 p: $-2 \leq x < 3$, q: $x > a$에 대하여 명제 $p \longrightarrow q$가 참이 되도록 하는 실수 a의 값의 범위를 구하시오.

유형 07 | '모든'이나 '어떤'을 포함한 명제의 참, 거짓

전체집합 U에 대하여 조건 p의 진리집합을 P라 할 때

(1) 명제 '모든 x에 대하여 p이다.'
  ➡ $P = U$이면 참이고, $P \neq U$이면 거짓이다.
  ➡ p를 만족시키지 않는 x가 하나라도 존재하면 거짓이다.

(2) 명제 '어떤 x에 대하여 p이다.'
  ➡ $P \neq \varnothing$이면 참이고, $P = \varnothing$이면 거짓이다.
  ➡ p를 만족시키는 x가 하나라도 존재하면 참이다.

참고 • '모든 x에 대하여 p이다.'의 부정 ➡ '어떤 x에 대하여 $\sim p$이다.'
  • '어떤 x에 대하여 p이다.'의 부정 ➡ '모든 x에 대하여 $\sim p$이다.'

 대표 문제

007 전체집합 $U = \{x \,|\, x^2 < 2,\ x$는 정수$\}$에 대하여 $x \in U$일 때, 다음 중 참인 명제는?

① 모든 x에 대하여 $x^2 > 0$이다.
② 어떤 x에 대하여 $x^2 = x$이다.
③ 모든 x에 대하여 $|x| > x$이다.
④ 모든 x에 대하여 $x + 2 < 3$이다.
⑤ 어떤 x에 대하여 $x - 1 \geq 1$이다.

★ 중요

유형 08 | 명제의 역과 대우

(1) 명제 $p \longrightarrow q$에 대하여
  ① 역: $q \longrightarrow p$ ② 대우: $\sim q \longrightarrow \sim p$

(2) 명제가 참이면 그 대우도 참이고, 명제가 거짓이면 그 대우도 거짓이다.

 대표 문제

008 실수 x, y에 대하여 다음 중 그 역이 거짓인 명제는?

① x가 2의 배수이면 x는 4의 배수이다.
② $x^2 - x - 2 < 0$이면 $1 < x < 2$이다.
③ $x^2 = 3x$이면 $x = 0$이다.
④ $x < 1$이면 $x^2 < 1$이다.
⑤ x 또는 y가 짝수이면 xy는 홀수이다.

유형 09 | 명제의 대우를 이용하여 상수 구하기

명제와 그 대우의 참, 거짓은 일치하므로 두 조건 p, q의 진리집합을 구하는 것보다 $\sim p$, $\sim q$의 진리집합을 구하는 것이 쉬운 경우에는 명제 $p \longrightarrow q$의 대우 $\sim q \longrightarrow \sim p$가 참이 되도록 하는 미지수의 값을 구한다.

 대표 문제

009 실수 x, y에 대하여 명제
  '$x + y \leq 50$이면 $x \leq -1$ 또는 $y \leq a$이다.'
가 참일 때, 실수 a의 최솟값을 구하시오.

유형 10 | 삼단논법

세 조건 p, q, r에 대하여 두 명제 $p \longrightarrow q$, $q \longrightarrow r$가 모두 참이면 명제 $p \longrightarrow r$도 참이다.

참고 주어진 명제들과 각각의 대우가 모두 참임을 이용하여 삼단논법을 적용한다.

 대표 문제

010 세 조건 p, q, r에 대하여 두 명제 $p \longrightarrow q$, $r \longrightarrow \sim q$가 모두 참일 때, 다음 중 항상 참인 명제는?

① $p \longrightarrow r$ ② $q \longrightarrow r$ ③ $r \longrightarrow \sim p$
④ $\sim p \longrightarrow \sim q$ ⑤ $\sim r \longrightarrow q$

유형 01 명제

011 대표 문제 다시 보기

다음 중 명제인 것은?

① $x-1 \leq 2x$
② 꽃은 향기롭다.
③ 0은 자연수이다.
④ x는 5의 약수이다.
⑤ 농구 선수는 키가 크다.

012 하

다음 중 명제가 <u>아닌</u> 것은?

① $3+4=5$
② $2x-4=0$
③ $x-1=x+2$
④ $5x=2x+3x$
⑤ $3(x-2)>3x-2$

013 하

다음 보기 중 명제인 것만을 있는 대로 고른 것은?

보기
ㄱ. $x=2$
ㄴ. 5의 배수는 10의 배수이다.
ㄷ. $\sqrt{2}$는 유리수이다.
ㄹ. 10 이상의 자연수는 크다.

① ㄱ, ㄴ
② ㄱ, ㄷ
③ ㄴ, ㄷ
④ ㄴ, ㄹ
⑤ ㄷ, ㄹ

유형 02 명제와 조건의 부정

014 대표 문제 다시 보기

두 조건 p: $x^2-3x-4 \geq 0$, q: $x^2-1 \leq 0$에 대하여 조건 'p 그리고 $\sim q$'의 부정은?

① $x>-1$
② $x>4$
③ $-1<x<4$
④ $-1 \leq x<4$
⑤ $-1 \leq x \leq 4$

015 중

다음 보기의 명제 중 그 부정이 참인 것만을 있는 대로 고르시오.

보기
ㄱ. $3>5$
ㄴ. 2는 소수이다.
ㄷ. 6은 12의 약수가 아니다.
ㄹ. 정삼각형은 이등변삼각형이다.

016 중

실수 a, b, c에 대하여 다음 중 조건
'$(a-b)^2+(b-c)^2+(c-a)^2 \neq 0$'
의 부정과 서로 같은 것은?

① $a=b=c$
② $a \neq b$, $b \neq c$, $c \neq a$
③ $(a-b)(b-c)(c-a)=0$
④ $(a-b)(b-c)(c-a) \neq 0$
⑤ a, b, c 중 서로 다른 것이 적어도 하나 있다.

유형 03 진리집합

017 대표 문제 다시 보기

전체집합 $U=\{x\,|\,|x|\leq4,\ x$는 정수$\}$에 대하여 두 조건 p, q가

$$p: x^2+2x-8=0,\ q: x^3-4x=0$$

일 때, 조건 ' p 또는 $\sim q$'의 진리집합을 구하시오.

018 하

전체집합 $U=\{1,\ 2,\ 3,\ 4,\ 5,\ 6,\ 7\}$에 대하여 조건 p가

$$p: x$$는 홀수이다.

일 때, 조건 $\sim p$의 진리집합의 원소의 개수를 구하시오.

019 중

실수 전체의 집합에서 두 조건 $p: x>2$, $q: x\geq-4$의 진리집합을 각각 P, Q라 할 때, 다음 중 조건 '$-4\leq x\leq2$'의 진리집합을 나타내는 것은?

① $P\cup Q$ ② $P\cap Q$ ③ $P^C\cup Q$

④ $P^C\cap Q$ ⑤ $(P\cap Q)^C$

020 중

실수 전체의 집합에서 두 조건

$$p: |x-a|<2,\ q: x^2-2x-15\leq0$$

의 진리집합을 각각 P, Q라 하자. 조건 'p 그리고 q'의 진리집합이 P가 되도록 하는 자연수 a의 개수를 구하시오.

유형 04 명제의 참, 거짓

021 대표 문제 다시 보기

다음 중 거짓인 명제는?

① $x=-\sqrt{2}$이면 $x^2=2$이다.

② $x=2$이면 $x^2-x-2=0$이다.

③ $x<-2$이면 $x^2-2x-8>0$이다.

④ x, y가 정수이면 $x+y$는 정수이다.

⑤ x가 10의 양의 약수이면 x는 5의 양의 약수이다.

022 하

자연수 n에 대하여 다음 중 명제

'n이 소수이면 n^2은 홀수이다.'

가 거짓임을 보이는 반례는?

① 2   ② 3   ③ 5

④ 7   ⑤ 11

023 중

실수 x, y에 대하여 다음 중 참인 명제는?

① $|x|>2$이면 $x^2>1$이다.

② $x^2=1$이면 $x=1$이다.

③ $xy=0$이면 $x^2+y^2=0$이다.

④ $x+y>0$이면 $xy>0$이다.

⑤ $x^2=y^2$이면 $x=y$이다.

유형 **05** 명제의 참, 거짓과 진리집합 사이의 관계

024 대표문제 다시 보기

전체집합 U에 대하여 두 조건 p, q의 진리집합을 각각 P, Q라 하자. 명제 $q \longrightarrow p$가 참일 때, 다음 중 항상 옳은 것은?

① $P \subset Q^C$ ② $Q \subset P^C$ ③ $P \cap Q = \varnothing$
④ $P \cup Q = U$ ⑤ $P^C \cap Q^C = P^C$

025 중

전체집합 U에 대하여 두 조건 p, q의 진리집합을 각각 P, Q라 하자. 두 집합 P, Q가 서로소일 때, 다음 중 항상 참인 명제는?

① $p \longrightarrow q$ ② $p \longrightarrow \sim q$ ③ $q \longrightarrow p$
④ $\sim p \longrightarrow q$ ⑤ $\sim q \longrightarrow p$

026 중

전체집합 U에 대하여 두 조건 p, q의 진리집합을 각각 P, Q라 할 때, 다음 중 명제 'p이면 $\sim q$이다.'가 거짓임을 보이는 원소가 속하는 집합은?

① $P \cap Q$ ② $P \cap Q^C$ ③ $P^C \cap Q$
④ $P^C \cap Q^C$ ⑤ $P^C \cup Q^C$

027 중

전체집합 U에 대하여 세 조건 p, q, r의 진리집합을 각각 P, Q, R라 할 때, 세 집합 P, Q, R 사이의 포함관계는 오른쪽 벤다이어그램과 같다. 다음 보기의 명제 중 항상 참인 것만을 있는 대로 고르시오.

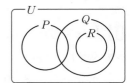

보기
ㄱ. $p \longrightarrow \sim r$ ㄴ. $q \longrightarrow \sim p$
ㄷ. $q \longrightarrow r$ ㄹ. $r \longrightarrow q$

028 중

전체집합 $U = \{x \mid x$는 10 이하의 자연수$\}$에 대하여 세 조건 p, q, r의 진리집합을 각각 P, Q, R라 하자. 두 조건 p, q가

p: x는 홀수, q: x는 소수

일 때, 명제 'p 또는 q이면 r이다.'가 참이 되도록 하는 집합 R의 개수를 구하시오.

★ 중요
유형 **06** 명제가 참이 되도록 하는 상수 구하기

029 대표문제 다시 보기

두 조건 p: $|x-1| \leq a$, q: $x \geq -2$에 대하여 명제 $p \longrightarrow q$가 참이 되도록 하는 양수 a의 최댓값을 구하시오.

030 _중

명제 '$a-2 \le x < a+3$이면 $-1 < x < 5$이다.'가 참이 되도록 하는 실수 a의 값의 범위는?

① $a < 1$ ② $1 < a \le 2$ ③ $1 \le a < 2$

④ $a > 2$ ⑤ $a < 1$ 또는 $a \ge 2$

031 _중

두 조건 $p : a \le x \le 3$, $q : x < 1$에 대하여 명제 $p \longrightarrow {\sim}q$가 참이 되도록 하는 실수 a의 최솟값은?

① -2 ② -1 ③ 0

④ 1 ⑤ 2

032 _상

세 조건

$\quad p : -2 \le x \le 1$ 또는 $x \ge 3$, $q : x < a$, $r : x \ge b$

에 대하여 두 명제 ${\sim}q \longrightarrow p$, $p \longrightarrow r$가 모두 참이 되도록 하는 실수 a의 최솟값을 m, 실수 b의 최댓값을 M이라 할 때, $m+M$의 값은?

① -2 ② -1 ③ 0

④ 1 ⑤ 2

유형 **07** '모든'이나 '어떤'을 포함한 명제의 참, 거짓

033   대표 문제 다시 보기

전체집합 $U = \{-2, -1, 0, 1, 2\}$에 대하여 $x \in U$일 때, 다음 보기의 명제 중 참인 것만을 있는 대로 고르시오.

> **보기**
>
> ㄱ. 어떤 x에 대하여 $x^2 - x < 0$이다.
> ㄴ. 모든 x에 대하여 $|x| \ge x$이다.
> ㄷ. 모든 x에 대하여 $2x+1 \ge -3$이다.
> ㄹ. 어떤 x에 대하여 $x-2 > 0$이다.

034 _중

전체집합 U에 대하여 조건 p의 진리집합을 P라 할 때, 다음 보기 중 항상 옳은 것만을 있는 대로 고른 것은? (단, $U \ne \varnothing$)

> **보기**
>
> ㄱ. $P = U$이면 명제 '어떤 x에 대하여 p이다.'는 참이다.
> ㄴ. $P \ne \varnothing$이면 명제 '모든 x에 대하여 p이다.'는 거짓이다.
> ㄷ. $P \ne U$이면 명제 '어떤 x에 대하여 p이다.'는 참이다.

① ㄱ   ② ㄴ   ③ ㄷ

④ ㄱ, ㄴ   ⑤ ㄴ, ㄷ

035 _중

다음 중 참인 명제는?

① 모든 소수는 홀수이다.
② 모든 실수 x에 대하여 $x^2 > 0$이다.
③ 어떤 실수 x에 대하여 $x^2 < x$이다.
④ 어떤 실수 x에 대하여 $x^2 + 2x + 2 < 0$이다.
⑤ 모든 무리수 x에 대하여 x^2은 유리수이다.

036 중

명제 '어떤 실수 x에 대하여 $x^2-8x+k<0$이다.'의 부정이 참이 되도록 하는 실수 k의 최솟값은?

① -8 ② -4 ③ 2

④ 8 ⑤ 16

★ 중요

유형 08   명제의 역과 대우

037 대표 문제 다시 보기

실수 x, y, z에 대하여 다음 보기의 명제 중 그 역이 참인 것만을 있는 대로 고른 것은?

┌ 보기 ─────────────────────────
ㄱ. $x+y<0$이면 $x<0$이고 $y<0$이다.
ㄴ. $x<y$이면 $z-x<z-y$이다.
ㄷ. $|x|+|y|=0$이면 $xy=0$이다.
└──────────────────────────

① ㄱ   ② ㄴ   ③ ㄷ

④ ㄱ, ㄴ   ⑤ ㄴ, ㄷ

038 하

실수 a, b, c에 대하여 다음 중 명제 '$a+b+c>0$이면 a, b, c 중 적어도 하나는 양수이다.'의 대우인 것은?

① $a+b+c\le0$이면 a, b, c는 모두 음수이다.

② a, b, c 중 적어도 하나가 양수이면 $a+b+c>0$이다.

③ a, b, c 중 적어도 하나가 양수가 아니면 $a+b+c\le0$이다.

④ a, b, c가 모두 음수가 아니면 $a+b+c\le0$이다.

⑤ a, b, c가 모두 양수가 아니면 $a+b+c\le0$이다.

039 중

두 조건 p, q에 대하여 명제 $p \longrightarrow \sim q$의 역이 참일 때, 다음 중 항상 참인 명제는?

① $p \longrightarrow q$ ② $q \longrightarrow p$ ③ $q \longrightarrow \sim p$

④ $\sim p \longrightarrow q$ ⑤ $\sim p \longrightarrow \sim q$

040 중

실수 x, y에 대하여 다음 중 그 대우가 거짓인 명제는?

① $x=2$이고 $y=3$이면 $xy=6$이다.

② $x^2+y^2=0$이면 $x=0$이고 $y=0$이다.

③ $x\le1$ 또는 $x\ge2$이면 $x^2-3x+2\ge0$이다.

④ $xy>0$이면 $x>0$이고 $y>0$이다.

⑤ $x+y$가 무리수이면 x 또는 y는 무리수이다.

041 중

실수 x, y에 대하여 다음 중 그 역과 대우가 모두 참인 명제는?

① $x>0$이면 $x>1$이다.

② $x^2=4$이면 $x=2$이다.

③ $x=y$이면 $x^2=y^2$이다.

④ $x>y$이면 $x^2>y^2$이다.

⑤ $xy\ne0$이면 $x\ne0$이고 $y\ne0$이다.

유형 **09** 명제의 대우를 이용하여 상수 구하기

042 대표 문제 다시 보기

실수 a, b에 대하여 명제

  '$a+b<5$이면 $a<k$ 또는 $b<3$이다.'

가 참일 때, 실수 k의 최솟값을 구하시오.

043 하

명제 '$x^2+ax+4\neq0$이면 $x\neq1$이다.'가 참일 때, 상수 a의 값을 구하시오.

044 중

두 조건 p: $|x-a|\geq3$, q: $|x-2|\geq1$에 대하여 명제 $p\longrightarrow q$가 참이 되도록 하는 정수 a의 개수는?

① 2   ② 3   ③ 4

④ 5   ⑤ 6

유형 **10** 삼단논법

045 대표 문제 다시 보기

세 조건 p, q, r에 대하여 두 명제 $r\longrightarrow\sim p$, $\sim r\longrightarrow q$가 모두 참일 때, 다음 명제 중 반드시 참이라고 할 수 <u>없는</u> 것은?

① $p\longrightarrow q$ ② $p\longrightarrow r$ ③ $p\longrightarrow\sim r$

④ $\sim q\longrightarrow r$ ⑤ $\sim q\longrightarrow\sim p$

046 중

네 조건 p, q, r, s에 대하여 세 명제 $p\longrightarrow\sim q$, $q\longrightarrow r$, $s\longrightarrow q$가 모두 참일 때, 다음 보기의 명제 중 항상 참인 것만을 있는 대로 고르시오.

보기

ㄱ. $q\longrightarrow p$ ㄴ. $s\longrightarrow r$ ㄷ. $p\longrightarrow\sim s$

047 중

네 조건 p, q, r, s에 대하여 두 명제 $p\longrightarrow q$, $r\longrightarrow\sim s$가 모두 참일 때, 다음 중 명제 $p\longrightarrow\sim r$가 참임을 보이기 위해 필요한 참인 명제는?

① $p\longrightarrow r$ ② $q\longrightarrow r$ ③ $\sim p\longrightarrow\sim s$

④ $\sim s\longrightarrow p$ ⑤ $\sim s\longrightarrow\sim q$

048 상

다음 두 명제가 모두 참일 때, 항상 참인 명제는?

(가) 축구를 좋아하는 학생은 농구를 좋아한다.
(나) 축구를 좋아하지 않는 학생은 달리기를 좋아하지 않는다.

① 축구를 좋아하는 학생은 달리기를 좋아한다.
② 농구를 좋아하는 학생은 달리기를 좋아한다.
③ 축구를 좋아하지 않는 학생은 농구를 좋아하지 않는다.
④ 농구를 좋아하지 않는 학생은 달리기를 좋아하지 않는다.
⑤ 달리기를 좋아하는 학생은 농구를 좋아하지 않는다.

★중요
유형 11 | 충분조건, 필요조건, 필요충분조건

(1) 명제 $p \longrightarrow q$가 참일 때, 기호 $p \Longrightarrow q$로 나타내고, p는 q이기 위한 충분조건, q는 p이기 위한 필요조건이라 한다.
(2) $p \Longrightarrow q$이고 $q \Longrightarrow p$일 때, 기호 $p \Longleftrightarrow q$로 나타내고, p는 q이기 위한 필요충분조건, q는 p이기 위한 필요충분조건이라 한다.

대표 문제

049 두 조건 p, q에 대하여 다음 중 p가 q이기 위한 충분조건인 것은? (단, x, y는 실수)

① p: $x^2 = 1$ q: $x = 1$
② p: $-1 < x < 2$ q: $x \geq -1$
③ p: $x^2 + 5x - 6 = 0$ q: $x = 1$
④ p: $x + y = 0$ q: $x = 0$, $y = 0$
⑤ p: $|x| = |y|$ q: $x = y$

유형 12 | 충분조건, 필요조건과 명제의 참, 거짓

(1) p는 q이기 위한 충분조건이면 명제 $p \longrightarrow q$는 참이다.
(2) p는 q이기 위한 필요조건이면 명제 $q \longrightarrow p$는 참이다.

대표 문제

050 세 조건 p, q, r에 대하여 p는 q이기 위한 필요조건이고 q는 $\sim r$이기 위한 충분조건일 때, 다음 명제 중 반드시 참이라고 할 수 없는 것은?

① $p \longrightarrow q$ ② $q \longrightarrow p$ ③ $q \longrightarrow \sim r$
④ $\sim p \longrightarrow \sim q$ ⑤ $r \longrightarrow \sim q$

유형 13 | 충분조건, 필요조건과 진리집합 사이의 관계

두 조건 p, q의 진리집합을 각각 P, Q라 할 때
(1) p가 q이기 위한 충분조건이면 $p \Longrightarrow q$이므로 $P \subset Q$
(2) p가 q이기 위한 필요조건이면 $q \Longrightarrow p$이므로 $Q \subset P$
(3) p가 q이기 위한 필요충분조건이면 $p \Longleftrightarrow q$이므로 $P = Q$

대표 문제

051 전체집합 U에 대하여 두 조건 p, q의 진리집합을 각각 P, Q라 하자. q는 p이기 위한 필요조건일 때, 다음 중 항상 옳은 것은?

① $P \cup Q = P$ ② $P \cap Q = Q$ ③ $Q - P = \varnothing$
④ $P \cup Q^C = U$ ⑤ $P \cap Q^C = \varnothing$

★중요
유형 14 | 충분조건, 필요조건이 되도록 하는 상수 구하기

충분조건, 필요조건을 만족시키는 두 조건 p, q의 진리집합 사이의 포함 관계를 이용한다.

대표 문제

052 두 조건 p: $x^2 + x - 2 \leq 0$, q: $x < a$에 대하여 p가 q이기 위한 충분조건이 되도록 하는 정수 a의 최솟값을 구하시오.

유형 15 | 대우를 이용한 증명

명제 'p이면 q이다.'가 참임을 직접 증명하기 어려울 때는 그 대우 '$\sim q$이면 $\sim p$이다.'가 참임을 보여 증명한다.

대표 문제

053 자연수 n에 대하여 명제
'n^2이 홀수이면 n도 홀수이다.'
가 참임을 대우를 이용하여 증명하시오.

유형 16 | 귀류법

직접 증명하기 어려운 명제는 명제의 결론을 부정하여 가정이나 이미 알려진 사실에 모순이 생김을 보여 원래의 명제가 참임을 증명한다.

대표 문제

054 명제 '$\sqrt{2}$는 무리수이다.'가 참임을 증명하시오.

유형 17 | 절대부등식의 증명

두 실수 A, B에 대하여 부등식 $A \geq B$가 성립함을 증명할 때
(1) A, B가 다항식이면
  ➡ $A-B$를 완전제곱식으로 변형하여 (실수)$^2 \geq 0$임을 이용한다.
(2) A, B가 절댓값 기호나 근호를 포함한 식이면
  ➡ $A \geq B$의 양변을 제곱하여 $A^2 - B^2 \geq 0$임을 보인다.
이때 등호가 포함되면 등호가 성립하는 경우도 보인다.

대표 문제

055 실수 a, b에 대하여 다음 부등식이 성립함을 증명하시오.

$$a^2 + b^2 \geq ab$$

★ 중요

유형 18 | 산술평균과 기하평균의 관계 − 합·곱이 일정한 경우

$a > 0$, $b > 0$일 때, $a+b \geq 2\sqrt{ab}$이므로
(1) $a+b=k$이면 $\sqrt{ab} \leq \dfrac{k}{2}$ (단, 등호는 $a=b$일 때 성립)
  ➡ 등호가 성립할 때 ab는 최댓값을 갖는다.
(2) $ab=k$이면 $a+b \geq 2\sqrt{k}$ (단, 등호는 $a=b$일 때 성립)
  ➡ 등호가 성립할 때 $a+b$는 최솟값을 갖는다.

대표 문제

056 양수 x, y에 대하여 $5x+2y=10$일 때, xy의 최댓값은?

① 2 ② $\dfrac{5}{2}$ ③ 3

④ $\dfrac{7}{2}$ ⑤ 4

★ 중요

유형 19 | 산술평균과 기하평균의 관계 − 식을 전개·변형하는 경우

두 식의 곱이 상수가 되도록 식을 전개 또는 변형한 후 산술평균과 기하평균의 관계를 이용한다.
➡ $\dfrac{b}{a} + \dfrac{a}{b}$ $(a>0, b>0)$ 또는 $f(x) + \dfrac{1}{f(x)}$ $(f(x)>0)$ 꼴을 포함하도록 식을 변형한다.

대표 문제

057 $a>0$, $b>0$일 때, $\left(a+\dfrac{2}{b}\right)\left(b+\dfrac{8}{a}\right)$의 최솟값은?

① 12 ② 14 ③ 16

④ 18 ⑤ 20

유형 20 | 코시−슈바르츠의 부등식

a, b, x, y가 실수일 때, $(a^2+b^2)(x^2+y^2) \geq (ax+by)^2$이 항상 성립함을 이용한다. (단, 등호는 $ay=bx$일 때 성립한다.)

대표 문제

058 실수 x, y에 대하여 $2x-y=-5$일 때, x^2+y^2의 최솟값을 구하시오.

유형 11 충분조건, 필요조건, 필요충분조건

059 대표 문제 다시 보기

두 조건 p, q에 대하여 다음 중 p가 q이기 위한 필요조건이지만 충분조건이 아닌 것은? (단, x, y는 실수)

① p: $xy=0$ q: $x=0$ 또는 $y=0$
② p: $x^2=y^2$ q: $x=y$
③ p: $x^2+y^2=0$ q: $xy=0$
④ p: $|x|>|y|$ q: $x^2>y^2$
⑤ p: $x\geq0$, $y\geq0$ q: $|x+y|=|x|+|y|$

060 중

실수 a, b에 대하여 ㈎, ㈏에 들어갈 알맞은 것을 구하시오.

- $ab<0$은 $a<0$ 또는 $b<0$이기 위한 ㈎ 조건이다.
- $ab=0$은 $|a|+|b|=0$이기 위한 ㈏ 조건이다.

061 중

두 조건 p, q에 대하여 다음 보기 중 p가 q이기 위한 필요충분조건인 것만을 있는 대로 고르시오. (단, x, y는 실수)

보기
ㄱ. p: $|xy|=xy$ q: $x>0$, $y>0$
ㄴ. p: $|x|=y$ q: $x^2=y^2$
ㄷ. p: $x\neq y$ q: $x^3\neq y^3$
ㄹ. p: $x+y>0$ q: $x^2+y^2>0$

유형 12 충분조건, 필요조건과 명제의 참, 거짓

062 대표 문제 다시 보기

세 조건 p, q, r에 대하여 p는 q이기 위한 충분조건이고 $\sim r$는 $\sim p$이기 위한 필요조건일 때, 다음 보기의 명제 중 항상 참인 것만을 있는 대로 고르시오.

보기
ㄱ. $p \longrightarrow q$ ㄴ. $r \longrightarrow \sim p$ ㄷ. $\sim q \longrightarrow \sim r$

063 중

세 조건 p, q, r에 대하여 q는 p이기 위한 필요조건이고 r는 $\sim q$이기 위한 충분조건일 때, 다음 중 옳지 않은 것은?

① p는 $\sim r$이기 위한 충분조건이다.
② q는 $\sim r$이기 위한 충분조건이다.
③ q는 r이기 위한 필요조건이다.
④ $\sim p$는 $\sim q$이기 위한 필요조건이다.
⑤ $\sim p$는 r이기 위한 필요조건이다.

유형 13 충분조건, 필요조건과 진리집합 사이의 관계

064 대표 문제 다시 보기

전체집합 U에 대하여 두 조건 p, q의 진리집합을 각각 P, Q라 하자. p는 $\sim q$이기 위한 충분조건일 때, 다음 중 항상 옳은 것은?

① $P \subset Q$ ② $Q \subset P$ ③ $P=Q$
④ $P \cap Q^c=P$ ⑤ $P^c \cup Q=Q$

065 ^중

전체집합 U에 대하여 두 조건 p, q의 진리집합을 각각 P, Q라 하자. 두 집합 P, Q가 서로소일 때, 다음 중 항상 옳은 것은?

① p는 q이기 위한 충분조건이다.
② p는 q이기 위한 필요조건이다.
③ p는 $\sim q$이기 위한 필요조건이다.
④ q는 $\sim p$이기 위한 충분조건이다.
⑤ $\sim q$는 $\sim p$이기 위한 필요조건이다.

066 ^중

전체집합 U에 대하여 세 조건 p, q, r의 진리집합을 각각 P, Q, R라 하자. p는 r이기 위한 충분조건이고 p는 q이기 위한 필요조건일 때, 다음 중 항상 옳은 것은?

① $P=Q=R$　② $P\subset Q\subset R$　③ $P\subset R\subset Q$
④ $Q\subset P\subset R$　⑤ $Q\subset R\subset P$

067 ^중

전체집합 U에 대하여 세 조건 p, q, r의 진리집합을 각각 P, Q, R라 하자. $(P-Q)\cup(Q-R^C)=\varnothing$이 성립할 때, 다음 중 항상 옳은 것은? (단, P, Q, R는 공집합이 아니다.)

① p는 q이기 위한 필요조건이다.
② q는 r이기 위한 충분조건이다.
③ r는 p이기 위한 필요조건이다.
④ $\sim p$는 r이기 위한 충분조건이다.
⑤ $\sim r$는 p이기 위한 필요조건이다.

★ 중요
유형 14 충분조건, 필요조건이 되도록 하는 상수 구하기

068 _{대표 문제} 다시 보기

두 조건 p: $x^2-3x-4\leq 0$, q: $|x-a|<1$에 대하여 q가 p이기 위한 충분조건이 되도록 하는 정수 a의 개수는?

① 2　　　② 3　　　③ 4
④ 5　　　⑤ 6

069 ^중

두 조건 p: $x^2-4x+3=0$, q: $x+a=0$에 대하여 p가 q이기 위한 필요조건이 되도록 하는 모든 상수 a의 값의 합을 구하시오.

070 ^중

$x-2\neq 0$이 $x^2-ax-8\neq 0$이기 위한 필요조건일 때, 상수 a의 값을 구하시오.

071 ^중

세 조건 p: $-2<x<3$ 또는 $x>5$, q: $x\geq a$, r: $x\leq b$에 대하여 q는 p이기 위한 필요조건이고 $\sim r$는 p이기 위한 충분조건일 때, 실수 a의 최댓값과 실수 b의 최솟값의 합을 구하시오.

유형 15 대우를 이용한 증명

072 대표 문제 다시 보기

다음은 자연수 n에 대하여 명제 'n^2이 3의 배수이면 n도 3의 배수이다.'가 참임을 대우를 이용하여 증명하는 과정이다. 이때 ㈎, ㈏, ㈐에 들어갈 알맞은 것을 구하시오.

> 주어진 명제의 대우 'n이 3의 배수가 아니면 n^2도 3의 배수가 아니다.'가 참임을 보이면 된다.
> $n=$ ☐㈎ 또는 $n=3k-1$ (k는 자연수)이라 하면
> (i) $n=$ ☐㈎ 일 때, $n^2=3($☐㈏$)+1$
> (ii) $n=3k-1$일 때, $n^2=3($☐㈐$)+1$
> 즉, n^2은 3으로 나누면 나머지가 1인 자연수이므로 n이 3의 배수가 아니면 n^2도 3의 배수가 아니다.
> 따라서 주어진 명제의 대우가 참이므로 주어진 명제도 참이다.

073 중

다음은 자연수 x, y에 대하여 명제 'xy가 짝수이면 x, y 중 적어도 하나는 짝수이다.'가 참임을 대우를 이용하여 증명하는 과정이다. 이때 ㈎, ㈏, ㈐에 들어갈 알맞은 것을 차례대로 나열한 것은?

> 주어진 명제의 대우 'x, y가 모두 ☐㈎ 이면 xy도 ☐㈎ 이다.'가 참임을 보이면 된다.
> $x=2m-1$, $y=$ ☐㈏ (m, n은 자연수)이라 하면
> $xy=(2m-1)($☐㈏$)=2($☐㈐$)+1$
> 이므로 xy는 ☐㈎ 이다.
> 따라서 주어진 명제의 대우가 참이므로 주어진 명제도 참이다.

① 홀수, $2n$, $2mn-n$
② 홀수, $2n-1$, $2mn-m-n$
③ 홀수, $2n+1$, $2mn+m-n$
④ 짝수, $2n$, $2mn-n$
⑤ 짝수, $2n-1$, $2mn-m-n$

유형 16 귀류법

074 대표 문제 다시 보기

다음은 $\sqrt{2}$가 무리수임을 이용하여 명제 '$\sqrt{2}+1$은 무리수이다.'가 참임을 증명하는 과정이다. 이때 ㈎, ㈏, ㈐에 들어갈 알맞은 것을 구하시오.

> $\sqrt{2}+1$이 유리수라 가정하면
> $\sqrt{2}+1=a$ (a는 ☐㈎)
> 로 나타낼 수 있다.
> 이때 $\sqrt{2}=a-1$이고 a, 1은 모두 유리수이므로 $a-1$은 ☐㈏ 이다.
> 이는 $\sqrt{2}$가 ☐㈐ 라는 사실에 모순이다.
> 따라서 $\sqrt{2}+1$은 무리수이다.

075 중

다음은 $\sqrt{5}$가 무리수임을 이용하여 명제 '유리수 a, b에 대하여 $a+b\sqrt{5}=0$이면 $a=b=0$이다.'가 참임을 증명하는 과정이다. 이때 ㈎, ㈏, ㈐에 들어갈 알맞은 것을 차례대로 나열한 것은?

> $b\neq0$이라 가정하면 $a+b\sqrt{5}=0$에서
> $\sqrt{5}=-\dfrac{a}{b}$
> a, b가 유리수이므로 $-\dfrac{a}{b}$, 즉 $\sqrt{5}$는 유리수이다.
> 이는 $\sqrt{5}$가 ☐㈎ 라는 사실에 모순이므로 ☐㈏ 이다.
> $a+b\sqrt{5}=0$에 ☐㈏ 을 대입하면 $a=0$이다.
> 따라서 유리수 a, b에 대하여 $a+b\sqrt{5}=0$이면 ☐㈐ 이다.

① 유리수, $b=0$, $a=b$
② 유리수, $b=0$, $a=b=0$
③ 무리수, $a=0$, $a=b$
④ 무리수, $a=0$, $a=b=0$
⑤ 무리수, $b=0$, $a=b=0$

유형 17 절대부등식의 증명

076 대표 문제 다시 보기

다음은 양수 a, b에 대하여 부등식 $\dfrac{a+b}{2} \geq \sqrt{ab}$가 성립함을 증명하는 과정이다. 이때 ⑺, ⑽, ⒟에 들어갈 알맞은 것을 차례로 나열한 것은?

$$\dfrac{a+b}{2} - \sqrt{ab} = \dfrac{1}{2}(a+b-2\sqrt{ab}) = \dfrac{1}{2}(\boxed{\ \ ⑺\ \ })^2 \geq 0$$

따라서 $\dfrac{a+b}{2} \boxed{⑽} \sqrt{ab}$이다.

이때 등호가 성립하는 경우는 $\boxed{\ ⒟\ }$일 때이다.

① $a-b$, $\geq$, $a \neq b$ ② $\sqrt{a}-\sqrt{b}$, $>$, $a=b$
③ $\sqrt{a}-\sqrt{b}$, $\geq$, $a=b$ ④ $\sqrt{a}+\sqrt{b}$, $>$, $a=b$
⑤ $\sqrt{a}+\sqrt{b}$, $\geq$, $a \neq b$

077 중

다음은 실수 a, b, x, y에 대하여 부등식 $(a^2+b^2)(x^2+y^2) \geq (ax+by)^2$이 성립함을 증명하는 과정이다. 이때 ⑺, ⑽에 들어갈 알맞은 것을 구하시오.

$$(a^2+b^2)(x^2+y^2) - (ax+by)^2 = (\boxed{\ \ ⑺\ \ })^2 \geq 0$$

따라서 $(a^2+b^2)(x^2+y^2) \geq (ax+by)^2$이다.

이때 등호가 성립하는 경우는 $\boxed{\ ⑽\ }$일 때이다.

078 중

다음은 실수 a, b에 대하여 부등식 $|a|+|b| \geq |a+b|$가 성립함을 증명하는 과정이다. 이때 ⑺, ⑽에 들어갈 알맞은 것을 차례로 나열한 것은?

$$(|a|+|b|)^2 - |a+b|^2 = 2(\boxed{\ \ ⑺\ \ }) \geq 0$$

따라서 $(|a|+|b|)^2 \geq |a+b|^2$이다.

그런데 $|a|+|b| \geq 0$, $|a+b| \geq 0$이므로

$|a|+|b| \geq |a+b|$

이때 등호가 성립하는 경우는 $\boxed{\ ⑽\ }$일 때이다.

① $ab-|ab|$, $ab \geq 0$ ② $ab-|ab|$, $ab \leq 0$
③ $ab+|ab|$, $ab \geq 0$ ④ $|ab|-ab$, $ab \geq 0$
⑤ $|ab|-ab$, $ab \leq 0$

★중요

유형 18 산술평균과 기하평균의 관계 – 합·곱이 일정한 경우

079 대표 문제 다시 보기

양수 x, y에 대하여 $3x+4y=24$일 때, xy의 최댓값을 α, 그때의 x, y의 값을 각각 β, γ라 하자. 이때 $\alpha+\beta+\gamma$의 값을 구하시오.

080 하

양수 a, b에 대하여 $ab=8$일 때, $2a+4b$의 최솟값은?

① 12   ② 14   ③ 16
④ 18   ⑤ 20

081 중

길이가 80 m인 철망을 모두 사용하여 오른쪽 그림과 같이 3개의 작은 직사각형으로 이루어진 구역을 만들려고 한다. 이때 구역의 전체 넓이의 최댓값을 구하시오. (단, 철망의 두께는 무시한다.)

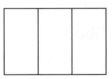

082 상

양수 x, y에 대하여 $2x+3y=8$일 때, $\sqrt{2x}+\sqrt{3y}$의 최댓값은?

① $\sqrt{2}$ ② 2   ③ $2\sqrt{2}$
④ 4   ⑤ $4\sqrt{2}$

핵심유형

완성하기

★중요

유형 **19** 산술평균과 기하평균의 관계
　　　　－ 식을 전개·변형하는 경우

083 대표 문제 다시 보기

양수 a, b에 대하여 $\left(a+\dfrac{1}{b}\right)\left(b+\dfrac{9}{a}\right)$는 $ab=p$일 때, 최솟값 q를 갖는다. 이때 $p+q$의 값은?

① 15　　　　　② 16　　　　　③ 17
④ 18　　　　　⑤ 19

084 중

$x>-2$일 때, $x+\dfrac{16}{x+2}$의 최솟값을 m, 그때의 x의 값을 n이라 하자. 이때 mn의 값을 구하시오.

085 중

$a>0$, $b>0$, $c>0$일 때, $\dfrac{a+b}{c}+\dfrac{b+c}{a}+\dfrac{c+a}{b}$의 최솟값은?

① 4　　　　　② 5　　　　　③ 6
④ 7　　　　　⑤ 8

086 상

$x>0$일 때, $\dfrac{x}{x^2+2x+25}$의 최댓값을 구하시오.

유형 **20** 코시–슈바르츠의 부등식

087 대표 문제 다시 보기

실수 x, y에 대하여 $\dfrac{x}{3}+\dfrac{y}{4}=\dfrac{5}{4}$일 때, x^2+y^2의 최솟값은?

① 1　　　　　② 4　　　　　③ 9
④ 16　　　　　⑤ 25

088 중

실수 x, y에 대하여 $x^2+y^2=13$일 때, $2x+3y$의 최댓값을 구하시오.

089 중

오른쪽 그림과 같이 반지름의 길이가 $\sqrt{2}$인 원에 내접하는 직사각형의 둘레의 길이의 최댓값을 구하시오.

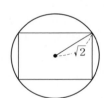

090 상

실수 x, y, z에 대하여 $x-y-2z=-3$, $x^2+y^2+z^2=9$일 때, x의 최댓값은?

① -2　　　　② -1　　　　③ 0
④ 1　　　　　⑤ 2

091
유형 01

다음 중 명제가 <u>아닌</u> 것은?

① $x+3=2x+1$

② $2x+1>2(x-3)$

③ 4의 배수는 2의 배수이다.

④ 12는 20의 약수이다.

⑤ 삼각형의 세 내각의 크기의 합은 180°이다.

092
유형 02

실수 a, b, c에 대하여 다음 중 조건 '$(a-b)(b-c)=0$'의 부정과 서로 같은 것은?

① $abc=0$ ② $a=b=c$

③ $a\neq b$이고 $b\neq c$ ④ $a\neq b$ 또는 $b\neq c$

⑤ a, b, c 중 서로 같은 것이 적어도 하나 있다.

093
유형 03

전체집합 $U=\{x|x$는 10 이하의 자연수$\}$에 대하여 두 조건 p, q가

p: x는 소수, q: x는 짝수

일 때, 조건 'p 그리고 $\sim q$'의 진리집합의 모든 원소의 합을 구하시오.

094
유형 04

x, y, z가 실수일 때, 다음 보기의 명제 중 참인 것만을 있는 대로 고르시오.

┌ 보기 ───────────────────
│ ㄱ. $x^2+y^2=0$이면 $xy=0$이다.
│ ㄴ. $xy=yz=zx=0$이면 $x=y=z=0$이다.
│ ㄷ. $x+y=2$, $x^2+y^2=2$이면 $x=y=1$이다.
└───────────────────────

095
유형 05

전체집합 U에 대하여 세 조건 p, q, r의 진리집합을 각각 P, Q, R라 하자. $P\cup Q=Q$, $(P\cap Q)-R=P$일 때, 다음 중 항상 참인 명제는?

① $p\longrightarrow\sim r$ ② $q\longrightarrow r$ ③ $r\longrightarrow\sim q$

④ $\sim r\longrightarrow p$ ⑤ $\sim r\longrightarrow q$

096
유형 06

두 조건 p: $|x-1|>k$, q: $|x+1|\leq5$에 대하여 명제 $\sim p\longrightarrow q$가 참이 되도록 하는 양수 k의 최댓값을 구하시오.

097
유형 07

전체집합 $U=\{1,2,4,8\}$에 대하여 $x\in U$일 때, 다음 중 거짓인 명제는?

① 모든 x에 대하여 $x+2\leq10$이다.

② 모든 x에 대하여 $2x\in U$이다.

③ 모든 x에 대하여 x는 8의 양의 약수이다.

④ 어떤 x에 대하여 $\sqrt{x}$는 유리수이다.

⑤ 어떤 x에 대하여 x는 홀수이다.

098
유형 08

실수 x, y에 대하여 다음 중 그 역이 거짓인 명제는?

① $x^2=1$이면 $x=1$이다.

② xy가 유리수이면 x, y는 유리수이다.

③ $xy>0$이면 $x>0$, $y>0$이다.

④ $x^2+y^2=0$이면 $x=0$, $y=0$이다.

⑤ $x>0$ 또는 $y>0$이면 $x^2+y^2>0$이다.

099 유형 08

전체집합 U에 대하여 두 조건 p, q의 진리집합을 각각 P, Q라 하자. 명제 $\sim p \longrightarrow q$의 역이 참일 때, 다음 중 항상 옳은 것은?

① $P=Q$ ② $P \cap Q = \varnothing$ ③ $P \cap Q^C = \varnothing$

④ $P^C \cap Q = \varnothing$ ⑤ $(P \cup Q)^C = \varnothing$

100 유형 09

실수 x, y에 대하여 명제

'$x+y>10$이면 $x>-2$ 또는 $y>a$이다.'

가 참일 때, 실수 a의 최댓값을 구하시오.

101 유형 10

세 조건 p, q, r에 대하여 두 명제 $p \longrightarrow r$, $q \longrightarrow \sim r$가 모두 참일 때, 다음 명제 중 반드시 참이라고 할 수 <u>없는</u> 것은?

① $p \longrightarrow \sim q$ ② $q \longrightarrow \sim p$ ③ $r \longrightarrow \sim q$

④ $\sim p \longrightarrow q$ ⑤ $\sim r \longrightarrow \sim p$

102 유형 11

두 조건 p, q에 대하여 다음 중 p가 q이기 위한 필요조건이지만 충분조건이 아닌 것은? (단, x, y는 실수)

① p: $x^3=1$ q: $x^2=1$

② p: $x^2=9$ q: $|x|=3$

③ p: $x^2>4$ q: $x>2$

④ p: $x+2=3$ q: $x^2-2x+1=0$

⑤ p: x, y는 모두 정수 q: $x+y$는 정수

103 유형 12

세 조건 p, q, r에 대하여 두 명제 $p \longrightarrow \sim q$, $\sim r \longrightarrow q$가 모두 참일 때, 다음 보기 중 옳은 것만을 있는 대로 고른 것은?

> **보기**
> ㄱ. p는 r이기 위한 충분조건이다.
> ㄴ. q는 $\sim p$이기 위한 필요조건이다.
> ㄷ. r는 $\sim q$이기 위한 필요조건이다.

① ㄱ   ② ㄴ   ③ ㄱ, ㄷ

④ ㄴ, ㄷ   ⑤ ㄱ, ㄴ, ㄷ

104 유형 13

전체집합 U에 대하여 세 조건 p, q, r의 진리집합을 각각 P, Q, R라 하자. p는 q이기 위한 충분조건이고 $\sim q$는 $\sim r$이기 위한 필요조건일 때, 다음 중 옳지 <u>않은</u> 것은?

① $P \subset Q$ ② $P \subset R$ ③ $R^C \subset Q^C$

④ $P \subset (Q \cup R)$ ⑤ $(Q \cap R) \subset P$

105 유형 14

두 조건 p: $x^2-x-6 \neq 0$, q: $x+a \neq 0$에 대하여 q가 p이기 위한 필요조건이 되도록 하는 모든 상수 a의 값의 합을 구하시오.

106

다음은 명제 '실수 a, b에 대하여 $a^2+b^2>0$이면 $a\neq0$ 또는 $b\neq0$이다.'가 참임을 대우를 이용하여 증명하는 과정이다. 이때 ㈎, ㈏에 들어갈 알맞은 것을 차례대로 나열한 것은?

> 주어진 명제의 대우 '실수 a, b에 대하여 [㈎]이면 $a^2+b^2\leq0$이다.'가 참임을 보이면 된다.
> 이때 [㈎]이면 [㈏]이므로 $a^2+b^2\leq0$을 만족시킨다.
> 따라서 주어진 명제의 대우가 참이므로 주어진 명제도 참이다.

① $a=0$이고 $b=0$, $a^2+b^2=0$
② $a=0$이고 $b=0$, $a^2+b^2\neq0$
③ $a=0$ 또는 $b=0$, $a^2+b^2=0$
④ $a=0$ 또는 $b=0$, $a^2+b^2\neq0$
⑤ $a\neq0$이고 $b\neq0$, $a^2+b^2\neq0$

107

다음은 $a>b>0$일 때, 부등식 $\sqrt{a-b}>\sqrt{a}-\sqrt{b}$가 성립함을 증명하는 과정이다. 이때 ㈎, ㈏에 들어갈 알맞은 것을 차례대로 나열한 것은?

> $(\sqrt{a-b})^2-(\sqrt{a}-\sqrt{b})^2=2\sqrt{ab}-2b$
> $\qquad\qquad\qquad\qquad=2\sqrt{b}(\boxed{\ ㈎\ })>0$
> 따라서 $(\sqrt{a-b})^2>(\sqrt{a}-\sqrt{b})^2$이다.
> 그런데 $\sqrt{a-b}$ ㈏ 0, $\sqrt{a}-\sqrt{b}$ ㈏ 0이므로
> $\sqrt{a-b}>\sqrt{a}-\sqrt{b}$

① $\sqrt{a}-\sqrt{b}$, $>$ ② $\sqrt{a}-\sqrt{b}$, $<$ ③ $\sqrt{a}+\sqrt{b}$, $>$
④ $\sqrt{a}+\sqrt{b}$, $<$ ⑤ $a-b$, $>$

108

양수 a, b에 대하여 $a+b=6$일 때, $\dfrac{1}{a}+\dfrac{1}{b}$의 최솟값을 구하시오.

109

양수 a, b에 대하여 $a^2+4b^2=8$일 때, ab의 최댓값을 p, 그 때의 a, b의 값을 각각 q, r라 하자. 이때 $p+q-r$의 값은?

① 3 ② 4 ③ 5
④ 6 ⑤ 7

110

$x>4$일 때, $\dfrac{x^2-4x+9}{x-4}$의 최솟값을 구하시오.

111

실수 a, b에 대하여 $\dfrac{a}{2}+2b=\sqrt{17}$일 때, a^2+b^2의 최솟값을 구하시오.

112

실수 x, y에 대하여 $x^2+y^2=5$일 때, x^2+x+y^2+2y의 최댓값은?

① 6 ② 8 ③ 10
④ 12 ⑤ 14

함수

04 함수

유형 01 | 함수의 뜻과 그래프

(1) 집합 X의 각 원소에 집합 Y의 원소가 오직 하나씩 대응할 때, 이 대응을 X에서 Y로의 함수라 하고, 기호
$f : X \longrightarrow Y$로 나타낸다.

> 참고 집합 X의 원소 중에서 대응하지 않고 남아 있는 원소가 있거나 X의 한 원소에 Y의 원소가 두 개 이상 대응하면 그 대응은 함수가 아니다.

(2) 함수 $f : X \longrightarrow Y$에서 정의역 X의 원소 x와 이에 대응하는 함숫값 $f(x)$의 순서쌍 $(x, f(x))$ 전체의 집합을 함수의 그래프라 한다.

> 참고 좌표평면 위의 함수의 그래프는 y축에 평행한 직선 $x=k$와 오직 한 점에서 만난다. (단, $k \in X$)

대표 문제

001 두 집합 $X=\{0, 1, 2\}$, $Y=\{0, 1, 2, 3, 4\}$에 대하여 다음 보기 중 X에서 Y로의 함수인 것만을 있는 대로 고른 것은?

> 보기
> ㄱ. $f(x)=x$ ㄴ. $g(x)=x+3$
> ㄷ. $h(x)=2x-1$ ㄹ. $i(x)=x^2$

① ㄱ, ㄴ   ② ㄱ, ㄷ   ③ ㄱ, ㄹ
④ ㄴ, ㄷ   ⑤ ㄴ, ㄹ

★ 중요
유형 02 | 함숫값

함수 $f(x)$에서 함숫값 $f(k)$를 구할 때는 $f(x)$의 x에 k를 대입한다.

> 예 함수 $f(x)=x-1$에서 $f(2)=2-1=1$

대표 문제

002 실수 전체의 집합에서 정의된 함수 f가
$$f(x) = \begin{cases} 2x-1 & (x \geq 0) \\ -1 & (x < 0) \end{cases}$$
일 때, $f(-1)+f(2)$의 값을 구하시오.

유형 03 | 함수의 정의역, 공역, 치역

함수 $f : X \longrightarrow Y$에서
(1) 정의역: 집합 X
(2) 공역: 집합 Y
(3) 치역: 함숫값 전체의 집합 $\{f(x) | x \in X\}$

대표 문제

003 집합 $X=\{x | 0 \leq x \leq 4\}$에 대하여 X에서 X로의 함수 $f(x)=ax+b$의 공역과 치역이 서로 같다. 이때 상수 a, b에 대하여 $a+b$의 값은? (단, $ab \neq 0$)

① -3 ② -1 ③ 1
④ 3 ⑤ 5

유형 04 | 조건을 이용하여 함숫값 구하기

$f(x+y)=f(x)+f(y)$, $f(x+y)=f(x)f(y)$ 등과 같은 조건이 주어지면 양변의 x, y에 적당한 수를 대입하여 구하려는 함숫값을 유도한다.

> 예 $f(x+y)=f(x)+f(y)$에 $x=0$, $y=0$을 대입하면
> $f(0+0)=f(0)+f(0)$ ∴ $f(0)=0$

대표 문제

004 임의의 실수 x, y에 대하여 함수 f가
$$f(x+y)=f(x)+f(y)$$
를 만족시키고 $f(1)=3$일 때, $f(-1)+f(2)$의 값을 구하시오.

유형 05 │ 서로 같은 함수

두 함수 f, g가 서로 같은 함수, 즉 $f = g$이면
(1) 두 함수의 정의역과 공역이 각각 같다.
(2) 정의역의 모든 원소 x에 대하여 $f(x) = g(x)$이다.

대표 문제

005 집합 $X = \{0, 1\}$을 정의역으로 하는 두 함수 $f(x) = ax + b$, $g(x) = x^2 - 1$에 대하여 $f = g$일 때, ab의 값을 구하시오. (단, a, b는 상수)

★중요
유형 06 │ 일대일함수와 일대일대응

(1) 함수 $f : X \longrightarrow Y$가 일대일함수
　➡ 정의역의 임의의 두 원소 x_1, x_2에 대하여
　　$x_1 \neq x_2$이면 $f(x_1) \neq f(x_2)$
(2) 함수 $f : X \longrightarrow Y$가 일대일대응
　➡ 정의역의 임의의 두 원소 x_1, x_2에 대하여
　　$x_1 \neq x_2$이면 $f(x_1) \neq f(x_2)$, (치역)=(공역)

대표 문제

006 실수 전체의 집합에서 정의된 다음 보기의 함수 중 일대일대응인 것만을 있는 대로 고르시오.

　보기
ㄱ. $f(x) = x$　　　　　ㄴ. $f(x) = x^2$
ㄷ. $f(x) = -2x + 3$　　ㄹ. $f(x) = |x|$

★중요
유형 07 │ 일대일대응이 되기 위한 조건

함수 f가 일대일대응이려면
(1) x의 값이 증가할 때, $f(x)$의 값은 항상 증가하거나 항상 감소해야 한다.
(2) 정의역이 $\{x \mid a \leq x \leq b\}$이면 치역의 양 끝 값이 $f(a)$, $f(b)$이다.

대표 문제

007 두 집합 $X = \{x \mid 1 \leq x \leq 3\}$, $Y = \{y \mid -2 \leq y \leq 0\}$에 대하여 X에서 Y로의 함수 $f(x) = ax + b \,(a > 0)$가 일대일대응일 때, ab의 값을 구하시오. (단, a, b는 상수)

유형 08 │ 항등함수와 상수함수

(1) 함수 $f : X \longrightarrow X$가 항등함수
　➡ 정의역의 임의의 원소 x에 대하여
　　$f(x) = x$
(2) 함수 $f : X \longrightarrow Y$가 상수함수
　➡ 정의역의 임의의 원소 x에 대하여
　　$f(x) = c$ (단, c는 상수)

대표 문제

008 실수 전체의 집합에서 정의된 두 함수 f, g에 대하여 함수 f는 항등함수이고, 함수 g는 상수함수이다. $f(1) = g(5)$일 때, $f(2) + 3g(1)$의 값은?

① 3　　　　　② 4　　　　　③ 5
④ 6　　　　　⑤ 7

유형 09 │ 함수의 개수

집합 X의 원소의 개수가 n, 집합 Y의 원소의 개수가 m일 때
(1) X에서 Y로의 함수의 개수 ➡ m^n
(2) X에서 Y로의 일대일함수의 개수
　➡ $m(m-1)(m-2) \times \cdots \times (m-n+1)$ (단, $m \geq n$)
(3) X에서 Y로의 일대일대응의 개수
　➡ $m(m-1)(m-2) \times \cdots \times 3 \times 2 \times 1$ (단, $m = n$)
(4) X에서 Y로의 상수함수의 개수 ➡ m

대표 문제

009 두 집합 $X = \{a, b, c\}$, $Y = \{1, 2, 3\}$에 대하여 X에서 Y로의 함수의 개수를 p, 일대일대응의 개수를 q, 상수함수의 개수를 r라 할 때, $p + q + r$의 값은?

① 32　　　　　② 33　　　　　③ 34
④ 35　　　　　⑤ 36

유형 01 함수의 뜻과 그래프

010 대표 문제 다시 보기

두 집합 $X=\{0,\ 1,\ 2\}$, $Y=\{0,\ 1,\ 2,\ 3,\ 4\}$에 대하여 다음 보기 중 X에서 Y로의 함수인 것만을 있는 대로 고르시오.

보기
ㄱ. $f(x)=2x$ ㄴ. $g(x)=-x+3$
ㄷ. $h(x)=x^2-1$ ㄹ. $i(x)=|x-1|$

011 하

다음 대응 중 집합 X에서 집합 Y로의 함수가 <u>아닌</u> 것은?

① ② ③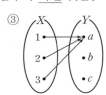

④ ⑤

012 중

두 집합 $X=\{x\,|\,-2\leq x\leq2,\ x$는 정수$\}$,
$Y=\{y\,|\,y\leq4,\ y$는 정수$\}$에 대하여 다음 중 X에서 Y로의 함수가 <u>아닌</u> 것은?

① $x \longrightarrow x$ ② $x \longrightarrow 2x-1$ ③ $x \longrightarrow -2x$

④ $x \longrightarrow x^2-1$ ⑤ $x \longrightarrow |x^3-4|$

013 중

다음 중 함수의 그래프인 것은?

① ② ③

④ ⑤

★중요

유형 02 함숫값

014 대표 문제 다시 보기

실수 전체의 집합에서 정의된 함수 f가
$$f(x)=\begin{cases} x & (x\geq1) \\ -x+2 & (x<1) \end{cases}$$
일 때, $f(3)+f(-2)$의 값을 구하시오.

015 중

자연수 전체의 집합에서 정의된 함수 f가
$$f(x)=(x의\ 양의\ 약수의\ 개수)$$
일 때, $f(2)+f(3)+f(4)+\cdots+f(10)$의 값은?

① 18   ② 20   ③ 22
④ 24   ⑤ 26

016 중

실수 전체의 집합에서 정의된 함수 f가

$$f(x)=\begin{cases} x & (x\text{는 유리수}) \\ x^2 & (x\text{는 무리수}) \end{cases}$$

일 때, 이차방정식 $x^2+4x-2=0$의 두 근 α, β에 대하여 $f(\alpha)+f(\beta)+f(\alpha\beta)$의 값은?

① 16 　　　　② 17 　　　　③ 18

④ 19 　　　　⑤ 20

유형 03 　함수의 정의역, 공역, 치역

017 대표문제 다시 보기

두 집합 $X=\{x\,|\,-2\le x\le3\}$, $Y=\{y\,|\,-3\le y\le2\}$에 대하여 X에서 Y로의 함수 $f(x)=ax+b$의 공역과 치역이 서로 같다. 이때 상수 a, b에 대하여 $a+b$의 값은? (단, $a<b$)

① -2 　　　② -1 　　　③ 0

④ 1 　　　　⑤ 2

018 하

집합 $X=\{x\,|\,-3\le x<2,\ x\text{는 정수}\}$를 정의역으로 하는 함수 $f(x)=|x+1|$의 치역을 구하시오.

019 중

집합 $X=\{-1,\ 0,\ 1,\ 2\}$를 정의역으로 하는 함수 $f(x)=ax^2+1$의 치역의 모든 원소의 합이 13일 때, 상수 a의 값을 구하시오.

020 중

집합 $X=\{x\,|\,x\text{는 20 이하의 자연수}\}$의 부분집합 A에 대하여 A에서 X로의 함수 f가

$$f(x)=(3^x\text{을 4로 나누었을 때의 나머지})$$

일 때, 함수 f의 치역이 $\{3\}$이 되도록 하는 집합 A의 개수는?

(단, $A\ne\varnothing$)

① 127 　　　② 255 　　　③ 511

④ 1023 　　⑤ 2047

021 상

집합 $X=\{x\,|\,x\le k\}$에 대하여 X에서 X로의 함수 $f(x)=-x^2+6$의 공역과 치역이 서로 같을 때, 상수 k의 값은? (단, $k<6$)

① -3 　　　② -2 　　　③ -1

④ 2 　　　　⑤ 3

유형 04 조건을 이용하여 함숫값 구하기

022 대표 문제 다시 보기

임의의 실수 x, y에 대하여 함수 f가
$$f(x+y)=f(x)f(y)$$
를 만족시키고 $f(1)=4$일 때, $f(-3)$의 값을 구하시오.

023 중

임의의 양수 x, y에 대하여 함수 f가
$$f(xy)=f(x)+f(y)$$
를 만족시키고 $f(4)=6$일 때, $f(8)$의 값은?

① 8   ② 9   ③ 10
④ 11   ⑤ 12

024 중

임의의 양수 x, y에 대하여 함수 f가
$$f(xy)=f(x)f(y)$$
를 만족시키고 $f(2)=-4$일 때, 다음 보기 중 옳은 것만을 있는 대로 고른 것은?

보기
ㄱ. $f(1)=1$
ㄴ. $f(4)=8$
ㄷ. 자연수 n에 대하여 $f(4^n)=4^{2n}$

① ㄱ   ② ㄴ   ③ ㄷ
④ ㄱ, ㄴ   ⑤ ㄱ, ㄷ

유형 05 서로 같은 함수

025 대표 문제 다시 보기

집합 $X=\{-2, 1\}$을 정의역으로 하는 두 함수
$f(x)=3x+a$, $g(x)=x^2+ax+b$에 대하여 $f=g$일 때, a^2+b^2의 값은? (단, a, b는 상수)

① 18   ② 20   ③ 22
④ 24   ⑤ 26

026 하

집합 $X=\{-1, 0, 1\}$을 정의역으로 하는 두 함수 f, g가 다음 보기와 같을 때, $f=g$인 것만을 있는 대로 고르시오.

보기
ㄱ. $f(x)=x$, $g(x)=x^3$
ㄴ. $f(x)=|x|$, $g(x)=\sqrt{x^2}$
ㄷ. $f(x)=2x-1$, $g(x)=\begin{cases} x^2-1 & (x \geq 0) \\ -3 & (x<0) \end{cases}$

027 중

집합 X를 정의역으로 하는 두 함수 $f(x)=x^2-2x$, $g(x)=x+10$에 대하여 $f=g$가 되도록 하는 집합 X를 모두 구하시오. (단, $X \neq \varnothing$)

04

유형 06 일대일함수와 일대일대응

028 대표 문제 다시 보기

실수 전체의 집합에서 정의된 다음 함수 중 일대일대응인 것은?

① $f(x)=\dfrac{1}{3}$

② $f(x)=x^2-1$

③ $f(x)=|x|+x$

④ $f(x)=\begin{cases} 2x & (x\geq 0) \\ x & (x<0) \end{cases}$

⑤ $f(x)=\begin{cases} x-1 & (x\geq 0) \\ -1 & (x<0) \end{cases}$

029 하

다음 중 일대일대응의 그래프인 것은?

(단, 정의역과 공역은 모두 실수 전체의 집합이다.)

①
②
③

④
⑤

030 중

다음 보기의 함수의 그래프 중 일대일함수이지만 일대일대응
은 아닌 것만을 있는 대로 고르시오.

(단, 정의역과 공역은 모두 실수 전체의 집합이다.)

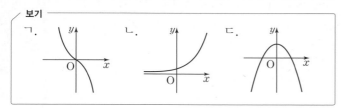

보기

ㄱ. ㄴ. ㄷ.

유형 07 일대일대응이 되기 위한 조건

031 대표 문제 다시 보기

두 집합 $X=\{x\,|\,0\leq x\leq 2\}$, $Y=\{y\,|\,-2\leq y\leq 4\}$에 대하여
X에서 Y로의 함수 $f(x)=ax+b\,(a<0)$가 일대일대응일
때, a^2+b^2의 값을 구하시오. (단, a, b는 상수)

032 중

실수 전체의 집합에서 정의된 함수

$$f(x)=\begin{cases} 2x-4 & (x\geq 0) \\ ax+a^2-5 & (x<0) \end{cases}$$

가 일대일대응일 때, 상수 a의 값을 구하시오.

033 중

두 집합 $X=\{x\,|\,x\geq 2\}$, $Y=\{y\,|\,y\geq -1\}$에 대하여 X에서
Y로의 함수 $f(x)=x^2+2x+k$가 일대일대응일 때, 상수 k
의 값은?

① -9

② -5

③ -1

④ 3

⑤ 7

034 중

함수 $f(x)=a|x-2|+2x-3$이 일대일대응일 때, 상수 a의
값의 범위를 구하시오.

035 상

집합 $X=\{x|-1\leq x\leq 0\}$에 대하여 X에서 X로의 함수 $f(x)=-x^2+2ax+b$가 일대일대응이다. 이때 상수 a, b에 대하여 ab의 값은? (단, $a\neq 0$)

① -1 ② 1 ③ 2
④ 4 ⑤ 6

유형 08 항등함수와 상수함수

036 대표 문제 다시 보기

실수 전체의 집합에서 정의된 두 함수 f, g에 대하여 함수 f는 항등함수이고, 함수 g는 상수함수이다. $f(3)+g(3)=8$일 때, $f(-1)+g(-1)$의 값을 구하시오.

037 중

집합 X를 정의역으로 하는 함수 $f(x)=x^3+2x^2-4x-6$이 항등함수가 되도록 하는 집합 X의 개수는? (단, $X\neq\varnothing$)

① 5 ② 6 ③ 7
④ 8 ⑤ 9

038 중

집합 $X=\{1, 2, 3\}$에 대하여 X에서 X로의 세 함수 f, g, h가 각각 일대일대응, 항등함수, 상수함수이고
$$f(1)=g(2)=h(3),\ f(1)+f(3)=f(2)$$
일 때, $f(3)+g(1)+h(2)$의 값을 구하시오.

유형 09 함수의 개수

039 대표 문제 다시 보기

집합 $X=\{1, 2, 3, 4\}$에 대하여 X에서 X로의 함수의 개수를 p, 일대일대응의 개수를 q, 항등함수의 개수를 r라 할 때, $p+q+r$의 값을 구하시오.

040 중

두 집합 $X=\{a, b, c\}$, $Y=\{a, b\}$에 대하여 X에서 Y로의 함수 중 공역과 치역이 같은 함수의 개수를 구하시오.

041 중

두 집합 $X=\{1, 2, 3\}$, $Y=\{2, 4, 6, 8, 10\}$에 대하여 다음 조건을 모두 만족시키는 함수 $f:X\longrightarrow Y$의 개수는?

> ㈎ $x_1\in X$, $x_2\in X$일 때, $x_1\neq x_2$이면 $f(x_1)\neq f(x_2)$이다.
> ㈏ $f(2)=6$

① 8 ② 10 ③ 12
④ 14 ⑤ 16

042 상 신유형

집합 $X=\{1, 2, 3, 4\}$에 대하여 다음 조건을 모두 만족시키는 함수 $f:X\longrightarrow X$의 개수를 구하시오.

> ㈎ f는 일대일대응이다.
> ㈏ $x\in X$일 때, $x+f(x)$는 짝수이다.

04 함수

유형 10 | 합성함수

(1) 두 함수 $f: X \longrightarrow Z$, $g: Z \longrightarrow Y$의 합성함수는

$$g \circ f: X \longrightarrow Y, (g \circ f)(x) = g(f(x))$$

참고 두 함수 f, g에 대하여 f의 치역이 g의 정의역의 부분집합이면 합성함수 $g \circ f$를 정의할 수 있다.

(2) 세 함수 f, g, h에 대하여

① $g \circ f \neq f \circ g$

② $h \circ (g \circ f) = (h \circ g) \circ f$

③ $f \circ I = I \circ f = f$ (단, I는 항등함수)

대표 문제

043 두 함수 $f(x) = 3x - 2$, $g(x) = x^2 + 1$에 대하여 $(f \circ g)(\sqrt{3})$의 값은?

① 4   ② 6   ③ 8

④ 10   ⑤ 12

유형 11 | 합성함수를 이용하여 미정계수 구하기

주어진 조건에 식을 대입하여 간단히 정리한 후 항등식의 성질을 이용하여 미정계수를 구한다.

대표 문제

044 두 함수 $f(x) = 2x - 1$, $g(x) = ax + 2$에 대하여 $f \circ g = g \circ f$가 성립할 때, 상수 a의 값을 구하시오.

유형 12 | $f \circ g = h$를 만족시키는 함수 f 또는 g 구하기

세 함수 f, g, h가 $f \circ g = h$를 만족시킬 때

(1) $f(x)$, $h(x)$가 주어진 경우

➡ $f(g(x)) = h(x)$임을 이용하여 $g(x)$를 구한다.

(2) $g(x)$, $h(x)$가 주어진 경우

➡ $f(g(x)) = h(x)$에서 $g(x) = t$로 치환하여 $f(t)$를 구한다.

대표 문제

045 두 함수 $f(x) = x - 1$, $g(x) = 2x^2 + 3$에 대하여 $f \circ h = g$를 만족시키는 함수 $h(x)$는?

① $h(x) = x^2 + 2$ ② $h(x) = x^2 + 4$

③ $h(x) = 2x^2 - 4$ ④ $h(x) = 2x^2 + 2$

⑤ $h(x) = 2x^2 + 4$

유형 13 | f^n 꼴의 합성함수

함수 f에 대하여 $f^1 = f$, $f^{n+1} = f \circ f^n$ (n은 자연수)일 때, $f^n(a)$의 값은

[방법 1] $f^2(x)$, $f^3(x)$, $f^4(x)$, …를 구하여 규칙을 찾아 $f^n(x)$를 구한 후 $x = a$를 대입한다.

[방법 2] $f^1(a)$, $f^2(a)$, $f^3(a)$, …의 값에서 규칙을 찾아 $f^n(a)$의 값을 구한다.

대표 문제

046 집합 $X = \{1, 2, 3, 4\}$에 대하여 X에서 X로의 함수 f가

$$f(x) = \begin{cases} x+1 & (x \leq 3) \\ 1 & (x=4) \end{cases}$$

이고 $f^1 = f$, $f^2 = f \circ f$, $f^3 = f \circ f \circ f$, …로 정의할 때, $f^{150}(1)$의 값을 구하시오.

★중요

유형 14 | 역함수의 뜻

함수 $f : X \longrightarrow Y$가 일대일대응이고 $x \in X$, $y \in Y$일 때
(1) $f^{-1} : Y \longrightarrow X$
(2) $y = f(x) \Longleftrightarrow x = f^{-1}(y)$

대표 문제

047 함수 $f(x) = ax + b$에 대하여 $f^{-1}(-3) = 1$, $f^{-1}(6) = 4$일 때, $f(2)$의 값은? (단, a, b는 상수)

① -4 ② -2 ③ 0

④ 2 ⑤ 4

유형 15 | 역함수가 존재하기 위한 조건

함수 f의 역함수 f^{-1}가 존재하려면 f가 일대일대응이어야 한다.
➡ (1) 정의역의 임의의 두 원소 x_1, x_2에 대하여
　　　$x_1 \neq x_2$이면 $f(x_1) \neq f(x_2)$
(2) 치역과 공역이 같다.

대표 문제

048 두 집합 $X = \{x \mid -2 \leq x \leq 3\}$, $Y = \{y \mid a \leq y \leq 5\}$에 대하여 X에서 Y로의 함수 $f(x) = 2x - b$의 역함수가 존재할 때, $b - a$의 값을 구하시오. (단, a, b는 상수)

유형 16 | 역함수 구하기

일대일대응인 함수 $y = f(x)$의 역함수 $y = f^{-1}(x)$는 다음과 같은 순서로 구한다.
(1) $y = f(x)$를 x에 대하여 풀어 $x = f^{-1}(y)$ 꼴로 나타낸다.
(2) x와 y를 서로 바꾸어 $y = f^{-1}(x)$로 나타낸다.

대표 문제

049 함수 $f(x) = 2x + a$의 역함수가 $f^{-1}(x) = bx + 2$일 때, 상수 a, b에 대하여 ab의 값은?

① -3 ② -2 ③ -1

④ 0 ⑤ 1

유형 17 | 합성함수와 역함수

두 함수 f, g와 그 역함수 f^{-1}, g^{-1}에 대하여
(1) $(f^{-1} \circ g)(a)$의 값을 구할 때는 $f^{-1}(g(a)) = k$로 놓고 $f(k) = g(a)$를 만족시키는 k의 값을 구한다.
(2) $(f \circ g^{-1})(a)$의 값을 구할 때는 $g^{-1}(a) = k$로 놓고 $g(k) = a$를 만족시키는 k의 값을 구한 후 $f(k)$의 값을 구한다.

대표 문제

050 두 함수 $f(x) = \dfrac{1}{2}x - 1$, $g(x) = 2x + 3$에 대하여 $(f^{-1} \circ g)(a) = 4$를 만족시키는 실수 a의 값은?

① $-\dfrac{3}{2}$ ② -1 ③ $-\dfrac{1}{2}$

④ $\dfrac{1}{2}$ ⑤ 1

04

⭐중요

유형 18 │ 역함수의 성질

두 함수 f, g와 그 역함수 f^{-1}, g^{-1}에 대하여

(1) $f^{-1} \circ f = f \circ f^{-1} = I$ (단, I는 항등함수)

(2) $(f^{-1})^{-1} = f$

(3) $(g \circ f)^{-1} = f^{-1} \circ g^{-1}$

대표 문제

051 두 함수 $f(x) = 4x - 3$, $g(x) = -2x + 3$에 대하여 $(g \circ (f^{-1} \circ g)^{-1} \circ g^{-1})(-1)$의 값은?

① 4   ② 5   ③ 6

④ 7   ⑤ 8

유형 19 │ 함수의 그래프와 합성함수, 역함수

(1) 함수 $y = f(x)$의 그래프가 두 점 (a, b), (b, c)를 지나면
　➡ $(f \circ f)(a) = f(f(a)) = f(b) = c$

(2) 함수 $y = f(x)$의 그래프가 점 (a, b)를 지나면 그 역함수 $y = f^{-1}(x)$의 그래프는 점 (b, a)를 지난다.
　➡ $f^{-1}(b) = a$

대표 문제

052 함수 $y = f(x)$의 그래프와 직선 $y = x$가 오른쪽 그림과 같을 때, $(f \circ f)(a) + (f^{-1} \circ f^{-1})(c)$의 값은? (단, 모든 점선은 x축 또는 y축에 평행하다.)

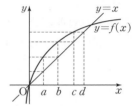

① $2a$ ② $2b$

③ $2c$ ④ $a + c$

⑤ $b + d$

유형 20 │ 역함수의 그래프의 성질

함수 f와 그 역함수 f^{-1}에 대하여

(1) 함수 $y = f(x)$의 그래프와 함수 $y = f^{-1}(x)$의 그래프는 직선 $y = x$에 대하여 대칭이다.

(2) 두 함수 $y = f(x)$, $y = f^{-1}(x)$의 그래프의 교점은 $y = f(x)$의 그래프와 직선 $y = x$의 교점과 같다.

대표 문제

053 함수 $f(x) = 2x - 1$의 그래프와 그 역함수 $y = f^{-1}(x)$의 그래프의 교점의 좌표가 (a, b)일 때, $a + b$의 값은?

① $\dfrac{1}{2}$ ② 1 ③ $\dfrac{3}{2}$

④ 2 ⑤ $\dfrac{5}{2}$

핵심유형 완성하기

핵심 유형

★중요
유형 10 합성함수

054 대표 문제 다시 보기

두 함수 $f(x)=|x-3|$, $g(x)=-x^2+3$에 대하여 $(g \circ f)(-1)$의 값은?

① -13 ② -9 ③ -4

④ 4 ⑤ 9

055 하

오른쪽 그림과 같은 함수 $f : X \longrightarrow X$ 에 대하여 $(f \circ f)(2)+(f \circ f \circ f)(1)$ 의 값은?

① 3 ② 4

③ 5 ④ 6

⑤ 7

056 하

두 함수 $f(x)=2x^2-3$, $g(x)=\begin{cases} 2x-7 & (x \geq 3) \\ -x+2 & (x<3) \end{cases}$ 에 대하여 $(f \circ g)(2)+(g \circ f)(-2)$의 값을 구하시오.

057 중

세 함수 f, g, h에 대하여

$$(f \circ g)(x)=x^2+3x-1, \quad h(x)=\frac{1}{2}x+2$$

일 때, $(f \circ (g \circ h))(-2)$의 값을 구하시오.

058 중

정의역이 $\{x \mid 0 \leq x \leq 3\}$인 두 함수 $y=f(x)$, $y=g(x)$의 그래프가 다음 그림과 같을 때, $(f \circ g)(1)+(g \circ f)(2)$의 값은?

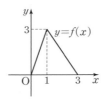 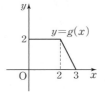

① 3 ② $\dfrac{7}{2}$ ③ 4

④ $\dfrac{9}{2}$ ⑤ 5

059 상

집합 $X=\{1, 2, 3\}$에 대하여 X에서 X로의 일대일대응인 두 함수 f, g가 다음 조건을 모두 만족시킬 때, $f(1)+g(3)$의 값을 구하시오.

㈎ $f(2)=g(1)=3$
㈏ $(f \circ g)(2)=(g \circ f)(3)=3$

060 상   신유형

$0 \leq x \leq 2$에서 정의된 함수 $y=f(x)$의 그래프가 오른쪽 그림과 같을 때, 방정식 $f(f(x))=2-x$의 서로 다른 실근의 개수를 구하시오.

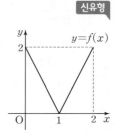

04

유형 11 합성함수를 이용하여 미정계수 구하기

061 대표 문제 다시 보기

두 함수 $f(x)=ax-4$, $g(x)=-x+2$에 대하여
$f \circ g = g \circ f$가 성립할 때, 상수 a의 값은?

① 4
② $\dfrac{9}{2}$
③ 5

④ $\dfrac{11}{2}$
⑤ 6

062 중

함수 $f(x)=ax+3$에 대하여 $(f \circ f)(2)=12$일 때, $f(4)$의 값은? (단, $a>0$)

① -9
② -6
③ -3

④ 6
⑤ 9

063 중

세 함수 $f(x)=ax+1$, $g(x)=x+b$, $h(x)=2x-2$에 대하여 $f \circ g = h$가 성립할 때, $a+2b$의 값을 구하시오.
(단, a, b는 상수)

064 상

서로 다른 두 함수 $f(x)=ax+2b$, $g(x)=bx+2a$에 대하여 $f \circ g = g \circ f$가 성립할 때, $f(1)+g(1)$의 값을 구하시오.
(단, a, b는 상수)

유형 12 $f \circ g = h$를 만족시키는 함수 f 또는 g 구하기

065 대표 문제 다시 보기

두 함수 $f(x)=3x^2-1$, $g(x)=-x+2$에 대하여 $g \circ h = f$를 만족시키는 함수 $h(x)$는?

① $h(x)=-3x-3$
② $h(x)=-3x-1$
③ $h(x)=3x-1$
④ $h(x)=-3x^2+3$
⑤ $h(x)=3x^2-3$

066 중

세 함수 f, g, h에 대하여
$$(h \circ g)(x)=2x-3, \quad (h \circ g \circ f)(x)=4x+5$$
일 때, $f(-1)$의 값을 구하시오.

067 중

두 함수 $f(x)=-2x+1$, $g(x)=3x-1$에 대하여 $h \circ f = g$를 만족시키는 함수 $h(x)$를 구하시오.

068 중

두 함수 f, g에 대하여
$$f(x)=2x+3, \quad (g \circ f)(x)=x^2+x$$
일 때, $g(-3)$의 값은?

① -6
② -3
③ 3

④ 6
⑤ 9

★중요

유형 13 f^n 꼴의 합성함수

069 대표 문제 다시 보기

집합 $A=\{x\,|\,-1\leq x\leq 1\}$에 대하여 A에서 A로의 함수 f가

$$f(x)=\begin{cases} x+1 & (-1\leq x<0) \\ x-1 & (0\leq x\leq 1) \end{cases}$$

이고 $f^1=f$, $f^2=f\circ f$, $f^3=f\circ f\circ f$, $\cdots$로 정의할 때,

$f^{10}\left(\dfrac{1}{2}\right)+f^{11}\left(\dfrac{1}{2}\right)+f^{12}\left(\dfrac{1}{2}\right)+\cdots+f^{50}\left(\dfrac{1}{2}\right)$의 값은?

① -1 ② $-\dfrac{1}{2}$ ③ $\dfrac{1}{2}$

④ 1 ⑤ 2

070 중

함수 $f(x)=2x$에 대하여

$$f^1=f,\ f^2=f\circ f,\ f^3=f\circ f\circ f,\ \cdots$$

로 정의할 때, $f^9(-2)$의 값은?

① -2^{10} ② -2^9 ③ 2^9

④ 2^{10} ⑤ 2^{11}

071 중

자연수 전체의 집합에서 정의된 함수 f가

$$f(x)=\begin{cases} \dfrac{x}{2} & (x\text{는 짝수}) \\ \dfrac{x-3}{2} & (x\text{는 홀수}) \end{cases}$$

이고 $f^1=f$, $f^{n+1}=f\circ f^n$으로 정의할 때, $f^n(100)=1$을 만족시키는 자연수 n의 값을 구하시오.

072 중

$0\leq x\leq 3$에서 정의된 함수 $y=f(x)$의 그래프가 오른쪽 그림과 같고,

$$f^1=f,\ f^{n+1}=f\circ f^n$$

으로 정의할 때, $f^{200}(1)$의 값을 구하시오. (단, n은 자연수)

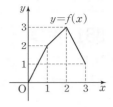

073 상

오른쪽 그림과 같은 함수 $f:X\longrightarrow X$에 대하여

$$f^1=f,\ f^2=f\circ f,\ f^3=f\circ f\circ f,\ \cdots$$

로 정의할 때, $f^n=I$를 만족시키는 자연수 n의 최솟값은? (단, I는 항등함수)

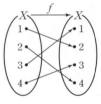

① 3 ② 4 ③ 5

④ 6 ⑤ 7

★중요

유형 14 역함수의 뜻

074 대표 문제 다시 보기

함수 $f(x)=ax+b$에 대하여 $f^{-1}(1)=3$, $f^{-1}(-1)=5$일 때, $f(-3)$의 값을 구하시오. (단, a, b는 상수)

075 (하)

함수 $f(x)=ax+3$에 대하여 $f^{-1}(4)=2$, $f^{-1}(1)=b$일 때, $a+b$의 값을 구하시오. (단, a, b는 상수)

076 (중)

함수 f에 대하여 $f\left(\dfrac{3-x}{4}\right)=x-2$일 때, $f^{-1}(5)$의 값은?

① -2 ② -1 ③ 0
④ 1 ⑤ 2

077 (중)

정의역이 $\{x|x\geq1\}$인 함수 $f(x)=x^2-2x-1$에 대하여 $f^{-1}(7)$의 값을 구하시오.

078 (상)

함수 $f(x)=\begin{cases} x^2-4x+5 & (x\geq2) \\ x-1 & (x<2) \end{cases}$에 대하여 $f^{-1}(0)+f^{-1}(10)$의 값은?

① 4 ② 5 ③ 6
④ 7 ⑤ 8

유형 15 역함수가 존재하기 위한 조건

079 [대표 문제] 다시 보기

두 집합 $X=\{x|-1\leq x\leq2\}$, $Y=\{y|2\leq y\leq a\}$에 대하여 X에서 Y로의 함수 $f(x)=-3x+b$의 역함수가 존재할 때, $a+b$의 값은? (단, a, b는 상수)

① -8 ② -2 ③ 5
④ 12 ⑤ 19

080 (중)

함수 $f(x)=\begin{cases} (a-4)x+5 & (x\geq1) \\ (1-2a)x+3a & (x<1) \end{cases}$의 역함수가 존재하도록 하는 모든 정수 a의 값의 합을 구하시오.

081 (중)

집합 $X=\{x|x\geq1\}$에 대하여 X에서 X로의 함수 $f(x)=x^2+kx+k^2$의 역함수가 존재하도록 하는 모든 상수 k의 값의 합을 구하시오.

082 (상) [신유형]

집합 $U=\{x|1\leq x\leq50, x$는 6의 배수$\}$의 공집합이 아닌 부분집합 X와 집합 $Y=\{0, 1, 2, 3, 4\}$에 대하여 함수 $f:X\longrightarrow Y$를

$f(x)=(x$를 5로 나누었을 때의 나머지)

로 정의할 때, 함수 f의 역함수가 존재하도록 하는 집합 X의 개수를 구하시오.

유형 16 역함수 구하기

083 대표 문제 다시 보기

일차함수 $f(x)=ax+3$의 역함수가 $f^{-1}(x)=\dfrac{1}{3}x+b$일 때, 상수 a, b에 대하여 $a+b$의 값은?

① -2 ② 0 ③ 2

④ 4 ⑤ 8

084 중

두 함수 $f(x)=3x-1$, $g(x)=-x+2$에 대하여 함수 $h(x)=(g\circ f)(x)$의 역함수 $h^{-1}(x)$를 구하시오.

085 중

일차함수 $f(x)=ax+1$에 대하여 $f=f^{-1}$일 때, 상수 a의 값을 구하시오.

086 중

함수 $f(2x+3)$의 역함수가 $g(x)=\dfrac{1}{2}x-1$일 때, 함수 $f(x)$는?

① $f(x)=x-1$ ② $f(x)=2x-1$

③ $f(x)=2x+2$ ④ $f(x)=3x-1$

⑤ $f(x)=3x+2$

유형 17 합성함수와 역함수

087 대표 문제 다시 보기

두 함수 $f(x)=\dfrac{x-1}{2}$, $g(x)=2x-2$에 대하여 $(f\circ g^{-1})(a)=2$를 만족시키는 실수 a의 값을 구하시오.

088 하

두 함수 f, g를 다음 그림과 같이 정의할 때, $(f\circ g^{-1})(1)+(g\circ f^{-1})(1)$의 값을 구하시오.

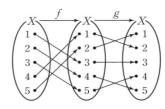

089 중

두 함수 $f(x)=2x+3$, $g(x)=3x+4$에 대하여 $(f\circ g^{-1}\circ f)(a)=5$를 만족시키는 실수 a의 값을 구하시오.

090 중

두 함수 $f(x)=ax+1$, $g(x)=-2x+b$에 대하여 $(f\circ g)(x)=-x+3$일 때, $f(g^{-1}(-8))$의 값은?

(단, a, b는 상수)

① 2 ② 3 ③ 4

④ 5 ⑤ 6

유형 **18** 역함수의 성질

091 대표 문제 다시 보기

두 함수 $f(x)=3x-2$, $g(x)=5x-4$에 대하여
$(f\circ(f^{-1}\circ g)^{-1}\circ f^{-1})(6)$의 값을 구하시오.

092 하

두 함수 $f(x)=4x-1$, $g(x)=5x+3$에 대하여
$(f^{-1}\circ g)(0)+(f^{-1}\circ g)^{-1}(1)$의 값은?

① -1　　　　② 1　　　　③ 3
④ 5　　　　⑤ 7

093 중

두 함수 f, g에 대하여 $f(x)=\dfrac{5}{2}x-4$, $(g\circ f)(x)=x$일 때,
$g(1)$의 값을 구하시오.

094 중

두 함수 f, g에 대하여 $(f\circ g^{-1})(x)=4x-7$일 때,
$(g\circ f^{-1})(1)$의 값은?

① -2　　　　② -1　　　　③ 0
④ 1　　　　⑤ 2

095 중

두 함수 f, g에 대하여 $f^{-1}(x)=x+3$, $g^{-1}(x)=2x-5$일 때, $((f\circ g)^{-1}\circ f\circ g^{-1})(a)=f(a)$를 만족시키는 실수 a의 값은?

① 3　　　　② 4　　　　③ 5
④ 6　　　　⑤ 7

096 상

두 함수 $f(x)=\begin{cases}2x-1 & (x\geq1)\\ x & (x<1)\end{cases}$, $g(x)=x+1$에 대하여
$f\circ h=g^{-1}$를 만족시키는 함수 $h(x)$를 구하시오.

097 상

함수 f에 대하여 $f^1=f$, $f^{n+1}=f\circ f^n$ (n은 자연수)으로 정의하고 $f^2=f^{-1}$일 때, 다음 보기 중 옳은 것만을 있는 대로 고른 것은? (단, $f\neq f^{-1}$)

> 보기
> ㄱ. $f^3(1)=1$　　　　ㄴ. $f^{20}=f^{40}$
> ㄷ. $f^{2020}=(f^{20})^{-1}$

① ㄱ　　　　② ㄷ　　　　③ ㄱ, ㄴ
④ ㄱ, ㄷ　　　　⑤ ㄴ, ㄷ

유형 19 함수의 그래프와 합성함수, 역함수

098 대표 문제 다시 보기

함수 $y=f(x)$의 그래프와 직선 $y=x$가 오른쪽 그림과 같을 때, $(f\circ f)(6)+(f^{-1}\circ f^{-1})(6)$의 값은? (단, 모든 점선은 x축 또는 y축에 평행하다.)

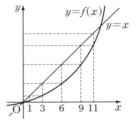

① 1 　　　　② 6
③ 9 　　　　④ 12
⑤ 15

099 중

$x\geq0$에서 정의된 두 함수 $y=f(x)$, $y=g(x)$의 그래프와 직선 $y=x$가 오른쪽 그림과 같을 때, $(g\circ f)^{-1}(c)$의 값은? (단, 모든 점선은 x축 또는 y축에 평행하다.)

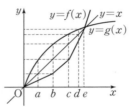

① a 　　　　② b
③ c 　　　　④ d
⑤ e

유형 20 역함수의 그래프의 성질

100 대표 문제 다시 보기

함수 $f(x)=-2x+1$의 그래프와 그 역함수 $y=f^{-1}(x)$의 그래프의 교점의 좌표가 $(a,\ b)$일 때, $a+b$의 값을 구하시오.

101 중

함수 $f(x)=3x+a$의 그래프와 그 역함수 $y=f^{-1}(x)$의 그래프의 교점의 좌표가 $(1,\ b)$일 때, 상수 a, b에 대하여 $a+b$의 값을 구하시오.

102 중

점 $(-1,\ 4)$를 지나는 일차함수 $y=f(x)$의 그래프와 그 역함수 $y=f^{-1}(x)$의 그래프가 일치할 때, $f(1)$의 값은?

① -2 　　　　② -1 　　　　③ 0
④ 1 　　　　⑤ 2

103 중

함수 $f(x)=x^2-6x+12\ (x\geq3)$의 그래프와 그 역함수 $y=f^{-1}(x)$의 그래프가 만나는 두 점 사이의 거리는?

① 1 　　　　② $\sqrt{2}$ 　　　　③ $\sqrt{3}$
④ 2 　　　　⑤ $\sqrt{5}$

104 상

함수 $f(x)=\begin{cases}\dfrac{1}{2}x+2\ (x\geq0)\\ 3x+2\ (x<0)\end{cases}$의 그래프와 그 역함수 $y=f^{-1}(x)$의 그래프로 둘러싸인 부분의 넓이를 구하시오.

105
유형 01

집합 $X=\{x|-2\leq x\leq3, x$는 정수$\}$에 대하여 다음 보기 중 X에서 X로의 함수인 것만을 있는 대로 고른 것은?

보기

ㄱ. $f(x)=\begin{cases}1 \ (x\neq0) \\ 0 \ (x=0)\end{cases}$ ㄴ. $g(x)=\begin{cases}x^2 \ (x\geq0) \\ |x| \ (x<0)\end{cases}$

ㄷ. $h(x)=\begin{cases}2x-3 \ (x\geq0) \\ -x+1 \ (x<0)\end{cases}$

① ㄱ ② ㄴ ③ ㄷ

④ ㄱ, ㄴ ⑤ ㄱ, ㄷ

106
유형 01

다음 보기의 그래프 중 함수의 그래프인 것만을 있는 대로 고르시오.

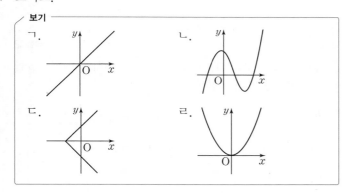

107
유형 02

자연수 전체의 집합에서 정의된 함수 f가

$$f(x)=\begin{cases}2 \ (x는 \ 짝수) \\ 1 \ (x는 \ 홀수)\end{cases}$$

일 때, $f(1)+f(2)+f(3)+\cdots+f(15)$의 값을 구하시오.

108
유형 03

집합 $X=\{x|-1\leq x\leq1\}$에 대하여 X에서 X로의 함수 $f(x)=ax^2+b$의 공역과 치역이 서로 같을 때, a^2+b^2의 값을 구하시오. (단, a, b는 상수)

109
유형 04

임의의 양수 x, y에 대하여 함수 f가

$$f(xy)=f(x)+f(y)$$

를 만족시키고 $f(9)=2$일 때, 다음 보기 중 옳은 것만을 있는 대로 고르시오.

보기

ㄱ. $f(1)=0$ ㄴ. $f\left(\dfrac{1}{3}\right)=-1$

ㄷ. $f(x^2)=f(x)-f\left(\dfrac{1}{x}\right)$

110
유형 05

집합 $X=\{-3, 1\}$을 정의역으로 하는 두 함수 $f(x)=x^2+x+a$, $g(x)=bx+2$에 대하여 $f=g$일 때, $a+b$의 값은? (단, a, b는 상수)

① -2 ② -1 ③ 0

④ 1 ⑤ 2

111
유형 07

두 집합 $X=\{x|-1\leq x\leq2\}$, $Y=\{y|-1\leq y\leq5\}$에 대하여 X에서 Y로의 함수 $f(x)=ax+b$가 일대일대응일 때, 모든 $\dfrac{b}{a}$의 값의 합을 구하시오. (단, a, b는 상수)

112
유형 06+08

집합 $X = \{0, 1, 2\}$에 대하여 다음 보기 중 X에서 X로의 함수인 것의 개수를 a, 일대일대응인 것의 개수를 b, 항등함수인 것의 개수를 c라 할 때, $a+b+c$의 값을 구하시오.

보기
ㄱ. $f(x) = x$ ㄴ. $f(x) = \dfrac{1}{2}x^2$

ㄷ. $f(x) = |x-1| + 1$ ㄹ. $f(x) = 2-x$

113
유형 08

실수 전체의 집합에서 정의된 세 함수 f, g, h에 대하여 함수 f, g가 각각 항등함수, 상수함수이고
$$h(x) = f(x) + g(x), \quad f(4) = g(-5)$$
일 때, $h(2) + h(-3)$의 값을 구하시오.

114
유형 09

두 집합 $X = \{1, 2\}$, $Y = \{1, 2, 3, 4\}$에 대하여 X에서 Y로의 함수의 개수를 a, 일대일함수의 개수를 b, 상수함수의 개수를 c라 할 때, $a+b+c$의 값은?

① 24   ② 28   ③ 32

④ 36   ⑤ 40

115
유형 10

세 함수 f, g, h에 대하여
$$f(x) = 3x^2 - 2, \quad (h \circ g)(x) = \begin{cases} x-2 & (x \geq 2) \\ -2x+4 & (x < 2) \end{cases}$$
일 때, $(h \circ (g \circ f))(\sqrt{2})$의 값은?

① -6 ② -4 ③ -2

④ 2 ⑤ 4

116
유형 10

오른쪽 그림과 같은 함수 $f : X \longrightarrow X$에 대하여 함수 $g : X \longrightarrow X$가
$$g(2) = 1, \quad f \circ g = g \circ f$$
를 만족시킬 때, $g(1) + g(3)$의 값을 구하시오.

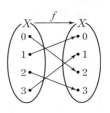

117
유형 11

함수 $f(x) = ax + b$에 대하여 $(f \circ f)(x) = 4x - 3$이다. 이때 상수 a, b에 대하여 ab의 값을 구하시오. (단, $a < 0$)

118
유형 12

두 함수 $f(x) = 3x - 1$, $g(x) = x + 4$에 대하여 $f \circ h = g$를 만족시키는 함수 $h(x)$는?

① $h(x) = \dfrac{1}{3}x - \dfrac{7}{3}$ ② $h(x) = \dfrac{1}{3}x + \dfrac{5}{3}$

③ $h(x) = \dfrac{1}{3}x + 5$ ④ $h(x) = 3x - 7$

⑤ $h(x) = 3x + 15$

119
유형 13+14

집합 $A = \{1, 2, 3, 4\}$에 대하여 A에서 A로의 함수 f가 일대일대응이고 $f(1) = 4$, $f(2) = 1$, $f^{-1}(3) = 4$를 만족시킨다. $f^1 = f$, $f^{n+1} = f \circ f^n$으로 정의할 때, $f^{2022}(1) + f^{2023}(1)$의 값을 구하시오. (단, n은 자연수)

04

120
유형 14

함수 f에 대하여 $f\left(\dfrac{2x+3}{4}\right)=-2x$일 때, $f^{-1}(7)$의 값은?

① -5 ② -4 ③ -3

④ -2 ⑤ -1

121
유형 15

함수 $f(x)=ax+|x-1|$의 역함수가 존재하도록 하는 상수 a의 값의 범위를 구하시오.

122
유형 16

함수 $f(x)=ax+b$의 역함수가 $f^{-1}(x)=6bx-4ab$일 때, 양수 a, b에 대하여 $a-b$의 값은?

① $\dfrac{1}{6}$ ② $\dfrac{1}{3}$ ③ $\dfrac{1}{2}$

④ $\dfrac{2}{3}$ ⑤ $\dfrac{5}{6}$

123
유형 16

두 일차함수 $f(x)=ax+2$, $g(x)=2x+b$에 대하여 $(f \circ g)^{-1}(x)=-2x-1$일 때, ab의 값을 구하시오.

(단, a, b는 상수)

124
유형 17

두 함수 $f(x)=3x+2$, $g(x)=-2x+a$에 대하여 $(f \circ g \circ f^{-1})(5)=8$일 때, 상수 a의 값을 구하시오.

125
유형 18

두 함수 $f(x)=-x+4$, $g(x)=3x-1$에 대하여 $(f^{-1} \circ g)^{-1}(-1)+(g \circ (f \circ g)^{-1})(1)$의 값을 구하시오.

126
유형 19

두 함수 $y=f(x)$, $y=g^{-1}(x)$의 그래프와 직선 $y=x$가 다음 그림과 같을 때, $(f^{-1} \circ (g^{-1} \circ f)^{-1})(b)$의 값은?

(단, 모든 점선은 x축 또는 y축에 평행하다.)

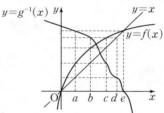

① a ② c ③ e

④ $a+d$ ⑤ $b+c$

127
유형 20

함수 $f(x)=-2x+6$의 그래프와 그 역함수 $y=f^{-1}(x)$의 그래프의 교점을 P라 할 때, 선분 OP의 길이를 구하시오.

(단, O는 원점)

05

유리함수

유리함수

핵심유형 **05**

유형 **01** | 유리식의 덧셈과 뺄셈

유리식의 덧셈과 뺄셈은 분모를 통분하여 계산한다.

➡ 다항식 A, B, C, $D\,(BD\neq 0)$에 대하여

(1) $\dfrac{A}{B}+\dfrac{C}{D}=\dfrac{AD+BC}{BD}$

(2) $\dfrac{A}{B}-\dfrac{C}{D}=\dfrac{AD-BC}{BD}$

001 $\dfrac{x}{x+y}+\dfrac{y}{x-y}-\dfrac{2xy}{x^2-y^2}$ 를 간단히 하면?

① $\dfrac{x}{x-y}$ ② $\dfrac{y}{x-y}$ ③ $\dfrac{x+y}{x-y}$

④ $\dfrac{x-y}{x+y}$ ⑤ $\dfrac{2x+y}{x+y}$

유형 **02** | 유리식의 곱셈과 나눗셈

유리식의 곱셈은 분모는 분모끼리, 분자는 분자끼리 곱하여 계산하고, 나눗셈은 곱셈으로 고쳐서 계산한다.

➡ 다항식 A, B, C, $D\,(BCD\neq 0)$에 대하여

(1) $\dfrac{A}{B}\times\dfrac{C}{D}=\dfrac{AC}{BD}$

(2) $\dfrac{A}{B}\div\dfrac{C}{D}=\dfrac{A}{B}\times\dfrac{D}{C}=\dfrac{AD}{BC}$

참고 주어진 식의 분자, 분모가 인수분해되면 인수분해하여 약분이 되는지 확인한다.

002 $\dfrac{x-3}{x+1}\times\dfrac{x^2-x-2}{x^2-3x}$ 를 간단히 하면?

① $\dfrac{x-2}{x}$ ② $\dfrac{x+3}{x}$ ③ $\dfrac{x-2}{x+1}$

④ $\dfrac{x-1}{x+1}$ ⑤ $\dfrac{x}{x+1}$

★중요

유형 **03** | 유리식과 항등식

유리식으로 이루어진 등식이 항등식이면 양변에 분모의 최소공배수를 곱하여 정리한 후 동류항의 계수를 비교한다.

003 $x\neq 1$인 모든 실수 x에 대하여

$$\frac{x+2}{x^3-1}=\frac{ax-1}{x^2+x+1}+\frac{b}{x-1}$$

가 성립할 때, ab의 값을 구하시오. (단, a, b는 상수)

유형 **04** | (분자의 차수)≥(분모의 차수)인 유리식

분자의 차수가 분모의 차수보다 크거나 같으면 분자를 분모로 나누어 다항식과 분수식의 합 꼴로 변형한다.

예 $\dfrac{x}{x-1}+\dfrac{2x+1}{x+1}=\dfrac{(x-1)+1}{x-1}+\dfrac{2(x+1)-1}{x+1}$

$\qquad\qquad =\left(1+\dfrac{1}{x-1}\right)+\left(2-\dfrac{1}{x+1}\right)$

004 $\dfrac{x+1}{x}-\dfrac{2x+3}{x+1}-\dfrac{x+3}{x+2}+\dfrac{2x+7}{x+3}$ 을 간단히 하면

$\dfrac{f(x)}{x(x+1)(x+2)(x+3)}$ 일 때, 다항식 $f(x)$를 구하시오.

05

★ 중요

유형 05 | 분모가 두 인수의 곱인 유리식

분모가 두 인수의 곱으로 되어 있으면 다음을 이용하여 식을 변형한다.

➡ 다항식 A, $B(A \neq B, AB \neq 0)$에 대하여

$$\frac{1}{AB} = \frac{1}{B-A}\left(\frac{1}{A} - \frac{1}{B}\right)$$

예 $\frac{1}{(x+1)(x+2)} = \frac{1}{x+2-(x+1)}\left(\frac{1}{x+1} - \frac{1}{x+2}\right)$
$= \frac{1}{x+1} - \frac{1}{x+2}$

대표 문제

005 다음 식의 분모를 0으로 하지 않는 모든 실수 x에 대하여

$$\frac{1}{x(x+1)} + \frac{1}{(x+1)(x+2)} + \frac{1}{(x+2)(x+3)}$$
$$= \frac{a}{x(x+b)}$$

가 성립할 때, $a+b$의 값을 구하시오. (단, a, b는 상수)

유형 06 | 분자 또는 분모가 분수식인 유리식

다항식 A, B, C, $D(BCD \neq 0)$에 대하여

$$\frac{\dfrac{A}{B}}{\dfrac{C}{D}} = \frac{A}{B} \div \frac{C}{D} = \frac{A}{B} \times \frac{D}{C} = \frac{AD}{BC}$$

대표 문제

006 $1 - \dfrac{1}{1 - \dfrac{1}{1-x}}$ 을 간단히 하시오.

유형 07 | 유리식의 값 − $a+b+c=0$이 주어진 경우

$a+b+c=0$이 주어지면

(1) $a+b=-c$, $b+c=-a$, $c+a=-b$를 구하는 유리식에 대입하여 간단히 한다.

(2) 구하는 유리식을 $a+b+c$를 포함한 식으로 변형한 후 $a+b+c=0$임을 이용한다.

대표 문제

007 $a+b+c=0$일 때, $\dfrac{b+c}{a} + \dfrac{c+a}{b} + \dfrac{a+b}{c}$의 값은?

(단, $abc \neq 0$)

① -3 ② -1 ③ 1
④ 3 ⑤ 6

유형 08 | 유리식의 값 − 비례식이 주어진 경우

(1) $x : y : z = a : b : c$이면 $x=ak$, $y=bk$, $z=ck(k \neq 0)$로 놓고 구하는 유리식에 대입한다.

(2) $\dfrac{a}{d} = \dfrac{b}{e} = \dfrac{c}{f}$이면 $\dfrac{a}{d} = \dfrac{b}{e} = \dfrac{c}{f} = t(t \neq 0)$로 놓고 $a=dt$, $b=et$, $c=ft$임을 이용한다.

① $d+e+f \neq 0$일 때 ➡ $t = \dfrac{a+b+c}{d+e+f}$

② $d+e+f=0$일 때 ➡ $d+e=-f$, $e+f=-d$, $f+d=-e$를 구하는 유리식에 대입한다.

대표 문제

008 0이 아닌 세 실수 x, y, z에 대하여

$$(x+y) : (y+z) : (z+x) = 3 : 4 : 5$$

일 때, $\dfrac{xy+yz+zx}{x^2+y^2+z^2}$의 값을 구하시오.

유형 09 | 유리식의 값 − 방정식이 주어진 경우

주어진 방정식을 이용하여 각 문자를 한 문자에 대한 식으로 나타낸 후 구하는 유리식에 대입한다.

대표 문제

009 $x+2y+z=0$, $x-y+3z=0$일 때, $\dfrac{x+y}{x+2z}$의 값은?

(단, $xyz \neq 0$)

① 1 ② 3 ③ 5
④ 7 ⑤ 9

유형 01 유리식의 덧셈과 뺄셈

010 대표 문제 다시 보기

$\dfrac{2}{x^3+1}+\dfrac{1}{x+1}-\dfrac{x-2}{x^2-x+1}$ 를 간단히 하시오.

011 중

$\dfrac{x+4}{x^2-x-2}-\dfrac{x}{x^2-3x+2}$ 를 간단히 하시오.

유형 02 유리식의 곱셈과 나눗셈

012 대표 문제 다시 보기

$\dfrac{x+1}{x^2+5x+6}\div\dfrac{x^2-1}{x^2+3x+2}$ 을 간단히 하시오.

013 중

$\dfrac{x^2-1}{x^2-x+1}\times\dfrac{x^2-3x+2}{x^2+2x+1}\div\dfrac{x-1}{x^3+1}$ 을 간단히 하면?

① x^2-5x+4 ② x^2-3x-4

③ x^2-3x+2 ④ x^2+4x+1

⑤ x^2+5x+3

★중요 유형 03 유리식과 항등식

014 대표 문제 다시 보기

$x\neq-1$인 모든 실수 x에 대하여

$$\dfrac{x^2+x}{x^3+3x^2+3x+1}=\dfrac{ax+b}{x^2+2x+1}-\dfrac{b}{x+1}$$

가 성립할 때, $a-b$의 값은? (단, a, b는 상수)

① -2 ② -1 ③ 0

④ 1 ⑤ 2

015 중

$x\neq1$인 모든 실수 x에 대하여

$$\dfrac{x+1}{x^2-2x+1}=\dfrac{a}{x-1}+\dfrac{b}{(x-1)^2}+\dfrac{c}{(x-1)^3}$$

가 성립할 때, abc의 값은? (단, a, b, c는 상수)

① -4 ② -1 ③ 0

④ 4 ⑤ 8

016 상

다음 식의 분모를 0으로 하지 않는 모든 실수 x에 대하여

$$\dfrac{1}{(x-1)(x-2)(x-3)\times\cdots\times(x-7)}$$
$$=\dfrac{a_1}{x-1}+\dfrac{a_2}{x-2}+\dfrac{a_3}{x-3}+\cdots+\dfrac{a_7}{x-7}$$

이 성립할 때, $a_1+a_2+a_3+\cdots+a_7$의 값은?

(단, a_1, a_2, a_3, $\cdots$, a_7은 상수)

① -2 ② -1 ③ 0

④ 1 ⑤ 2

유형 04   (분자의 차수)≥(분모의 차수)인 유리식

017   대표 문제 다시 보기

다음 식의 분모를 0으로 하지 않는 모든 실수 x에 대하여

$$\frac{x+1}{x} - \frac{x+2}{x+1} + \frac{x-1}{x-2} - \frac{x-2}{x-3}$$

$$= \frac{ax+b}{x(x+1)(x-2)(x-3)}$$

가 성립할 때, $b-a$의 값은? (단, a, b는 상수)

① -12 ② -6 ③ -1

④ 6   ⑤ 12

018   중하

$\dfrac{3x^2-3x+2}{x-1} - \dfrac{3x^2+6x-5}{x+2}$ 를 간단히 하시오.

★ 중요
유형 05   분모가 두 인수의 곱인 유리식

019   대표 문제 다시 보기

다음 식의 분모를 0으로 하지 않는 모든 실수 x에 대하여

$$\frac{2}{x(x+2)} + \frac{2}{(x+2)(x+4)} + \frac{2}{(x+4)(x+6)}$$

$$= \frac{a}{x(x+b)}$$

가 성립할 때, $a+b$의 값을 구하시오. (단, a, b는 상수)

---

020   중

$\dfrac{1}{x^2-1} + \dfrac{1}{x^2+4x+3} + \dfrac{1}{x^2+8x+15}$ 을 간단히 하면?

① $-\dfrac{2}{(x+1)(x-3)}$ ② $-\dfrac{2}{(x+3)(x-1)}$

③ $\dfrac{1}{(x+3)(x-1)}$ ④ $\dfrac{3}{(x+5)(x-1)}$

⑤ $\dfrac{6}{(x+5)(x-1)}$

021   중

$\dfrac{1}{2\times3} + \dfrac{1}{3\times4} + \dfrac{1}{4\times5} + \cdots + \dfrac{1}{10\times11}$ 의 값을 구하시오.

022   중

$f(x)=x^2-1$일 때,

$$\frac{2}{f(2)} + \frac{2}{f(4)} + \frac{2}{f(6)} + \cdots + \frac{2}{f(20)}$$

의 값은?

① $\dfrac{17}{19}$ ② $\dfrac{18}{19}$ ③ $\dfrac{20}{21}$

④ $\dfrac{21}{20}$ ⑤ $\dfrac{23}{21}$

유형 06 분자 또는 분모가 분수식인 유리식

023 대표 문제 다시 보기

$1+\cfrac{1}{1+\cfrac{1}{x+1}}$ 을 간단히 하면?

① $\dfrac{x+2}{x+1}$ ② $\dfrac{x+5}{x+1}$ ③ $\dfrac{2x+1}{x+1}$

④ $\dfrac{2x+3}{x+2}$ ⑤ $\dfrac{2x+5}{x+2}$

024 중

$\cfrac{1+\cfrac{x+1}{x-1}}{1-\cfrac{x+1}{x-1}}$ 을 간단히 하시오.

025 상

$\dfrac{53}{30}=a+\cfrac{1}{b+\cfrac{1}{c+\cfrac{1}{d+\cfrac{1}{e}}}}$ 을 만족시키는 자연수 a, b, c, d,

e에 대하여 $a+b+c+d+e$의 값을 구하시오.

026 상

자연수 n에 대하여 a_n을

$$a_1=\frac{1}{3},\ a_2=\cfrac{1}{1-\cfrac{1}{3}},\ a_3=\cfrac{1}{1-\cfrac{1}{1-\cfrac{1}{3}}},\ \cdots$$

이라 할 때, $a_{32}a_{33}$의 값을 구하시오.

유형 07 유리식의 값 $-a+b+c=0$이 주어진 경우

027 대표 문제 다시 보기

$a+b+c=0$일 때,

$$\left(\frac{a}{b}+\frac{b}{a}\right)+\left(\frac{b}{c}+\frac{c}{b}\right)+\left(\frac{c}{a}+\frac{a}{c}\right)$$

의 값을 구하시오. (단, $abc\neq0$)

028 중

0이 아닌 세 실수 a, b, c에 대하여 $\dfrac{1}{ab}+\dfrac{1}{bc}+\dfrac{1}{ca}=0$일 때,

$\dfrac{a^3+b^3+c^3}{abc}$의 값은?

① 3   ② 6   ③ 9

④ 12   ⑤ 15

029 상

$(x+y+z)^2=x^2+y^2+z^2$일 때,

$$\frac{x}{(x+y)(z+x)}+\frac{y}{(x+y)(y+z)}+\frac{z}{(y+z)(z+x)}$$

의 값은? (단, $xyz\neq0$)

① -7 ② -2 ③ 0

④ 7   ⑤ 14

유형 **08** 유리식의 값 – 비례식이 주어진 경우

030 대표 문제 다시 보기

0이 아닌 세 실수 a, b, c에 대하여
$$(a+b):(b+c):(c+a)=5:6:7$$
일 때, $\dfrac{ab}{a^2+2bc-c^2}$의 값을 구하시오.

031 중

0이 아닌 세 실수 x, y, z에 대하여 $x:y:z=2:3:1$일 때, $\dfrac{x^3+y^3+z^3}{3xyz}$의 값은?

① -4 ② -2 ③ 2
④ 4 ⑤ 8

032 중

0이 아닌 세 실수 x, y, z에 대하여 $\dfrac{x+y}{3}=\dfrac{y+z}{6}=\dfrac{z+x}{5}$일 때, $\dfrac{xy+yz-zx}{x^2-y^2}$의 값을 구하시오.

033 상

0이 아닌 세 실수 a, b, c에 대하여
$$\dfrac{3b+c}{2a}=\dfrac{c+2a}{3b}=\dfrac{2a+3b}{c}=k$$
를 만족시키는 모든 상수 k의 값의 합을 구하시오.

034 상

어느 전자 제품 대리점에서 작년 한 해 동안 두 종류의 공기 청정기 A, B를 판매하였다. 이 대리점에서 작년에 판매한 두 제품 A, B의 상반기 판매량의 비는 1 : 3, 하반기 판매량의 비는 5 : 3이고 한 해 동안의 총 판매량의 비는 3 : 5이었다. 이때 이 대리점에서 작년에 판매한 두 제품 A, B의 한 해 동안의 총 판매량에 대한 하반기 판매량의 비율은?

① $\dfrac{1}{6}$ ② $\dfrac{1}{4}$ ③ $\dfrac{1}{3}$
④ $\dfrac{1}{2}$ ⑤ $\dfrac{2}{3}$

유형 **09** 유리식의 값 – 방정식이 주어진 경우

035 대표 문제 다시 보기

$x-y+2z=0$, $2x+y-z=0$일 때, $\dfrac{x^3-y^3+z^3}{3xyz}$의 값을 구하시오. (단, $xyz\neq0$)

036 중

0이 아닌 세 실수 x, y, z에 대하여 $x-\dfrac{3}{z}=1$, $\dfrac{1}{x}-y=1$일 때, $\dfrac{6}{xyz}$의 값을 구하시오.

037 중

두 실수 x, y에 대하여 $xy<0$, $\dfrac{x^2-xy+2y^2}{x^2-2xy-y^2}=2$일 때, $\dfrac{3x-y}{2x+y}$의 값은?

① -2 ② -1 ③ 1
④ 2 ⑤ 4

유리함수

★중요

유형 10 │ 유리함수의 그래프의 평행이동

유리함수 $y=\dfrac{k}{x}\,(k\neq 0)$의 그래프를 x축의 방향으로 p만큼, y축의 방향으로 q만큼 평행이동한 그래프의 식은

$$y=\dfrac{k}{x-p}+q$$

참고 k의 값이 같은 두 유리함수의 그래프는 평행이동하여 겹쳐질 수 있다.

대표 문제

038 함수 $y=\dfrac{2}{x}$의 그래프를 x축의 방향으로 2만큼, y축의 방향으로 -3만큼 평행이동하면 함수 $y=\dfrac{ax+b}{x+c}$의 그래프와 일치한다. 이때 상수 a, b, c에 대하여 $a+b+c$의 값을 구하시오.

유형 11 │ 유리함수의 정의역과 치역

(1) 유리함수 $y=\dfrac{ax+b}{cx+d}\,(ad-bc\neq 0,\ c\neq 0)$의 정의역과 치역은 $y=\dfrac{k}{x-p}+q\,(k\neq 0)$ 꼴로 변형하여 구한다.

➡ 정의역: $\{x\,|\,x\neq p$인 실수$\}$, 치역: $\{y\,|\,y\neq q$인 실수$\}$

(2) 정의역이 주어진 경우에는 그래프를 그려서 치역을 구한다.

대표 문제

039 함수 $y=\dfrac{3x-1}{x-1}$의 정의역이 $\{x\,|\,2\leq x\leq 3\}$일 때, 치역은?

① $\{y\,|\,y\neq 1$인 실수$\}$
② $\{y\,|\,y<4$ 또는 $y>5\}$
③ $\{y\,|\,4<y<5\}$
④ $\{y\,|\,y\leq 4$ 또는 $y\geq 5\}$
⑤ $\{y\,|\,4\leq y\leq 5\}$

유형 12 │ 유리함수의 그래프의 점근선

유리함수 $y=\dfrac{k}{x-p}+q\,(k\neq 0)$의 그래프의 점근선의 방정식

➡ $x=p,\ y=q$

대표 문제

040 함수 $y=\dfrac{2x-5}{x-3}$의 그래프의 점근선의 방정식이 $x=a$, $y=b$일 때, 상수 a, b에 대하여 $a+b$의 값은?

① 1 ② 3 ③ 5
④ 7 ⑤ 9

유형 13 │ 유리함수 $y=\dfrac{ax+b}{cx+d}$ 의 그래프

유리함수 $y=\dfrac{ax+b}{cx+d}\,(ad-bc\neq 0,\ c\neq 0)$의 그래프는

$y=\dfrac{k}{x-p}+q\,(k\neq 0)$ 꼴로 변형하여 그린다.

대표 문제

041 함수 $y=-\dfrac{4x-5}{2x-3}$의 그래프가 지나지 <u>않는</u> 사분면을 모두 말하시오.

유형 14 │ 유리함수의 그래프의 대칭성

유리함수 $y=\dfrac{k}{x-p}+q\,(k\neq 0)$의 그래프는

(1) 점근선의 교점 $(p,\ q)$에 대하여 대칭이다.
(2) 기울기가 ± 1이고 점 $(p,\ q)$를 지나는 직선에 대하여 대칭이다.

대표 문제

042 함수 $y=\dfrac{ax+4}{x-1}$의 그래프가 점 $(b,\ 3)$에 대하여 대칭일 때, $a+b$의 값은? (단, a, b는 상수)

① -4 ② -2 ③ 1
④ 2 ⑤ 4

05

유형 15 | 유리함수의 그래프의 성질

유리함수 $y=\dfrac{k}{x-p}+q\,(k\neq0)$의 그래프는

(1) $y=\dfrac{k}{x}$의 그래프를 x축의 방향으로 p만큼, y축의 방향으로 q만큼 평행이동한 것이다.

(2) 정의역은 $\{x|x\neq p$인 실수$\}$, 치역은 $\{y|y\neq q$인 실수$\}$이다.

(3) 점근선의 방정식은 $x=p$, $y=q$이다.

(4) 점 $(p,\,q)$에 대하여 대칭이다.

대표 문제

043 함수 $y=\dfrac{3x-1}{x+2}$의 그래프에 대한 다음 설명 중 옳지 <u>않은</u> 것은?

① $y=-\dfrac{7}{x}$의 그래프를 평행이동한 것이다.

② 정의역은 $\{x|x\neq-2$인 실수$\}$이다.

③ 점 $(-2,\,3)$에 대하여 대칭이다.

④ x축과 점 $\left(\dfrac{1}{3},\,0\right)$에서 만난다.

⑤ 제4사분면을 지나지 않는다.

유형 16 | 유리함수의 식 구하기

점근선의 방정식이 $x=p$, $y=q$이고 점 $(a,\,b)$를 지나는 유리함수의 그래프가 주어지면 구하는 함수의 식을

$y=\dfrac{k}{x-p}+q\,(k\neq0)$로 놓고 $x=a$, $y=b$를 대입하여 k의 값을 구한다.

대표 문제

044 함수 $y=\dfrac{ax+b}{x+c}$의 그래프가 오른쪽 그림과 같을 때, 상수 a, b, c에 대하여 $a+b+c$의 값을 구하시오.

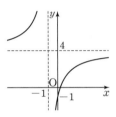

유형 17 | 유리함수의 최대, 최소

주어진 정의역에서 유리함수의 그래프를 그려 최댓값과 최솟값을 구한다.

➡ 유리함수 $y=f(x)$의 정의역이 $\{x|a\leq x\leq b\}$일 때, $f(a)$, $f(b)$ 중 큰 값이 최댓값, 작은 값이 최솟값이다.

대표 문제

045 $-2\leq x\leq\dfrac{3}{2}$에서 함수 $y=\dfrac{-x+1}{x-2}$의 최댓값과 최솟값의 합을 구하시오.

유형 18 | 유리함수의 그래프와 직선의 위치 관계

유리함수 $y=f(x)$의 그래프와 직선 $y=g(x)$의 위치 관계는

(1) 정의역이 주어지지 않으면 방정식 $f(x)-g(x)=0$에서 얻은 이차방정식의 판별식을 이용한다.

(2) 정의역이 주어지면 두 그래프를 좌표평면 위에 나타낸 후 주어진 조건을 만족시키도록 직선 $y=g(x)$를 움직여 본다.

대표 문제

046 함수 $y=\dfrac{x-1}{x+1}$의 그래프와 직선 $y=mx+1$이 한 점에서 만날 때, 양수 m의 값은?

① 2   ② 4   ③ 6
④ 8   ⑤ 10

유형 19 | **유리함수의 그래프의 활용**

유리함수의 그래프의 활용 문제는 주어진 유리함수의 그래프와 조건을 좌표평면 위에 나타낸 후 도형의 길이, 넓이 등을 이용한다.

참고 최솟값을 구하는 문제의 경우 양수 조건이 있으면 산술평균과 기하평균의 관계를 이용한다.
➡ $a>0$, $b>0$일 때, $a+b \geq 2\sqrt{ab}$

대표 문제

047 함수 $y=\dfrac{4}{x}$ $(x>0)$의 그래프를 x축의 방향으로 1만큼, y축의 방향으로 2만큼 평행이동한 그래프 위의 점 P에서 x축, y축에 내린 수선의 발을 각각 Q, R라 할 때, 직사각형 ROQP의 둘레의 길이의 최솟값을 구하시오. (단, O는 원점)

★ 중요

유형 20 | **유리함수의 합성**

함수 f에 대하여 $f^1=f$, $f^{n+1}=f \circ f^n$ (n은 자연수)일 때, $f^n(a)$의 값은

[방법 1] $f^1(x)$, $f^2(x)$, $f^3(x)$, $\cdots$를 구하여 규칙을 찾아 $f^n(x)$를 구한 후 $x=a$를 대입한다.

[방법 2] $f^1(a)$, $f^2(a)$, $f^3(a)$, $\cdots$의 값에서 규칙을 찾아 $f^n(a)$의 값을 구한다.

대표 문제

048 함수 $f(x)=\dfrac{x-1}{x}$에 대하여
$$f^1=f,\ f^{n+1}=f \circ f^n\ (n은\ 자연수)$$
으로 정의할 때, $f^{150}(5)$의 값을 구하시오.

★ 중요

유형 21 | **유리함수의 역함수**

유리함수 $y=\dfrac{ax+b}{cx+d}$ $(ad-bc \neq 0,\ c \neq 0)$의 역함수는 다음과 같은 순서로 구한다.

(1) x에 대하여 푼다. ➡ $x=\dfrac{-dy+b}{cy-a}$

(2) x와 y를 서로 바꾼다. ➡ $y=\dfrac{-dx+b}{cx-a}$

대표 문제

049 함수 $f(x)=\dfrac{ax}{2x-3}$에 대하여 $f=f^{-1}$일 때, 상수 a의 값은?

① 1   ② 2   ③ 3
④ 4   ⑤ 5

유형 22 | **유리함수의 합성함수와 역함수**

두 함수 f, g와 그 역함수 f^{-1}, g^{-1}에 대하여
(1) $f \circ f^{-1}=f^{-1} \circ f=I$ (단, I는 항등함수)
(2) $(f^{-1})^{-1}=f$
(3) $(f \circ g)^{-1}=g^{-1} \circ f^{-1}$

대표 문제

050 함수 $f(x)=\dfrac{2x+1}{x-3}$에 대하여 $(f^{-1} \circ f \circ f^{-1})(9)$의 값은?

① -4 ② -2 ③ 2
④ 4   ⑤ 6

핵심 유형 완성하기

★중요

유형 10 유리함수의 그래프의 평행이동

051 대표 문제 다시 보기

함수 $y=\dfrac{6-x}{x-3}$의 그래프는 함수 $y=\dfrac{3}{x}$의 그래프를 x축의 방향으로 a만큼, y축의 방향으로 b만큼 평행이동한 것이다. 이때 $a+b$의 값을 구하시오.

052 하

다음 보기의 함수 중 그 그래프가 평행이동에 의하여 함수 $y=\dfrac{2}{x}$의 그래프와 겹쳐지는 것만을 있는 대로 고르시오.

보기
ㄱ. $y=\dfrac{2}{x-2}-3$ ㄴ. $y=\dfrac{x+1}{x-1}$
ㄷ. $y=\dfrac{2x-5}{2-x}$ ㄹ. $y=\dfrac{4x+1}{1-2x}$

053 중

함수 $y=\dfrac{ax+2}{x-b}$의 그래프를 x축의 방향으로 -1만큼, y축의 방향으로 3만큼 평행이동하면 함수 $y=-\dfrac{1}{x}$의 그래프와 일치한다. 이때 상수 a, b에 대하여 $a+b$의 값을 구하시오.

054 중

함수 $y=\dfrac{k}{x}$의 그래프를 x축의 방향으로 2만큼, y축의 방향으로 -1만큼 평행이동하면 점 $(3, 1)$을 지날 때, 상수 k의 값을 구하시오.

유형 11 유리함수의 정의역과 치역

055 대표 문제 다시 보기

함수 $y=\dfrac{1-3x}{x-2}$의 정의역이 $\{x|-3\le x\le1\}$일 때, 치역은?

① $\{y|y\ne2$인 실수$\}$ ② $\{y|-2\le y\le2\}$
③ $\{y|y\ge2\}$ ④ $\{y|2\le y\le5\}$
⑤ $\{y|y\ge5\}$

056 하

함수 $y=\dfrac{mx+3}{x+2n}$의 정의역은 $\{x|x\ne6$인 실수$\}$이고, 치역은 $\{y|y\ne-2$인 실수$\}$일 때, 상수 m, n에 대하여 mn의 값을 구하시오.

유형 12 유리함수의 그래프의 점근선

057 대표 문제 다시 보기

함수 $y=\dfrac{4x-3}{x-a}$의 그래프의 점근선의 방정식이 $x=2$, $y=b$일 때, 상수 a, b에 대하여 ab의 값은?

① 2   ② 4   ③ 6
④ 8   ⑤ 10

058 중

함수 $y=\dfrac{ax+b}{x+c}$의 그래프가 다음 조건을 모두 만족시킬 때, 상수 a, b, c에 대하여 $a+b-c$의 값을 구하시오.

(개) 점근선의 방정식은 $x=1$, $y=2$이다.
(내) 점 $(2, -1)$을 지난다.

059 상

두 함수 $y = \dfrac{-3x+1}{x+k}$, $y = \dfrac{kx+1}{x-2}$의 그래프의 점근선으로 둘러싸인 부분의 넓이가 30일 때, 양수 k의 값을 구하시오.

유형 13 유리함수 $y = \dfrac{ax+b}{cx+d}$의 그래프

060 대표 문제 다시 보기

함수 $y = \dfrac{2x+1}{x+1}$의 그래프가 지나지 <u>않는</u> 사분면은?

① 제1사분면   ② 제2사분면   ③ 제3사분면

④ 제4사분면   ⑤ 제2, 4사분면

061 중

다음 중 함수 $y = \dfrac{3x+8}{x+2}$의 그래프로 옳은 것은?

① 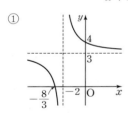   ②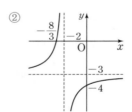

③ 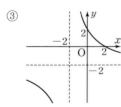   ④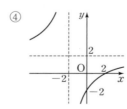

⑤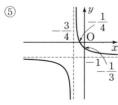

---

062 상

함수 $y = \dfrac{-2x+a}{x-1}$의 그래프가 제2사분면을 지나지 않도록 하는 상수 a의 값의 범위를 구하시오. (단, $a \neq 2$)

유형 14 유리함수의 그래프의 대칭성

063 대표 문제 다시 보기

함수 $y = \dfrac{3x+2}{x+a}$의 그래프가 점 $(1,\ b)$에 대하여 대칭일 때, ab의 값은? (단, a, b는 상수)

① -3 ② -2 ③ -1

④ 0 ⑤ 1

064 중

함수 $y = \dfrac{2x-3}{x+2}$의 그래프가 점 $(a,\ b)$와 직선 $y = x+c$에 대하여 대칭일 때, $a+b+c$의 값은? (단, a, b, c는 상수)

① -2 ② 0 ③ 2

④ 4 ⑤ 6

065 중

함수 $y = \dfrac{ax+1}{x-b}$의 그래프가 두 직선 $y = x+3$, $y = -x+5$에 대하여 대칭일 때, ab의 값을 구하시오. (단, a, b는 상수)

066 중

함수 $y=\dfrac{ax+b}{x+c}$의 그래프가 점 $(2, 1)$에 대하여 대칭이고 점 $(1, 0)$을 지날 때, abc의 값은? (단, a, b, c는 상수)

① -2 ② -1 ③ 0

④ 1 ⑤ 2

★중요

유형 15   유리함수의 그래프의 성질

067 대표 문제 다시 보기

함수 $y=\dfrac{2x+1}{x-1}$의 그래프에 대한 다음 설명 중 옳지 <u>않은</u> 것은?

① 점근선의 방정식은 $x=1$, $y=2$이다.

② 치역은 $\{y\,|\,y\neq 2$인 실수$\}$이다.

③ 모든 사분면을 지난다.

④ $y=-\dfrac{3}{x}$의 그래프를 평행이동한 것이다.

⑤ 직선 $y=-x+3$에 대하여 대칭이다.

068 중

함수 $y=\dfrac{k}{x-1}+1\,(k\neq 0)$의 그래프에 대한 다음 보기의 설명 중 옳은 것만을 있는 대로 고르시오.

> **보기**
> ㄱ. 정의역은 $\{x\,|\,x\neq 1$인 실수$\}$이다.
> ㄴ. 직선 $y=x$에 대하여 대칭이다.
> ㄷ. $k>0$이면 모든 사분면을 지난다.

★중요

유형 16   유리함수의 식 구하기

069 대표 문제 다시 보기

함수 $y=\dfrac{ax+b}{x+c}$의 그래프가 오른쪽 그림과 같을 때, 상수 a, b, c에 대하여 abc의 값은?

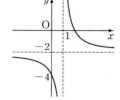

① -8 ② -4

③ 2 ④ 4

⑤ 8

070 하

함수 $y=\dfrac{k}{x-a}+b$의 그래프가 오른쪽 그림과 같을 때, 상수 a, b, k에 대하여 $a+b+k$의 값을 구하시오.

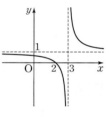

071 중

다음 보기의 함수 중 그 그래프가 평행이동에 의하여 오른쪽 함수의 그래프와 겹쳐지는 것만을 있는 대로 고른 것은?

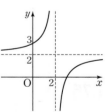

> **보기**
> ㄱ. $y=-\dfrac{1}{x}$ ㄴ. $y=-\dfrac{1}{x+1}-1$
> ㄷ. $y=-\dfrac{2}{x-1}$ ㄹ. $y=\dfrac{2}{x}+1$

① ㄱ   ② ㄷ   ③ ㄱ, ㄴ

④ ㄴ, ㄹ   ⑤ ㄷ, ㄹ

유형 17 유리함수의 최대, 최소

072 대표 문제 다시 보기

$4 \leq x \leq 10$에서 함수 $y = \dfrac{2x+1}{x-3}$의 최댓값과 최솟값의 곱을 구하시오.

073 중

$-1 \leq x \leq 3$에서 함수 $y = \dfrac{kx+2k+5}{x+2}$의 최솟값이 -1일 때, 상수 k의 값을 구하시오.

074 중

$2 \leq x \leq a$에서 함수 $y = \dfrac{4x+3}{x-1}$의 최솟값은 5이고 최댓값은 b일 때, 상수 a, b에 대하여 $a-b$의 값은?

① -3 ② -2 ③ -1
④ 0 ⑤ 1

075 중

함수 $f(x) = \dfrac{k}{x+a} + b \, (k > 0)$가 다음 조건을 모두 만족시킬 때, 상수 a, b, k에 대하여 $a+b+k$의 값을 구하시오.

> (가) 함수 $y = f(x)$의 그래프는 두 직선 $y = -x+1$,
> $y = x-3$에 대하여 대칭이다.
> (나) $-1 \leq x \leq 1$에서 함수 $f(x)$의 최댓값은 -2이다.

유형 18 유리함수의 그래프와 직선의 위치 관계

076 대표 문제 다시 보기

함수 $y = \dfrac{-x+2}{x-1}$의 그래프와 직선 $y = mx-1$이 한 점에서 만날 때, 음수 m의 값은?

① -5 ② -4 ③ -3
④ -2 ⑤ -1

077 중

함수 $y = \dfrac{2x-1}{x+4}$의 그래프와 직선 $y = ax+2$가 만나지 않도록 하는 정수 a의 최댓값은?

① -1 ② 0 ③ 1
④ 2 ⑤ 3

078 중

$3 \leq x \leq 5$에서 함수 $y = \dfrac{x+1}{x-2}$의 그래프와 직선 $y = mx-2m+1$이 만나도록 하는 상수 m의 최댓값과 최솟값의 합을 구하시오.

079 상

$2 \leq x \leq 3$에서 부등식 $ax+1 \leq \dfrac{x+1}{x-1} \leq bx+1$이 항상 성립할 때, 상수 a, b에 대하여 $b-a$의 최솟값을 구하시오.

유형 19 유리함수의 그래프의 활용

080 대표문제 다시 보기

함수 $y=\dfrac{9}{x}$ $(x>0)$의 그래프를 x축의 방향으로 2만큼, y축의 방향으로 1만큼 평행이동한 그래프 위의 점 P에서 x축, y축에 내린 수선의 발을 각각 Q, R라 할 때, 직사각형 ROQP의 넓이의 최솟값을 구하시오. (단, O는 원점)

081 중

함수 $f(x)=\dfrac{1}{x-1}+3$ $(x>1)$의 그래프와 직선 $y=-x$가 있다. 함수 $y=f(x)$의 그래프 위의 점 P를 지나고 x축에 수직인 직선이 직선 $y=-x$와 만나는 점을 Q라 할 때, 선분 PQ의 길이의 최솟값을 구하시오.

082 상

좌표평면 위의 점 A$(-1, 1)$과 함수 $y=\dfrac{x-3}{x+1}$의 그래프 위의 점 P에 대하여 두 점 A, P 사이의 거리의 최솟값을 구하시오.

유형 20 유리함수의 합성

083 대표문제 다시 보기

함수 $f(x)=\dfrac{x+1}{x-1}$에 대하여
$$f^1=f,\ f^{n+1}=f\circ f^n\ (n은\ 자연수)$$
으로 정의할 때, $f^{2021}(3)+f^{2022}(3)$의 값을 구하시오.

084 하

함수 $f(x)=\dfrac{1}{x-1}$에 대하여 $(f\circ f)(k)=-2$를 만족시키는 실수 k의 값은?

① -3 ② -2 ③ -1
④ 2 ⑤ 3

085 중

함수 $f(x)=\dfrac{x}{x+1}$에 대하여
$$f^1=f,\ f^2=f\circ f,\ f^3=f\circ f\circ f,\ \cdots$$
로 정의할 때, $f^{100}(10)$의 값을 구하시오.

086 상

함수 $f(x)=-\dfrac{x+1}{x}$에 대하여
$$f^1=f,\ f^{n+1}=f\circ f^n\ (n은\ 자연수)$$
으로 정의할 때, 다음 보기 중 옳은 것만을 있는 대로 고르시오.

보기
ㄱ. 함수 $y=f^2(x)$의 그래프는 제1사분면을 지나지 않는다.
ㄴ. $f^8(x)=\dfrac{ax+b}{cx+1}$라 할 때, $a+b+c=0$이다.
ㄷ. 함수 $f^{21}(x)$는 항등함수이다.

★ 중요

유형 21   유리함수의 역함수

087 대표 문제 다시 보기

함수 $f(x)=\dfrac{2x-1}{x+a}$에 대하여 $f=f^{-1}$일 때, 상수 a의 값은?

① -2 ② -1 ③ 0

④ 1 ⑤ 2

088 하

함수 $f(x)=\dfrac{2}{x}+1$의 역함수가 $f^{-1}(x)=\dfrac{a}{x+b}$일 때, 상수 a, b에 대하여 $a+b$의 값을 구하시오.

089 중

함수 $f(x)=\dfrac{2x+b}{x-a}$의 그래프와 그 역함수의 그래프가 모두 점 $(-1, 2)$를 지날 때, 상수 a, b에 대하여 $a+b$의 값은?

① -4 ② -2 ③ 1

④ 2 ⑤ 4

090 중

함수 $f(x)=\dfrac{ax+1}{x+b}$의 역함수 $y=f^{-1}(x)$의 그래프가 두 직선 $y=x+4$, $y=-x+2$에 대하여 대칭일 때, $a+b$의 값을 구하시오. (단, a, b는 상수)

유형 22   유리함수의 합성함수와 역함수

091 대표 문제 다시 보기

함수 $f(x)=\dfrac{-x+2}{x-1}$에 대하여 $(f \circ f^{-1} \circ f^{-1})(4)$의 값을 구하시오.

092 중

두 함수 $f(x)=\dfrac{x}{x+1}$, $g(x)=\dfrac{2x+1}{x}$에 대하여 $(f \circ (f^{-1} \circ g)^{-1} \circ f^{-1})(3)$의 값을 구하시오.

093 중

함수 $f(x)=\dfrac{ax-5}{2x+b}$의 그래프가 점 $(1, 2)$를 지나고 $(f \circ f)(x)=x$일 때, 상수 a, b에 대하여 ab의 값을 구하시오.

094 중

함수 $f(x)=\dfrac{a}{x-1}$에 대하여 $f(x)=(f^{-1} \circ f^{-1})(x)$일 때, 상수 a의 값은?

① -2 ② -1 ③ 1

④ 2 ⑤ 4

095

$\left(1+\dfrac{1}{x+1}\right) \div \left(1-\dfrac{4}{x^2-x-2}\right) - \dfrac{4}{x^2-2x-3}$ 를 간단히 하면?

① $\dfrac{x-2}{x-3}$　　　② $\dfrac{x+1}{x-3}$　　　③ $\dfrac{x-2}{x+1}$

④ $\dfrac{x+2}{x+1}$　　　⑤ $\dfrac{x-3}{x+2}$

096

$x \neq -2$, $x \neq 4$인 모든 실수 x에 대하여

$$\dfrac{a}{x+2} + \dfrac{b}{x-4} = \dfrac{4x-10}{x^2-2x-8}$$

이 성립할 때, $a-b$의 값은? (단, a, b는 상수)

① -4　　　② -2　　　③ 2

④ 4　　　⑤ 6

097

다음 식의 분모를 0으로 하지 않는 모든 실수 x에 대하여

$$\dfrac{x+2}{x+1} - \dfrac{x+4}{x+3} - \dfrac{x+6}{x+5} + \dfrac{x+8}{x+7}$$

$$= \dfrac{f(x)}{(x+1)(x+3)(x+5)(x+7)}$$

가 성립할 때, $f(-3)$의 값을 구하시오.

098

다음 식의 분모를 0으로 하지 않는 모든 실수 x에 대하여

$$f(x) = \dfrac{1}{x(x+1)} + \dfrac{1}{(x+1)(x+2)} + \dfrac{1}{(x+2)(x+3)}$$
$$+ \cdots + \dfrac{1}{(x+9)(x+10)}$$

일 때, $f(90)$의 값을 구하시오.

099

$x \neq \dfrac{1}{3}$, $x \neq 1$인 모든 실수 x에 대하여

$$1 - \dfrac{4}{3 - \dfrac{2}{1-x}} = \dfrac{ax+b}{3x+c}$$

가 성립할 때, $a+b+c$의 값은? (단, a, b, c는 상수)

① 1　　　② 3　　　③ 5

④ 7　　　⑤ 9

100

$a+2b+3c=0$일 때,

$$a\left(\dfrac{1}{2b} + \dfrac{1}{3c}\right) + 2b\left(\dfrac{1}{3c} + \dfrac{1}{a}\right) + 3c\left(\dfrac{1}{a} + \dfrac{1}{2b}\right)$$

의 값을 구하시오. (단, $abc \neq 0$)

101

0이 아닌 세 실수 a, b, c에 대하여

$$\dfrac{a+2b}{3} = \dfrac{2b+c}{2} = \dfrac{2c+a}{4} = \dfrac{3a+4b+5c}{k}$$

를 만족시키는 상수 k의 값은? (단, $k \neq 0$)

① 5　　　② 7　　　③ 9

④ 11　　　⑤ 13

102

유형 09

$x+y-z=0$, $x+3y+z=0$일 때, $\dfrac{x^2+y^2+z^2}{xy+yz+zx}$의 값은?

(단, $xyz \neq 0$)

① -9 ② -6 ③ -3

④ 3 ⑤ 9

103

유형 10

함수 $y=\dfrac{4x-3}{x-2}$의 그래프를 x축의 방향으로 p만큼, y축의 방향으로 q만큼 평행이동하면 함수 $y=\dfrac{3x-10}{x-5}$의 그래프와 일치할 때, $p+q$의 값은?

① -2 ② -1 ③ 0

④ 1 ⑤ 2

104

유형 11

함수 $y=\dfrac{-2x+3}{x+1}$의 정의역이 $\{x|\alpha<x\leq\beta\}$이고 치역이 $\{y|y\geq 3\}$일 때, $\alpha+\beta$의 값을 구하시오.

105

유형 12

함수 $y=-\dfrac{6x+1}{3x+2}$의 그래프의 점근선의 방정식이 $x=a$, $y=b$일 때, 상수 a, b에 대하여 $\dfrac{b}{a}$의 값을 구하시오.

106

유형 13

함수 $y=\dfrac{6x+5}{x+2}$의 그래프가 지나지 <u>않는</u> 사분면은?

① 제1사분면   ② 제2사분면   ③ 제3사분면

④ 제4사분면   ⑤ 제1, 3사분면

107

유형 14

함수 $y=\dfrac{4x-5}{x-2}$의 그래프가 직선 $x+y+k=0$에 대하여 대칭일 때, 상수 k의 값은?

① -6 ② -4 ③ 0

④ 4 ⑤ 6

108

유형 15

함수 $y=\dfrac{3x+5}{x+1}$의 그래프에 대한 다음 설명 중 옳지 <u>않은</u> 것은?

① y축과 점 $(0, 5)$에서 만난다.

② 직선 $y=-x+2$에 대하여 대칭이다.

③ 점근선의 방정식은 $x=-1$, $y=3$이다.

④ 제4사분면을 지나지 않는다.

⑤ $y=\dfrac{3}{x}$의 그래프를 x축의 방향으로 -1만큼, y축의 방향으로 -3만큼 평행이동한 것이다.

109

유형 16

함수 $y=\dfrac{ax+b}{x+c}$의 그래프가 오른쪽 그림과 같을 때, 상수 a, b, c에 대하여 $a+b+c$의 값은?

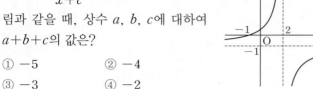

① -5 ② -4

③ -3 ④ -2

⑤ -1

110

유형 17

$0 \le x \le 2$에서 함수 $y=\dfrac{4x-3}{2x+1}$의 최댓값과 최솟값의 합은?

① -3 ② -2 ③ -1

④ 1 ⑤ 2

111

유형 18

함수 $y=\dfrac{-2x+5}{x-2}$의 그래프와 직선 $y=mx-2$가 만나지 않도록 하는 실수 m의 값의 범위는?

① $m \le -1$ 또는 $m \ge 0$

② $m \le -1$ 또는 $m \ge 4$

③ $m \le 0$ 또는 $m > 1$

④ $-1 < m \le 0$

⑤ $-1 \le m < 0$

112

유형 19

오른쪽 그림과 같이 함수

$y=\dfrac{k}{x-3}+2\,(x>3)$의 그래프 위의 점 P에서 두 점근선에 내린 수선의 발을 각각 A, B라 할 때, $\overline{PA}+\overline{PB}$의 최솟값이 6이 되도록 하는 양수 k의 값을 구하시오.

113

유형 20

함수 $f(x)=-\dfrac{1}{x+1}$에 대하여

$$f^1=f, \quad f^{n+1}=f \circ f^n \ (n \text{은 자연수})$$

으로 정의할 때, $f^{30}(2)$의 값은?

① -3 ② -2 ③ -1

④ 1 ⑤ 2

114

유형 21

함수 $f(x)=-\dfrac{k}{x-1}+3$의 역함수가 $f^{-1}(x)=\dfrac{ax+1}{x+b}$일 때, 상수 a, b, k에 대하여 abk의 값을 구하시오.

115

유형 22

두 함수 $f(x)=\dfrac{-x-2}{x+3}$, $g(x)=\dfrac{2x+4}{x-1}$에 대하여 $(g^{-1} \circ f)(-4)$의 값을 구하시오.

무리함수

유형 01 | 무리식의 값이 실수가 되기 위한 조건

(1) $\sqrt{A}$의 값이 실수이려면 ➡ $A \geq 0$

(2) $\dfrac{1}{\sqrt{A}}$의 값이 실수이려면 ➡ $A > 0$

대표 문제

001 $\sqrt{x-1} + \dfrac{1}{\sqrt{2-x}}$의 값이 실수가 되도록 하는 x의 값의 범위를 구하시오.

유형 02 | 제곱근의 성질

A가 실수일 때, $\sqrt{A^2} = |A| = \begin{cases} A \ (A \geq 0) \\ -A \ (A < 0) \end{cases}$

참고 두 실수 a, b에 대하여

(1) $\sqrt{a}\sqrt{b} = -\sqrt{ab}$이면 ➡ $a<0$, $b<0$ 또는 $a=0$ 또는 $b=0$

(2) $\dfrac{\sqrt{a}}{\sqrt{b}} = -\sqrt{\dfrac{a}{b}}$이면 ➡ $a>0$, $b<0$ 또는 $a=0$, $b \neq 0$

대표 문제

002 $-2 < a < 3$일 때, $\sqrt{a^2+4a+4} + \sqrt{a^2-6a+9}$를 간단히 하면?

① $2a-1$ ② $-2a+1$ ③ -5

④ -1 ⑤ 5

유형 03 | 분모의 유리화

분수식의 분모에 근호가 있으면 분모를 유리화한다.

➡ $a>0$, $b>0$일 때

(1) $\dfrac{\sqrt{a}}{\sqrt{b}} = \dfrac{\sqrt{a}\sqrt{b}}{\sqrt{b}\sqrt{b}} = \dfrac{\sqrt{ab}}{b}$

(2) $\dfrac{c}{\sqrt{a}+\sqrt{b}} = \dfrac{c(\sqrt{a}-\sqrt{b})}{(\sqrt{a}+\sqrt{b})(\sqrt{a}-\sqrt{b})} = \dfrac{c(\sqrt{a}-\sqrt{b})}{a-b}$

(단, $a \neq b$)

대표 문제

003 $\dfrac{1}{\sqrt{2x}+\sqrt{y}} - \dfrac{1}{\sqrt{2x}-\sqrt{y}}$을 간단히 하면?

① $-\dfrac{\sqrt{y}}{\sqrt{2x-y}}$ ② $\dfrac{\sqrt{y}}{\sqrt{2x+y}}$ ③ $-\dfrac{2\sqrt{y}}{2x-y}$

④ $\dfrac{\sqrt{y}}{2x-y}$ ⑤ $-\dfrac{2\sqrt{y}}{2x+y}$

★ 중요

유형 04 | 무리식의 값 구하기 (1)

주어진 무리식의 분모를 유리화하여 간단히 한 후 수를 대입하여 식의 값을 구한다. 이때 무리식을 간단히 하기 어려운 경우에는 주어진 수를 먼저 대입한 후 식의 값을 구할 수도 있다.

대표 문제

004 $x = \sqrt{5}$일 때, $\dfrac{\sqrt{x+2}-\sqrt{x-2}}{\sqrt{x+2}+\sqrt{x-2}}$의 값을 구하시오.

유형 05 | 무리식의 값 구하기 (2)

(1) $x = \sqrt{a}+\sqrt{b}$, $y = \sqrt{a}-\sqrt{b}$ 꼴이 주어지면

① $x+y$, $x-y$, xy의 값을 먼저 구한다.

② ①에서 구한 값을 대입할 수 있도록 구하는 식을 변형한다.

(2) $x = a \pm \sqrt{b}$ 꼴이 주어지면

① $x-a = \pm\sqrt{b}$의 양변을 제곱하여 이차방정식을 만든다.

② ①에서 만든 이차방정식을 이용할 수 있도록 구하는 식을 변형한다.

대표 문제

005 $x = \sqrt{5}+\sqrt{3}$, $y = \sqrt{5}-\sqrt{3}$일 때, $\dfrac{\sqrt{y}}{\sqrt{x}} + \dfrac{\sqrt{x}}{\sqrt{y}}$의 값은?

① 2 ② $\sqrt{5}$ ③ 3

④ $\sqrt{10}$ ⑤ $2\sqrt{5}$

유형 **06** | 무리함수의 그래프의 평행이동과 대칭이동 (★중요)

무리함수 $y=\sqrt{ax+b}+c\,(a\neq0)$의 그래프를

(1) x축의 방향으로 p만큼, y축의 방향으로 q만큼 평행이동
$$\Rightarrow y=\sqrt{a(x-p)+b}+c+q$$

> **참고** a의 값이 같은 두 무리함수의 그래프는 평행이동하여 겹쳐질 수 있다.

(2) x축에 대하여 대칭이동 $\Rightarrow y=-\sqrt{ax+b}-c$

y축에 대하여 대칭이동 $\Rightarrow y=\sqrt{-ax+b}+c$

원점에 대하여 대칭이동 $\Rightarrow y=-\sqrt{-ax+b}-c$

> **참고** $|a|$의 값이 같은 두 무리함수의 그래프는 대칭이동하여 겹쳐질 수 있다.

대표 문제

006 함수 $y=\sqrt{ax}$의 그래프를 x축의 방향으로 p만큼, y축의 방향으로 q만큼 평행이동하면 함수 $y=\sqrt{-2x+10}-4$의 그래프와 일치할 때, 상수 a, p, q에 대하여 $a+p+q$의 값은?

① -3 ② -1 ③ 1
④ 3 ⑤ 5

유형 **07** | 무리함수의 정의역과 치역

무리함수 $y=\sqrt{ax+b}+c\,(a>0)$의 정의역은 $\left\{x\,\middle|\,x\geq-\dfrac{b}{a}\right\}$, 치역은 $\{y\,|\,y\geq c\}$이다.

대표 문제

007 함수 $y=-\sqrt{5x-10}+3$의 정의역이 $\{x\,|\,x\geq a\}$이고, 치역이 $\{y\,|\,y\leq b\}$일 때, 상수 a, b에 대하여 ab의 값을 구하시오.

유형 **08** | 무리함수 $y=\sqrt{ax+b}+c$의 그래프

무리함수 $y=\sqrt{ax+b}+c\,(a\neq0)$의 그래프는
$y=\sqrt{a(x-p)}+q$ 꼴로 변형하여 그린다.

대표 문제

008 함수 $y=\sqrt{2x+5}+1$의 그래프가 지나는 사분면을 모두 말하시오.

유형 **09** | 무리함수의 그래프의 성질 (★중요)

무리함수 $y=\sqrt{a(x-p)}+q\,(a\neq0)$의 그래프는

(1) $y=\sqrt{ax}$의 그래프를 x축의 방향으로 p만큼, y축의 방향으로 q만큼 평행이동한 것이다.

(2) $a>0$이면 정의역은 $\{x\,|\,x\geq p\}$, 치역은 $\{y\,|\,y\geq q\}$이다.
$a<0$이면 정의역은 $\{x\,|\,x\leq p\}$, 치역은 $\{y\,|\,y\geq q\}$이다.

> **참고** 무리함수 $y=\sqrt{ax+b}+c\,(a\neq0)$는 $y=\sqrt{a(x-p)}+q$ 꼴로 변형한 후 그래프의 성질을 확인한다.

대표 문제

009 함수 $y=\sqrt{3x-9}-2$의 그래프에 대한 다음 보기의 설명 중 옳은 것만을 있는 대로 고르시오.

> **보기**
> ㄱ. 정의역은 $\{x\,|\,x\geq3\}$, 치역은 $\{y\,|\,y\leq-2\}$이다.
> ㄴ. 제2사분면을 지난다.
> ㄷ. 평행이동 또는 대칭이동하면 $y=-\sqrt{3x}$의 그래프와 겹쳐질 수 있다.

유형 **10** | 무리함수의 식 구하기 (★중요)

무리함수 $y=\sqrt{ax}\,(a\neq0)$의 그래프를 x축의 방향으로 p만큼, y축의 방향으로 q만큼 평행이동한 그래프와 그래프가 지나는 점이 주어지면 구하는 함수를 $y=\sqrt{a(x-p)}+q$로 놓고 그래프가 지나는 점의 좌표를 대입하여 a의 값을 구한다.

대표 문제

010 함수 $y=\sqrt{ax+b}+c$의 그래프가 오른쪽 그림과 같을 때, 상수 a, b, c에 대하여 $a+b+c$의 값을 구하시오.

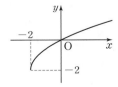

유형 **11** | 무리함수의 최대, 최소

주어진 정의역에서 무리함수의 그래프를 그려 최댓값과 최솟값을 구한다.
➡ 무리함수 $y=f(x)$의 정의역이 $\{x|a\leq x\leq b\}$일 때, $f(a)$, $f(b)$ 중 큰 값이 최댓값, 작은 값이 최솟값이다.

대표 문제

011 $3\leq x\leq 15$에서 함수 $y=\sqrt{2x+k}+3$의 최댓값이 8일 때, 최솟값은? (단, k는 상수)

① -4 ② -2 ③ 0
④ 2 ⑤ 4

유형 **12** | 무리함수의 그래프와 직선의 위치 관계

(1) 무리함수 $y=f(x)$의 그래프와 직선 $y=g(x)$의 위치 관계는 그래프를 그려 보고 판단한다.
(2) 무리함수 $y=f(x)$의 그래프와 직선 $y=g(x)$가 접하면 방정식 $f(x)=g(x)$를 정리하여 얻은 이차방정식의 판별식 $D=0$임을 이용한다.

대표 문제

012 함수 $y=\sqrt{-x+2}$의 그래프와 직선 $y=-x+k$가 서로 다른 두 점에서 만날 때, 실수 k의 값의 범위를 구하시오.

유형 **13** | 무리함수의 그래프의 활용

무리함수의 그래프의 활용 문제는 주어진 무리함수의 그래프와 조건을 좌표평면 위에 나타낸 후 구한다.

대표 문제

013 함수 $y=3\sqrt{x}$의 그래프 위의 서로 다른 두 점 $P(a, b)$, $Q(c, d)$에 대하여 $b+d=6$일 때, 직선 PQ의 기울기를 구하시오.

★ 중요

유형 **14** | 무리함수의 역함수

무리함수 $y=\sqrt{ax+b}+c\ (a\neq 0)$의 역함수는 다음과 같은 순서로 구한다.
(1) 역함수의 정의역을 확인한다.
   ➡ $y=\sqrt{ax+b}+c$의 치역이 $\{y|y\geq c\}$이므로 역함수의 정의역은 $\{x|x\geq c\}$이다.
(2) x에 대하여 푼다. ➡ $x=\dfrac{1}{a}\{(y-c)^2-b\}$
(3) x와 y를 서로 바꾼다. ➡ $y=\dfrac{1}{a}\{(x-c)^2-b\}$

대표 문제

014 함수 $f(x)=\sqrt{2x-1}+4$의 역함수 $f^{-1}(x)$를 구하시오.

유형 **15** | 무리함수의 합성함수와 역함수

두 함수 f, g와 그 역함수 f^{-1}, g^{-1}에 대하여
(1) $f\circ f^{-1}=f^{-1}\circ f=I$ (단, I는 항등함수)
(2) $(f^{-1})^{-1}=f$
(3) $(f\circ g)^{-1}=g^{-1}\circ f^{-1}$

대표 문제

015 정의역이 $\{x|x>1\}$인 두 함수 $f(x)=\dfrac{x+5}{x-1}$, $g(x)=\sqrt{3x+1}$에 대하여 $(g\circ f^{-1})^{-1}(4)$의 값은?

① 1 ② $\dfrac{3}{2}$ ③ 2
④ $\dfrac{5}{2}$ ⑤ 3

핵심유형 완성하기

유형 01 무리식의 값이 실수가 되기 위한 조건

016 대표 문제 다시 보기

$\sqrt{x+4}+\dfrac{1}{\sqrt{3-x}}$ 의 값이 실수가 되도록 하는 정수 x의 개수는?

① 5　　　　　② 6　　　　　③ 7

④ 8　　　　　⑤ 9

017 하

$\sqrt{-2x^2+11x-14}$의 값이 실수가 되도록 하는 실수 x의 값의 범위는?

① $-\dfrac{7}{2}<x<-2$　　　　② $-2<x<2$

③ $-\dfrac{7}{2}\le x\le 2$　　　　④ $-2\le x\le \dfrac{7}{2}$

⑤ $2\le x\le \dfrac{7}{2}$

018 하

$\dfrac{\sqrt{11-2x}}{x-3}$ 의 값이 실수가 되도록 하는 모든 자연수 x의 값의 합은?

① 10　　　　　② 11　　　　　③ 12

④ 13　　　　　⑤ 14

유형 02 제곱근의 성질

019 대표 문제 다시 보기

$-3<x<1$일 때, $\sqrt{x^2-2x+1}+\sqrt{4x^2+24x+36}$을 간단히 하시오.

020 중

0이 아닌 두 실수 a, b에 대하여 $\dfrac{\sqrt{b}}{\sqrt{a}}=-\sqrt{\dfrac{b}{a}}$일 때,

$\sqrt{(a-b)^2}+|-a|$를 간단히 하면?

① $-2a-b$　　　② $-2a$　　　③ $-2a+b$

④ a　　　　　⑤ $2a-b$

021 중

$\sqrt{x-2}\sqrt{1-x}=-\sqrt{(x-2)(1-x)}$를 만족시키는 실수 x에 대하여 $\sqrt{(x-3)^2}+\sqrt{(x+4)^2}$을 간단히 하시오.

022 중

$k=-3+2\sqrt{2}$일 때, $\sqrt{k^2-4k+4}-\sqrt{k^2+4k+4}$의 값은?

① $-3-\sqrt{2}$　　　② $-2\sqrt{2}$　　　③ $4\sqrt{3}$

④ $2+\sqrt{3}$　　　　⑤ $6-4\sqrt{2}$

유형 03 분모의 유리화

023 대표 문제 다시 보기

$\dfrac{1}{1+\sqrt{x+1}}-\dfrac{1}{1-\sqrt{x+1}}$을 간단히 하면?

① $-2x$ ② x ③ $\dfrac{\sqrt{x-1}}{x}$

④ $\dfrac{2\sqrt{x+1}}{x}$ ⑤ $2\sqrt{x+1}$

024 중

$\dfrac{\sqrt{x}+\sqrt{x-2}}{\sqrt{x}-\sqrt{x-2}}$를 간단히 하면?

① $-x-1+\sqrt{x^2-2x}$ ② $-x+1+\sqrt{x^2-2x}$
③ $x-1-\sqrt{x^2-2x}$ ④ $x-1+\sqrt{x^2-2x}$
⑤ $2x-1+2\sqrt{x^2-2x}$

025 중

$\dfrac{4}{\sqrt{3}-\sqrt{2}+1}=\sqrt{a}-\sqrt{b}+c$일 때, 자연수 a, b, c에 대하여 $a+b+c$의 값을 구하시오.

026 중

양수 x에 대하여 $f(x)=\dfrac{1}{\sqrt{x+1}+\sqrt{x}}$일 때,
$f(1)+f(2)+f(3)+\cdots+f(20)$의 값을 구하시오.

★중요
유형 04 무리식의 값 구하기 (1)

027 대표 문제 다시 보기

$x=\sqrt{2}$일 때, $\dfrac{\sqrt{2x+1}-\sqrt{2x-1}}{\sqrt{2x+1}+\sqrt{2x-1}}$의 값을 구하시오.

028 중

$x=\dfrac{\sqrt{5}}{2}$일 때, $\dfrac{\sqrt{x-1}}{\sqrt{x+1}}-\dfrac{\sqrt{x+1}}{\sqrt{x-1}}$의 값은?

① -4 ② -1 ③ 4
④ 8 ⑤ 16

029 중

$\sqrt{6-x}=2$일 때, $\dfrac{1}{\sqrt{x}-\dfrac{1}{\sqrt{x+1}}}$의 값을 구하시오.

유형 05 무리식의 값 구하기 (2)

030 대표 문제 다시 보기

$x=\sqrt{6}+\sqrt{2}$, $y=\sqrt{6}-\sqrt{2}$일 때, $\dfrac{\sqrt{y}}{\sqrt{x}}-\dfrac{\sqrt{x}}{\sqrt{y}}$의 값을 구하시오.

031 _중

$x=\dfrac{2}{\sqrt{2}+1}$, $y=\dfrac{2}{\sqrt{2}-1}$일 때, $x^3+x^2y-xy^2-y^3$의 값은?

① -256 ② -128 ③ -64

④ -32 ⑤ -16

032 _중

$x=\dfrac{\sqrt{3}+\sqrt{2}}{\sqrt{3}-\sqrt{2}}$, $y=\dfrac{\sqrt{3}-\sqrt{2}}{\sqrt{3}+\sqrt{2}}$일 때, $\sqrt{x}-\sqrt{y}$의 값을 구하시오.

033 _중

$x=-\sqrt{2}+1$일 때, $-2x^3+4x^2+x+5=a+b\sqrt{2}$를 만족시키는 유리수 a, b에 대하여 ab의 값을 구하시오.

034 _중

$x=\dfrac{\sqrt{3}-1}{2}$일 때, $\dfrac{6x^3+2x^2-7x+8}{x^2+x}$의 값은?

① 3   ② 6   ③ 9

④ 12   ⑤ 15

★ 중요

유형 06   무리함수의 그래프의 평행이동과 대칭이동

035   대표 문제 다시 보기

함수 $y=\sqrt{ax}$의 그래프를 x축의 방향으로 p만큼, y축의 방향으로 q만큼 평행이동하면 함수 $y=\sqrt{2x-4}+11$의 그래프와 일치할 때, 상수 a, p, q에 대하여 apq의 값을 구하시오.

036 _하

함수 $y=\sqrt{ax}$의 그래프를 x축의 방향으로 -3만큼, y축의 방향으로 4만큼 평행이동하면 점 $(-1, 6)$을 지날 때, 상수 a의 값을 구하시오.

037 _중

다음 보기의 함수 중 그 그래프가 평행이동 또는 대칭이동에 의하여 함수 $y=-\sqrt{x}$의 그래프와 겹쳐지는 것만을 있는 대로 고른 것은?

보기
ㄱ. $y=\sqrt{x}$ ㄴ. $y=-\sqrt{2x}$
ㄷ. $y=\sqrt{-x-2}$ ㄹ. $y=-\sqrt{-3x-1}+1$

① ㄱ, ㄴ   ② ㄱ, ㄷ   ③ ㄴ, ㄷ

④ ㄴ, ㄹ   ⑤ ㄷ, ㄹ

038 _중

함수 $y=-\sqrt{3x+2}$의 그래프를 x축에 대하여 대칭이동한 후 x축의 방향으로 3만큼, y축의 방향으로 -1만큼 평행이동한 그래프가 x축과 만나는 점의 좌표를 구하시오.

유형 07   무리함수의 정의역과 치역

039 대표문제 다시 보기

함수 $y=\sqrt{-2x+6}+1$의 정의역이 $\{x|x\le a\}$이고, 치역이 $\{y|y\ge b\}$일 때, 상수 a, b에 대하여 $a+b$의 값은?

① 3   ② 4   ③ 5

④ 6   ⑤ 7

040 중

함수 $y=\sqrt{3x-a}+b$의 정의역이 $\{x|x\ge 2\}$, 치역이 $\{y|y\ge 1\}$이고 그래프가 점 $(5, p)$를 지날 때, p의 값은?

(단, a, b는 상수)

① -4 ② -2 ③ 2

④ 4   ⑤ 6

041 중

함수 $y=\dfrac{3x+10}{x+3}$의 그래프의 점근선의 방정식이 $x=a$, $y=b$일 때, 함수 $f(x)=\sqrt{ax+b}+c$에 대하여 $f(1)=-2$이다. 이때 함수 $y=f(x)$의 정의역과 치역을 구하시오.

(단, a, b, c는 상수)

유형 08   무리함수 $y=\sqrt{ax+b}+c$의 그래프

042 대표문제 다시 보기

함수 $y=\sqrt{-x+1}+2$의 그래프가 지나지 <u>않는</u> 사분면은?

① 제2사분면   ② 제1, 2사분면   ③ 제1, 3사분면

④ 제2, 4사분면   ⑤ 제3, 4사분면

043 중

다음 중 함수 $y=\sqrt{3x-6}+4$의 그래프로 옳은 것은?

①   ②

③ 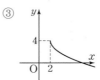   ④

⑤

044 중

함수 $y=-\sqrt{-x+2}+k$의 그래프가 제4사분면을 지나지 않도록 하는 자연수 k의 최솟값을 구하시오.

045 중

함수 $y=\dfrac{ax+b}{x+c}$의 그래프가 오른쪽 그림과 같을 때, 함수 $y=\sqrt{a(x+b)}+c$의 그래프가 지나는 사분면을 모두 말하시오. (단, a, b, c는 상수)

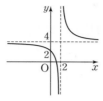

★ 중요

유형 **09** 무리함수의 그래프의 성질

046 대표 문제 다시 보기

함수 $y=-\sqrt{-3x+5}+1$의 그래프에 대한 다음 보기의 설명 중 옳은 것만을 있는 대로 고르시오.

> 보기
> ㄱ. 정의역은 $\left\{x \middle| x\le\dfrac{5}{3}\right\}$, 치역은 $\{y|y\le1\}$이다.
> ㄴ. x축과 점 $\left(\dfrac{4}{3},\ 0\right)$에서 만난다.
> ㄷ. $y=-\sqrt{-3x}$의 그래프를 x축의 방향으로 5만큼, y축의 방향으로 1만큼 평행이동한 것이다.
> ㄹ. 제1, 3, 4사분면을 지난다.

---

047 중

함수 $y=\sqrt{a(x-2)}-1\ (a\neq0)$의 그래프에 대한 다음 설명 중 항상 옳은 것은?

① $y=-\sqrt{a(x-2)}-1$의 그래프와 x축에 대하여 대칭이다.
② $a>0$일 때 정의역은 $\{x|x\ge2\}$이다.
③ $a<0$일 때 치역은 $\{y|y\le-1\}$이다.
④ $a<0$이면 제1사분면을 지나지 않는다.
⑤ 원점을 지난다.

★ 중요

유형 **10** 무리함수의 식 구하기

048 대표 문제 다시 보기

함수 $y=-\sqrt{ax+b}+c$의 그래프가 오른쪽 그림과 같을 때, 상수 a, b, c에 대하여 $a+b+c$의 값은?

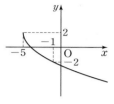

① 14   ② 17
③ 20   ④ 23
⑤ 26

---

049 중

함수 $y=\sqrt{ax+b}+c$의 그래프가 오른쪽 그림과 같을 때, 상수 a, b, c의 부호를 말하시오.

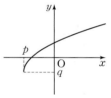

유형 **11** 무리함수의 최대, 최소

050 대표 문제 다시 보기

$-3\le x\le2$에서 함수 $y=\sqrt{-x+k}+4$의 최댓값이 7일 때, 최솟값은? (단, k는 상수)

① 2   ② 3   ③ 4
④ 5   ⑤ 6

051 중

$3 \le x \le 8$에서 함수 $y=-\sqrt{x+1}-1$의 최댓값과 최솟값의 곱은?

① -12 ② -6 ③ 6

④ 12 ⑤ 18

052 중

$-4 \le x \le a$에서 함수 $y=\sqrt{-2x+b}-3$의 최댓값이 1, 최솟값이 -1일 때, 상수 a, b에 대하여 $a-b$의 값은?

① -6 ② -2 ③ 0

④ 2 ⑤ 6

053 상

함수 $y=\sqrt{x+a}-2$의 그래프가 제2사분면을 지날 때, 정수 a의 최솟값을 k라 하자. 이때 $k-1 \le x \le k+6$에서 함수 $y=\sqrt{x+k}+4$의 최댓값과 최솟값의 합은?

① 15 ② 18 ③ 21

④ 24 ⑤ 27

유형 **12**   **무리함수의 그래프와 직선의 위치 관계**

054 대표 문제 다시 보기

함수 $y=\sqrt{2x-4}$의 그래프와 직선 $y=x+k$가 서로 다른 두 점에서 만날 때, 실수 k의 값의 범위를 구하시오.

055 중

함수 $y=\sqrt{7-2x}$의 그래프와 직선 $y=x+k$가 만나지 않을 때, 다음 중 실수 k의 값이 될 수 있는 것은?

① -5 ② -3 ③ 1

④ 3 ⑤ 5

056 중

두 집합 $A=\{(x,\ y)\,|\,y=\sqrt{-x+1}\,\}$,
$B=\left\{(x,\ y)\,\Big|\,y=-\dfrac{1}{2}x+k\right\}$에 대하여 $n(A \cap B)=1$일 때, 실수 k의 값의 범위를 구하시오.

057 중

함수 $y=\sqrt{8-4x}$의 그래프와 직선 $y=-x+k$가 만나는 점의 개수를 $f(k)$라 할 때, $f\left(\dfrac{1}{2}\right)+f(2)+f(3)+f\left(\dfrac{7}{2}\right)$의 값을 구하시오. (단, k는 실수)

058 상

오른쪽 그림과 같이 함수 $y=\sqrt{2x}$의 그래프 위의 점 $P(x, y)$가 원점 O와 점 $A(2, 2)$ 사이를 움직일 때, 삼각형 OAP의 넓이의 최댓값을 구하시오.

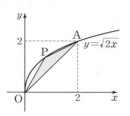

유형 13 무리함수의 그래프의 활용

059 대표 문제 다시 보기

함수 $y=\sqrt{x}$의 그래프 위의 서로 다른 두 점 $P(a, b)$, $Q(c, d)$에 대하여 $\dfrac{b+d}{2}=2$일 때, 직선 PQ의 기울기를 구하시오.

060 중

정의역이 $\{x | 2 \le x \le 5\}$인 두 함수 $y=\dfrac{x+3}{x-1}$, $y=\sqrt{2x}+k$의 그래프가 한 점에서 만날 때, 상수 k의 최댓값은?

① 3 　　　　② $\dfrac{7}{2}$ 　　　　③ 4

④ $\dfrac{9}{2}$ 　　　　⑤ 5

061 상 　　　　신유형

다음 그림과 같이 두 함수 $y=\sqrt{x+1}$, $y=\sqrt{x}$의 그래프가 y축에 평행한 직선 $x=k\,(k=1, 2, 3, \cdots)$와 만나는 점을 각각 P_k, Q_k라 하자. $\overline{P_1Q_1}+\overline{P_2Q_2}+\overline{P_3Q_3}+\cdots+\overline{P_{49}Q_{49}}=a+b\sqrt{2}$일 때, 유리수 a, b에 대하여 $a+b$의 값을 구하시오.

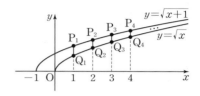

유형 14 무리함수의 역함수

062 대표 문제 다시 보기

함수 $f(x)=\sqrt{x-3}-1$의 역함수 $f^{-1}(x)$를 구하시오.

063 중

함수 $f(x)=\sqrt{ax+b}$의 그래프와 그 역함수의 그래프가 모두 점 $(2, 3)$을 지날 때, 상수 a, b에 대하여 $a+b$의 값은?

① 2 　　　　② 5 　　　　③ 8

④ 11 　　　　⑤ 14

064 중

함수 $f(x)=\sqrt{x-2}+2$의 그래프와 그 역함수의 그래프가 만나는 두 점 사이의 거리는?

① $\sqrt{2}$ 　　② $\sqrt{3}$ 　　③ $2\sqrt{2}$

④ 3 　　⑤ $2\sqrt{3}$

065 중

함수 $f(x)=\sqrt{x}+2$의 그래프와 그 역함수의 그래프의 교점을 P라 할 때, 점 P와 두 점 A$(0,\ 2)$, B$(6,\ 0)$에 대하여 삼각형 PAB의 넓이는?

① 1 　　② 4 　　③ 7

④ 10 　　⑤ 13

066 상

함수 $f(x)=\sqrt{4x-k}$의 역함수를 $g(x)$라 할 때, 두 함수 $y=f(x)$, $y=g(x)$의 그래프가 서로 다른 두 점에서 만나도록 하는 정수 k의 개수를 구하시오.

유형 **15** 무리함수의 합성함수와 역함수

067 대표 문제 다시 보기

정의역이 $\{x|x>2\}$인 두 함수 $f(x)=\dfrac{x+1}{x-2}$, $g(x)=\sqrt{2x+3}$에 대하여 $(f\circ(g\circ f)^{-1}\circ f)(3)$의 값을 구하시오.

068 중

함수 $f(x)=\sqrt{-2x+17}$에 대하여 함수 $g(x)$가 $(f\circ g)(x)=x$를 만족시킬 때, $(g\circ g)(3)$의 값을 구하시오.

069 중

정의역이 $\{x|x>-1\}$인 두 함수 $f(x)=\dfrac{x}{x+1}$, $g(x)=\sqrt{x}$에 대하여 $(g\circ f)(a)=\dfrac{1}{2}$일 때, $(f\circ g)^{-1}(2a)$의 값은?

(단, a는 실수)

① 1 　　② $2\sqrt{2}$ 　　③ 3

④ $2\sqrt{3}$ 　　⑤ 4

070 상

함수 $f(x)=\begin{cases} 2-\sqrt{x} & (x\geq0) \\ \sqrt{4-2x} & (x<0) \end{cases}$에 대하여 $(f^{-1}\circ f^{-1}\circ f^{-1})(a)=-6$을 만족시키는 실수 a의 값은?

① -6 　　② -4 　　③ -2

④ 0 　　⑤ 2

071
유형 01

$\sqrt{-2x^2-7x+4}+\dfrac{1}{\sqrt{4-x^2}}$ 의 값이 실수가 되도록 하는 정수 x의 개수는?

① 2   ② 3   ③ 4

④ 5   ⑤ 6

072
유형 02

$\sqrt{\{x(x-3)\}^2}=-x(x-3)$을 만족시키는 실수 x에 대하여 $\sqrt{(x-4)^2}+\sqrt{(x+1)^2}$을 간단히 하면?

① -5 ② 3   ③ 5

④ $-2x-3$ ⑤ $2x+5$

073
유형 03

$\dfrac{\sqrt{x+2}+\sqrt{x}}{\sqrt{x+2}-\sqrt{x}}+\dfrac{\sqrt{x+2}-\sqrt{x}}{\sqrt{x+2}+\sqrt{x}}$ 를 간단히 하시오.

074
유형 04

$x=\dfrac{2\sqrt{2}}{3}$일 때, $\dfrac{\sqrt{1-x}}{\sqrt{1+x}}-\dfrac{\sqrt{1+x}}{\sqrt{1-x}}$의 값은?

① $-4\sqrt{3}$ ② $-4\sqrt{2}$ ③ $-2\sqrt{3}$

④ $2\sqrt{3}$ ⑤ $4\sqrt{2}$

075
유형 05

$x=\sqrt{5}+\sqrt{3}$, $y=\sqrt{5}-\sqrt{3}$일 때, $x^3-y^3+2x^2y-2xy^2$의 값은?

① $28\sqrt{5}$ ② $30\sqrt{5}$ ③ $40\sqrt{3}$

④ $42\sqrt{3}$ ⑤ $44\sqrt{3}$

076
유형 05

$x=2-\sqrt{3}$일 때, $\dfrac{2x+1}{x^3-3x^2-3x+2}$의 값은?

① $-2-\sqrt{3}$ ② $1-2\sqrt{3}$ ③ $5-2\sqrt{3}$

④ $3+\sqrt{3}$ ⑤ $5+\sqrt{3}$

077
유형 06

함수 $y=\sqrt{3x-5}+2$의 그래프를 x축의 방향으로 -1만큼, y축의 방향으로 2만큼 평행이동한 후 원점에 대하여 대칭이동하면 함수 $y=-\sqrt{ax+b}+c$의 그래프와 일치할 때, abc의 값을 구하시오. (단, a, b, c는 상수)

078

유형 07

함수 $f(x)=\sqrt{4x+k}+2$에 대하여 $f(2)=4$이고, 함수 $y=f(x)$의 정의역이 $\{x\,|\,x\geq a\}$, 치역이 $\{y\,|\,y\geq b\}$이다. 이때 상수 k, a, b에 대하여 $k+a+b$의 값을 구하시오.

079

유형 08

함수 $y=\dfrac{a}{x+b}+c$의 그래프가 오른쪽 그림과 같을 때, 다음 중 함수 $y=\sqrt{ax+b}+c$의 그래프의 개형으로 옳은 것은? (단, a, b, c는 상수)

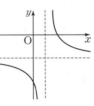

①   ②

③ 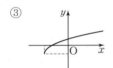   ④

⑤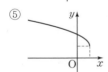

080

유형 08

함수 $y=\sqrt{-x+1}+k$의 그래프가 제3사분면을 지나지 않도록 하는 정수 k의 최솟값은?

① -3 ② -2 ③ -1

④ 0 ⑤ 1

081

유형 09

함수 $y=\sqrt{-3x+3}-2$의 그래프에 대한 다음 설명 중 옳지 않은 것은?

① 정의역은 $\{x\,|\,x\leq 1\}$이다.

② 치역은 $\{y\,|\,y\geq -2\}$이다.

③ 제1사분면을 지나지 않는다.

④ 평행이동하면 함수 $y=\sqrt{-3x}$의 그래프와 겹쳐진다.

⑤ $y=-\sqrt{-3x+3}+2$의 그래프와 원점에 대하여 대칭이다.

082

유형 10

함수 $y=\sqrt{ax+b}+c$의 그래프가 오른쪽 그림과 같을 때, 상수 a, b, c에 대하여 $a+b+c$의 값은?

① -4 ② -2

③ 0 ④ 2

⑤ 4

083

유형 11

$2\leq x\leq 7$에서 함수 $y=2\sqrt{x+2}+k$의 최댓값을 M, 최솟값을 m이라 할 때, $M+m=18$이다. 이때 상수 k의 값을 구하시오.

084

$k-7 \leq x \leq k+2$에서 함수 $y=\sqrt{-x+2k}+2$의 최솟값이 6
일 때, 최댓값은? (단, k는 상수)

① 5　　　　　② 6　　　　　③ 7

④ 8　　　　　⑤ 9

085

두 집합 $A=\{(x, y)|y=\sqrt{2x-3}\}$, $B=\{(x, y)|y=x+k\}$
에 대하여 $n(A \cap B)=2$를 만족시키는 실수 k의 값의 범위
가 $\alpha \leq k < \beta$일 때, $\alpha\beta$의 값을 구하시오.

086

함수 $y=\sqrt{3-x}$의 그래프 위의 점 A에서 x축, y축에 내린
수선의 발을 각각 B, C라 할 때, 직사각형 OBAC의 둘레의
길이의 최댓값을 구하시오.

(단, O는 원점이고, 점 A는 제1사분면 위의 점이다.)

087

함수 $f(x)=\sqrt{ax+b}$의 그래프와 그 역함수의 그래프가 모두
점 $(1, 4)$를 지날 때, 상수 a, b에 대하여 $a-b$의 값은?

① -26　　　② -23　　　③ -20

④ -17　　　⑤ -14

088

함수 $y=2\sqrt{x}+4$의 그래프를 x축의 방향으로 p만큼 평행이
동한 그래프의 식을 $y=f(x)$라 하자. 함수 $y=f(x)$의 그래
프와 그 역함수 $y=f^{-1}(x)$의 그래프가 서로 접할 때, p의 값
을 구하시오.

089

함수 $f(x)=\sqrt{2x+3}$의 그래프와 그 역함수 $y=f^{-1}(x)$의 그
래프의 교점의 좌표를 (a, b)라 할 때, $a+b$의 값은?

① 2　　　　　② 4　　　　　③ 6

④ 8　　　　　⑤ 10

090

정의역 $\{x|x>1\}$인 두 함수 $f(x)=\dfrac{x+3}{x-1}$, $g(x)=\sqrt{2x-1}$
에 대하여 $(g^{-1} \circ f)(5)$의 값을 구하시오.

07

순열

VI. 경우의 수

순열

유형 01 | 합의 법칙

(1) 두 사건 A, B가 동시에 일어나지 않을 때, 사건 A와 사건 B가 일어나는 경우의 수가 각각 m, n이면
(사건 A 또는 사건 B가 일어나는 경우의 수)
$=m+n$

(2) 사건 A와 사건 B가 일어나는 경우의 수가 각각 m, n이고 두 사건 A, B가 동시에 일어나는 경우의 수가 l이면
(사건 A 또는 사건 B가 일어나는 경우의 수)
$=m+n-l$

유형 02 | 방정식과 부등식의 해의 개수

(1) 방정식 $ax+by+cz=d$ (a, b, c, d는 상수)를 만족시키는 순서쌍 (x, y, z)의 개수
➡ x, y, z 중 계수의 절댓값이 큰 것부터 수를 대입하여 구한다.

(2) 부등식 $ax+by \le c$ (a, b, c는 상수)를 만족시키는 순서쌍 (x, y)의 개수
➡ x, y 중 계수의 절댓값이 큰 것부터 수를 대입하여 구하거나 주어진 x, y의 조건을 이용하여 부등식이 성립하는 $ax+by=d$ 꼴의 방정식을 만든 후 이 방정식의 해의 개수를 구한다.

유형 03 | 곱의 법칙

두 사건 A, B에 대하여 사건 A가 일어나는 경우의 수가 m이고, 그 각각에 대하여 사건 B가 일어나는 경우의 수가 n이면
(두 사건 A, B가 동시에 일어나는 경우의 수)$=m \times n$

참고 곱의 법칙은 동시에 일어나는 셋 이상의 사건에 대해서도 성립한다.

★중요
유형 04 | 약수의 개수

자연수 N이
$N=x^p y^q z^r$ (x, y, z는 서로 다른 소수, p, q, r는 자연수)
꼴로 소인수분해될 때, N의 양의 약수의 개수는
$(p+1)(q+1)(r+1)$

대표 문제

001 서로 다른 두 개의 주사위를 동시에 던질 때, 나오는 눈의 수의 차가 3 또는 4가 되는 경우의 수는?

① 6   ② 7   ③ 8
④ 9   ⑤ 10

대표 문제

002 방정식 $3x+2y+z=15$를 만족시키는 자연수 x, y, z의 순서쌍 (x, y, z)의 개수는?

① 10   ② 11   ③ 12
④ 13   ⑤ 14

대표 문제

003 십의 자리의 숫자는 짝수이고 일의 자리의 숫자는 홀수인 두 자리 자연수의 개수는?

① 18   ② 20   ③ 22
④ 24   ⑤ 25

대표 문제

004 63의 양의 약수의 개수를 a, 135의 양의 약수의 개수를 b라 할 때, $a+b$의 값을 구하시오.

유형 05 | 도로망에서의 방법의 수

(1) 동시에 갈 수 없는 길이면 합의 법칙을 이용한다.
(2) 동시에 갈 수 있거나 이어지는 길이면 곱의 법칙을 이용한다.

대표 문제

005 오른쪽 그림과 같이 네 지점 A, B, C, D를 연결하는 도로가 있다. A지점에서 출발하여 C지점으로 가는 방법의 수를 구하시오. (단, 한 번 지나간 지점은 다시 지나지 않는다.)

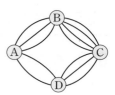

유형 06 | 색칠하는 방법의 수

각 영역을 칠하는 방법의 수를 구한 후 곱의 법칙을 이용하여 칠하는 모든 방법의 수를 구한다. 이때
(1) 인접한 영역이 가장 많은 영역에 칠하는 방법의 수를 먼저 구한다.
(2) 서로 같은 색을 칠할 수 있는 영역은 같은 색을 칠하는 경우와 다른 색을 칠하는 경우로 나누어 생각한다.

대표 문제

006 오른쪽 그림의 A, B, C, D, E 5개의 영역을 서로 다른 5가지 색으로 칠하려고 한다. 같은 색을 중복하여 사용해도 좋으나 인접한 영역은 서로 다른 색으로 칠할 때, 칠하는 방법의 수를 구하시오.

유형 07 | 지불 방법의 수와 지불 금액의 수

(1) 지불 방법의 수
100원짜리 동전 p개, 50원짜리 동전 q개, 10원짜리 동전 r개가 있을 때, 0원을 지불하는 경우는 제외하고 지불할 수 있는 방법의 수는

$$(p+1)(q+1)(r+1)-1$$

└─ 0원을 지불하는 경우 제외

(2) 지불 금액의 수
금액이 중복되는 경우 m원짜리 동전 1개로 지불할 수 있는 금액과 n원짜리 동전 p개로 지불할 수 있는 금액이 같으면 m원짜리 동전 1개를 n원짜리 동전 p개로 바꾸어 생각한다.

대표 문제

007 100원짜리 동전 1개, 50원짜리 동전 4개, 10원짜리 동전 2개의 일부 또는 전부를 사용하여 지불할 수 있는 방법의 수를 a, 지불할 수 있는 금액의 수를 b라 할 때, $a+b$의 값을 구하시오. (단, 0원을 지불하는 경우는 제외한다.)

유형 08 | 수형도를 이용하는 경우의 수

규칙을 찾기 어려운 경우의 수를 구할 때 수형도를 이용하면 중복되지 않고 빠짐없이 모든 경우를 나열하여 구할 수 있다.

대표 문제

008 1, 2, 3, 4를 일렬로 나열하여 네 자리 자연수 $a_1a_2a_3a_4$를 만들 때, $a_k \neq k$를 만족시키는 자연수의 개수를 구하시오. (단, $k=1, 2, 3, 4$)

유형 01 합의 법칙

009 대표문제 다시 보기

서로 다른 두 개의 주사위를 동시에 던질 때, 나오는 눈의 수의 합이 5의 배수가 되는 경우의 수는?

① 6   ② 7   ③ 8

④ 9   ⑤ 10

010 하

1부터 30까지의 자연수가 각각 하나씩 적힌 30장의 카드에서 한 장의 카드를 뽑을 때, 뽑힌 카드에 적힌 수가 7의 배수 또는 8의 배수인 경우의 수를 구하시오.

011 중

1, 2, 3, 4, 5의 숫자가 각각 하나씩 적힌 5개의 공이 들어 있는 주머니에서 한 개씩 세 번 공을 꺼낼 때, 꺼낸 공에 적힌 세 수의 곱이 4 또는 5가 되는 경우의 수를 구하시오.

(단, 꺼낸 공은 다시 넣는다.)

012 중

1부터 100까지의 자연수 중에서 5와 7로 모두 나누어떨어지지 않는 자연수의 개수는?

① 62   ② 64   ③ 66

④ 68   ⑤ 70

유형 02 방정식과 부등식의 해의 개수

013 대표문제 다시 보기

방정식 $x+2y+z=10$을 만족시키는 자연수 x, y, z의 순서쌍 (x, y, z)의 개수를 구하시오.

014 중

부등식 $x+3y \leq 7$을 만족시키는 자연수 x, y의 순서쌍 (x, y)의 개수는?

① 4   ② 5   ③ 6

④ 7   ⑤ 8

015 중

한 자루의 가격이 각각 200원, 500원, 1000원인 3종류의 볼펜을 3000원어치 사는 방법의 수를 구하시오.

016 상 신유형

한 개의 주사위를 두 번 던져서 나오는 눈의 수를 차례대로 a, b라 할 때, 좌표평면에서 원 $(x-a)^2+(y-b)^2=1$과 직선 $3x+4y-8=0$이 만나도록 하는 순서쌍 (a, b)의 개수를 구하시오.

유형 **03** 곱의 법칙

017 대표 문제 다시 보기

백의 자리의 숫자는 짝수, 십의 자리의 숫자는 홀수, 일의 자리의 숫자는 소수인 세 자리 자연수의 개수는?

① 36   ② 48   ③ 60

④ 64   ⑤ 80

018 하

두 집합 $A=\{1, 2, 3\}$, $B=\{2, 4, 6, 8, 10\}$에 대하여 집합 $C=\{(a, b) \mid a \in A, b \in B\}$일 때, $n(C)$를 구하시오.

019 중

$(a+b)(x+y+z)$를 전개할 때, 항의 개수는?

① 6   ② 8   ③ 10

④ 12   ⑤ 14

020 중

서로 다른 세 개의 주사위를 동시에 던질 때, 나오는 눈의 수의 곱이 짝수가 되는 경우의 수는?

① 183   ② 186   ③ 189

④ 192   ⑤ 195

★중요 유형 **04** 약수의 개수

021 대표 문제 다시 보기

60의 양의 약수의 개수를 a, 168의 양의 약수의 개수를 b라 할 때, $b-a$의 값을 구하시오.

022 하

$2^3 \times a$의 양의 약수의 개수가 8일 때, 다음 중 a의 값이 될 수 없는 것은?

① 3   ② 5   ③ 6

④ 7   ⑤ 16

023 중

300과 360의 양의 공약수의 개수를 구하시오.

024 중

700의 양의 약수 중 짝수의 개수를 a, 5의 배수의 개수를 b라 할 때, $a+b$의 값은?

① 18   ② 20   ③ 22

④ 24   ⑤ 26

★중요
유형 05 도로망에서의 방법의 수

025 (대표 문제) 다시 보기

오른쪽 그림과 같이 네 지점 A, B, C, D를 연결하는 도로가 있다. A지점에서 출발하여 C지점으로 가는 방법의 수를 구하시오. (단, 한 번 지나간 지점은 다시 지나지 않는다.)

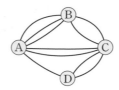

026 중

오른쪽 그림과 같이 시연이네 집, 문구점, 편의점을 연결하는 도로가 있다. 시연이가 집에서 출발하여 문구점과 편의점을 한 번씩 거쳐 다시 집으로 돌아오는 방법의 수를 구하시오.

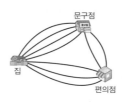

027 중

오른쪽 그림과 같이 네 지점 A, B, C, D를 연결하는 도로가 있다. A지점에서 출발하여 C지점으로 가는 방법의 수를 구하시오. (단, 한 번 지나간 지점은 다시 지나지 않는다.)

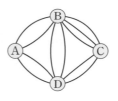

028 상

오른쪽 그림과 같은 도로망에서 B지점과 D지점을 연결하는 도로를 추가하여 A지점에서 출발하여 C지점으로 가는 방법의 수가 36이 되도록 하려고 한다. 추가해야 하는 도로의 개수를 구하시오. (단, 한 번 지나간 지점은 다시 지나지 않고, 도로끼리는 서로 만나지 않는다.)

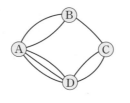

★중요
유형 06 색칠하는 방법의 수

029 (대표 문제) 다시 보기

오른쪽 그림의 A, B, C, D 4개의 영역을 서로 다른 4가지 색으로 칠하려고 한다. 같은 색을 중복하여 사용해도 좋으나 인접한 영역은 서로 다른 색으로 칠할 때, 칠하는 방법의 수를 구하시오.

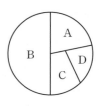

030 하

오른쪽 그림의 A, B, C 3개의 영역을 서로 다른 4가지 색으로 칠하려고 한다. 같은 색을 중복하여 사용해도 좋으나 인접한 영역은 서로 다른 색으로 칠할 때, 칠하는 방법의 수는?

① 20 ② 24 ③ 28
④ 32 ⑤ 36

031 중

오른쪽 그림의 A, B, C, D 4개의 영역을 서로 다른 4가지 색으로 칠하려고 한다. 같은 색을 중복하여 사용해도 좋으나 인접한 영역은 서로 다른 색으로 칠할 때, 칠하는 방법의 수를 구하시오.

032 _중

오른쪽 그림의 A, B, C, D, E 5개의
영역을 서로 다른 5가지 색으로 칠하려
고 한다. 같은 색을 중복하여 사용해도
좋으나 인접한 영역은 서로 다른 색으
로 칠할 때, 칠하는 방법의 수를 구하시
오.

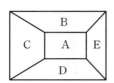

유형 07   지불 방법의 수와 지불 금액의 수

033   대표 문제 다시 보기

100원짜리 동전 2개, 50원짜리 동전 3개, 10원짜리 동전 4개
의 일부 또는 전부를 사용하여 지불할 수 있는 방법의 수를 a,
지불할 수 있는 금액의 수를 b라 할 때, $a+b$의 값을 구하시
오. (단, 0원을 지불하는 경우는 제외한다.)

034 _하

500원짜리 동전 3개, 100원짜리 동전 2개, 50원짜리 동전 3개,
10원짜리 동전 1개의 일부 또는 전부를 사용하여 지불할 수 있
는 방법의 수는? (단, 0원을 지불하는 경우는 제외한다.)

① 75   ② 80   ③ 85
④ 90   ⑤ 95

035 _중

1000원짜리 지폐 1장, 500원짜리 동전 3개, 100원짜리 동전
3개의 일부 또는 전부를 사용하여 지불할 수 있는 금액의 수
를 구하시오. (단, 0원을 지불하는 경우는 제외한다.)

유형 08   수형도를 이용하는 경우의 수

036   대표 문제 다시 보기

1, 2, 3, 4, 5를 일렬로 나열하여 다섯 자리 자연수
$a_1a_2a_3a_4a_5$를 만들 때,
$$a_1=2, \ a_k\neq k \,(k=3, \ 4, \ 5)$$
를 만족시키는 자연수의 개수는?

① 8   ② 9   ③ 10
④ 11   ⑤ 12

037 _중

4명의 학생이 각자 보고서를 작성한 후 자신의 보고서가 아닌
다른 한 학생의 보고서를 읽으려고 한다. 보고서를 읽는 방법
의 수는?

① 5   ② 6   ③ 7
④ 8   ⑤ 9

038 _중

오른쪽 그림과 같은 육면체의 꼭짓점 A
에서 출발하여 모서리를 따라 움직여 꼭
짓점 E에 도착하는 방법의 수를 구하시
오. (단, 한 번 지나간 꼭짓점은 다시 지
나지 않는다.)

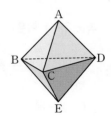

유형 09 | $_n\mathrm{P}_r$의 계산

$_n\mathrm{P}_r=n(n-1)(n-2)\times\cdots\times(n-r+1)$ (단, $0<r\leq n$)

$=\dfrac{n!}{(n-r)!}$ (단, $0\leq r\leq n$)

참고 $_n\mathrm{P}_0=1$, $0!=1$

대표 문제

039 $2\times{}_n\mathrm{P}_2+{}_{n+1}\mathrm{P}_1=67$을 만족시키는 n의 값을 구하시오.

유형 10 | 순열의 수

(1) 서로 다른 n개에서 r개를 택하는 순열의 수
  ➡ $_n\mathrm{P}_r$
(2) 서로 다른 n개를 모두 택하는 순열의 수
  ➡ $_n\mathrm{P}_n=n!$

대표 문제

040 9명의 학생 중에서 대표 1명, 부대표 1명을 뽑는 방법의 수는?

① 72　　　　② 81　　　　③ 90
④ 99　　　　⑤ 108

★ 중요

유형 11 | 이웃하는 순열의 수

이웃하는 것이 있는 순열의 수는 다음과 같은 순서로 구한다.
(1) 이웃하는 것을 한 묶음으로 생각하여 일렬로 나열하는 방법의 수를 구한다.
(2) 묶음 안에서 이웃하는 것끼리 자리를 바꾸는 방법의 수를 구한다.
(3) (1), (2)에서 구한 방법의 수를 곱한다.

대표 문제

041 찬호와 준형이를 포함한 4명의 학생을 일렬로 세울 때, 찬호와 준형이를 이웃하게 세우는 방법의 수는?

① 6　　　　② 12　　　　③ 18
④ 24　　　　⑤ 48

유형 12 | 이웃하지 않는 순열의 수

이웃하지 않는 것이 있는 순열의 수는 다음과 같은 순서로 구한다.
(1) 이웃해도 되는 것을 일렬로 나열하는 방법의 수를 구한다.
(2) 이웃해도 되는 것의 사이사이와 양 끝에 이웃하지 않는 것을 나열하는 방법의 수를 구한다.
(3) (1), (2)에서 구한 방법의 수를 곱한다.

대표 문제

042 어느 자전거 동호회에서 남자 3명, 여자 2명이 자전거 여행을 하고 일렬로 서서 기념사진을 찍으려고 할 때, 여자끼리 이웃하지 않게 세우는 방법의 수는?

① 36　　　　② 48　　　　③ 60
④ 72　　　　⑤ 84

★ 중요
유형 **13** │ 자리에 대한 조건이 있는 순열의 수

(1) 두 집단의 구성원이 교대로 서는 방법의 수
　① 두 집단의 구성원의 수가 각각 n이면 ➡ $2 \times n! \times n!$
　② 두 집단의 구성원의 수가 각각 n, $n-1$이면
　　➡ $n! \times (n-1)!$
(2) 특정한 자리에 대한 조건을 만족시키도록 일렬로 나열하는 경우에는 특정한 자리에 오는 것을 고정시키고 나머지를 나열한다.

대표 문제

043 어느 학교의 교내 체육 대회에서 선생님 2명과 학생 2명을 한 팀으로 구성하여 4인 5각 경기를 하려고 한다. 한 팀에서 선생님과 학생이 교대로 서는 방법의 수는?

① 4　　　　　② 5　　　　　③ 6

④ 7　　　　　⑤ 8

유형 **14** │ '적어도'의 조건이 있는 순열의 수

(사건 A가 적어도 한 번 일어나는 경우의 수)
＝(모든 경우의 수)－(사건 A가 일어나지 않는 경우의 수)

대표 문제

044 earth에 있는 5개의 문자를 일렬로 나열할 때, 적어도 한쪽 끝에 모음이 오도록 나열하는 방법의 수를 구하시오.

★ 중요
유형 **15** │ 조건을 만족시키는 자연수의 개수

주어진 조건에 따라 기준이 되는 자리를 먼저 나열하고 나머지 자리에 남은 숫자를 나열한다.
이때 맨 앞자리에는 0이 올 수 없음에 주의한다.
➡ 서로 다른 n개의 한 자리의 숫자를 한 번씩 사용하여 만들수 있는 r자리 자연수의 개수
　(1) n개의 숫자에 0이 없는 경우: $_nP_r$
　(2) n개의 숫자에 0이 있는 경우: $(n-1) \times {}_{n-1}P_{r-1}$

대표 문제

045 7개의 숫자 0, 1, 2, 3, 4, 5, 6에서 서로 다른 4개를 사용하여 만들 수 있는 네 자리 자연수 중 5의 배수의 개수는?

① 140　　　　② 180　　　　③ 220

④ 260　　　　⑤ 300

유형 **16** │ 사전식 배열을 이용하는 순열의 수

문자를 사전식으로 배열하거나 숫자를 크기순으로 나열하는 경우에는 기준이 되어 자리를 정할 수 있는 문자 또는 숫자를 먼저 배열한 후 순열을 이용하여 나머지 자리에 남은 문자 또는 숫자를 배열하는 방법의 수를 구한다.

대표 문제

046 5개의 문자 a, m, r, s, t를 모두 한 번씩 사용하여 사전식으로 amrst부터 tsrma까지 배열할 때, smart는 몇 번째에 나타나는지 구하시오.

유형 **17** │ 일대일대응의 개수

집합 $X=\{1, 2, 3, \cdots, n\}$에 대하여 함수 $f : X \longrightarrow X$ 중에서 일대일대응인 f의 개수
➡ $_nP_n = n!$

대표 문제

047 집합 $X=\{a, b, c, d\}$에 대하여 함수 $f : X \longrightarrow X$ 중에서 $f(a) \neq a$이고 일대일대응인 f의 개수를 구하시오.

유형 09 $_nP_r$의 계산

048 _{대표 문제} 다시 보기

$_nP_2+4\times_nP_1=70$을 만족시키는 n의 값을 구하시오.

049 하

$_6P_r\times4!=2880$을 만족시키는 r의 값은?

① 2   ② 3   ③ 4
④ 5   ⑤ 6

050 중

$_nP_3:{}_nP_2=9:1$을 만족시키는 n의 값을 구하시오.

051 중

$_{2n}P_3=60\times_nP_2$를 만족시키는 n의 값은?

① 6   ② 7   ③ 8
④ 9   ⑤ 10

052 중

다음은 $1\leq r<n$일 때, $_{n-1}P_r+r\times_{n-1}P_{r-1}=_nP_r$임을 보이는 과정이다. (가), (나), (다)에 들어갈 알맞은 것을 구하시오.

$$_{n-1}P_r+r\times_{n-1}P_{r-1}=\frac{(n-1)!}{(n-1-r)!}+r\times\frac{(n-1)!}{\boxed{(가)}}$$

$$=\frac{(n-1)!}{(n-r)!}\times\boxed{(나)}$$

$$=\frac{\boxed{(다)}}{(n-r)!}=_nP_r$$

$$\therefore{}_{n-1}P_r+r\times_{n-1}P_{r-1}=_nP_r$$

유형 10 순열의 수

053 _{대표 문제} 다시 보기

어느 동아리 회원 10명 중에서 회장 1명, 부회장 1명, 총무 1명을 뽑는 방법의 수는?

① 120   ② 240   ③ 360
④ 540   ⑤ 720

054 하

5명의 학생이 이어달리기를 할 때, 달리는 순서를 정하는 방법의 수는?

① 24   ② 48   ③ 72
④ 96   ⑤ 120

055 중

n명의 학생으로 구성된 모둠에서 발표 수업을 위해 자료 제작자 1명, 발표자 1명을 뽑는 방법의 수는 56이다. 이때 n의 값을 구하시오.

★ 중요

유형 **11** 이웃하는 순열의 수

056 대표 문제 다시 보기

FAMILY에 있는 6개의 문자를 일렬로 나열할 때, F와 A를
이웃하게 나열하는 방법의 수는?

① 48 　　　　② 120 　　　　③ 240

④ 720 　　　　⑤ 1440

057 중

어른 4명과 어린이 3명을 한 줄로 세울 때, 어린이끼리 이웃하
게 세우는 방법의 수를 구하시오.

058 중

1반 학생 4명, 2반 학생 2명, 3반 학생 3명을 일렬로 세울 때,
각 반 학생들끼리 이웃하게 세우는 방법의 수는?

① 1720 　　　　② 1724 　　　　③ 1728

④ 1732 　　　　⑤ 1736

059 중

서로 다른 소설책 n권과 시집 3권을 책꽂이에 일렬로 꽂을
때, 시집끼리 이웃하게 꽂는 방법의 수는 144이다. 이때 n의
값을 구하시오.

유형 **12** 이웃하지 않는 순열의 수

060 대표 문제 다시 보기

남학생 4명과 여학생 3명을 일렬로 세울 때, 여학생끼리 이웃
하지 않게 세우는 방법의 수는?

① 480 　　　　② 720 　　　　③ 960

④ 1440 　　　　⑤ 1920

061 중

basket에 있는 6개의 문자를 일렬로 나열할 때, 모음끼리 이
웃하지 않게 나열하는 방법의 수를 구하시오.

062 중

6개의 숫자 1, 2, 3, 4, 5, 6을 일렬로 나열할 때, 1, 2는 이웃
하고 5, 6은 이웃하지 않게 나열하는 방법의 수를 구하시오.

063 상

3명의 학생이 일렬로 놓인 6개의 똑같은 의자에 앉을 때, 어
느 두 명도 이웃하지 않게 앉는 방법의 수는?

① 6 　　　　② 12 　　　　③ 18

④ 24 　　　　⑤ 48

★ 중요

유형 13 자리에 대한 조건이 있는 순열의 수

064 대표 문제 다시 보기

어느 유치원에서 '선생님과 함께 부르는 동요' 공연을 하려고 한다. 선생님 3명과 유치원생 3명이 무대 위에 한 줄로 서서 동요를 부를 때, 선생님과 유치원생이 교대로 서는 방법의 수는?

① 24 　　　　　 ② 36 　　　　　 ③ 48
④ 60 　　　　　 ⑤ 72

065 하

준형, 도윤, 찬호, 정우가 이어달리기 반 대표 선수로 뽑혔다. 4명의 학생이 이어달리기를 하는 순서를 정할 때, 준형이가 마지막에 달리도록 정하는 방법의 수는?

① 6 　　　　　 ② 9 　　　　　 ③ 12
④ 15 　　　　　 ⑤ 18

066 중

housing에 있는 7개의 문자를 일렬로 나열할 때, 자음과 모음이 교대로 오도록 나열하는 방법의 수는?

① 72 　　　　　 ② 96 　　　　　 ③ 120
④ 144 　　　　　 ⑤ 288

067 중

승하, 은재, 은서, 고은이가 선생님과 함께 한 줄로 서서 기념사진을 찍으려고 할 때, 승하와 은서가 선생님의 양옆에 서는 방법의 수는?

① 10 　　　　　 ② 12 　　　　　 ③ 14
④ 16 　　　　　 ⑤ 18

068 중

남학생 4명과 여학생 3명을 일렬로 세울 때, 여학생이 양 끝에 오도록 세우는 방법의 수를 구하시오.

069 중

seoul에 있는 5개의 문자를 일렬로 나열할 때, 자음이 홀수 번째 오도록 나열하는 방법의 수는?

① 28 　　　　　 ② 30 　　　　　 ③ 32
④ 34 　　　　　 ⑤ 36

070 상

7개의 문자 A, B, C, D, E, F, G를 일렬로 나열할 때, C와 G 사이에 3개의 문자가 들어가도록 나열하는 방법의 수를 구하시오.

07

유형 14 '적어도'의 조건이 있는 순열의 수

071 대표 문제 다시 보기

friend에 있는 6개의 문자를 일렬로 나열할 때, 적어도 한쪽 끝에 모음이 오도록 나열하는 방법의 수를 구하시오.

072 하

남학생 3명과 여학생 5명 중에서 대표 1명, 부대표 1명을 뽑을 때, 대표, 부대표 중에서 적어도 한 명은 여학생을 뽑는 방법의 수는?

① 50   ② 52   ③ 54
④ 56   ⑤ 58

073 중

5개의 문자 A, B, C, D, E를 일렬로 나열할 때, A, C, E 중에서 적어도 2개가 이웃하도록 나열하는 방법의 수는?

① 96   ② 108   ③ 133
④ 216   ⑤ 256

074 중

서로 다른 7개의 알파벳을 일렬로 나열할 때, 적어도 한쪽 끝에 자음이 오도록 나열하는 방법의 수는 3600이다. 이때 자음의 개수를 구하시오.

유형 15 조건을 만족시키는 자연수의 개수

075 대표 문제 다시 보기

6개의 숫자 0, 1, 2, 3, 4, 5에서 서로 다른 4개를 사용하여 만들 수 있는 네 자리 자연수 중 짝수의 개수를 구하시오.

076 하

6개의 숫자 0, 1, 2, 3, 4, 5에서 서로 다른 3개를 사용하여 만들 수 있는 세 자리 자연수의 개수를 구하시오.

077 중

4개의 숫자 1, 2, 3, 4에서 서로 다른 3개를 사용하여 만들 수 있는 세 자리 자연수 중 홀수의 개수는?

① 6   ② 9   ③ 12
④ 15   ⑤ 18

078 중

1, 2, 3, 4의 숫자가 각각 하나씩 적힌 4장의 카드에서 서로 다른 3장을 뽑아 만들 수 있는 세 자리 자연수 중 3의 배수의 개수는?

① 6   ② 12   ③ 18
④ 24   ⑤ 30

유형 **16**　사전식 배열을 이용하는 순열의 수

079　대표 문제 다시 보기

5개의 문자 e, h, n, o, p를 모두 한 번씩 사용하여 사전식으로 배열할 때, phone는 몇 번째에 나타나는지 구하시오.

080　중

5개의 숫자 0, 1, 2, 3, 4에서 서로 다른 3개를 사용하여 만든 세 자리 자연수 중 240보다 작은 수의 개수는?

① 20　　　　② 21　　　　③ 22
④ 23　　　　⑤ 24

081　상

visang에 있는 6개의 문자를 사전식으로 배열할 때, 295번째에 오는 것은?

① inagsv　　② inagvs　　③ ingasv
④ ingavs　　⑤ insagv

082　상

6개의 숫자 1, 2, 3, 4, 5, 6에서 서로 다른 4개를 사용하여 만든 네 자리 자연수 중 140번째로 큰 수를 구하시오.

유형 **17**　일대일대응의 개수

083　대표 문제 다시 보기

집합 $X=\{a, b, c, d, e\}$에 대하여 함수 $f : X \longrightarrow X$ 중에서 $f(a)\neq b$이고 일대일대응인 f의 개수를 구하시오.

084　하

집합 $X=\{1, 2, 3, 4, 5, 6\}$에 대하여 함수 $f : X \longrightarrow X$ 중에서 $f(1)=4$, $f(4)=1$이고 일대일대응인 f의 개수는?

① 20　　　　② 24　　　　③ 28
④ 32　　　　⑤ 36

085　중

집합 $X=\{a, b, c, d\}$에 대하여 함수 $f : X \longrightarrow X$ 중에서 다음 조건을 모두 만족시키는 함수 f의 개수는?

> (가) 집합 X의 임의의 원소 x_1, x_2에 대하여 $x_1\neq x_2$이면 $f(x_1)\neq f(x_2)$이다.
> (나) 집합 X의 임의의 원소 x에 대하여 $f(x)\neq x$이다.

① 9　　　　② 10　　　　③ 11
④ 12　　　　⑤ 13

086　상

집합 $X=\{0, 1, 2, 3, 4\}$에 대하여 다음 조건을 모두 만족시키는 X에서 X로의 함수 f의 개수를 구하시오.

> (가) 함수 f는 일대일대응이다.
> (나) 집합 X의 오직 한 원소 n에 대하여 $f(n+2)=f(n)+4$이다.

087
유형 01

1부터 30까지의 자연수가 각각 하나씩 적힌 30장의 카드에서 한 장의 카드를 뽑을 때, 뽑힌 카드에 적힌 수가 2의 배수 또는 3의 배수인 경우의 수는?

① 16   ② 17   ③ 18
④ 19   ⑤ 20

088
유형 02

부등식 $10 \leq x+2y+3z \leq 12$를 만족시키는 자연수 x, y, z의 순서쌍 (x, y, z)의 개수는?

① 15   ② 16   ③ 17
④ 18   ⑤ 19

089
유형 03

4종류의 피자, 3종류의 샐러드, 5종류의 음료수 중에서 피자, 샐러드, 음료수를 각각 1종류씩 고르는 방법의 수를 구하시오.

090
유형 03

$(a+b+c)(x+y)^2$을 전개할 때, 항의 개수는?

① 5   ② 6   ③ 8
④ 9   ⑤ 12

091
유형 04

1350의 양의 약수 중 홀수의 개수는?

① 8   ② 10   ③ 12
④ 14   ⑤ 16

092
유형 05

다음 그림과 같이 세 지점 A, B, C를 연결하는 도로가 있다. A지점에서 출발하여 C지점을 거쳐 다시 A지점으로 돌아올 때, B지점을 한 번만 지나는 방법의 수는?

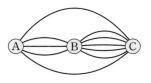

① 30   ② 45   ③ 60
④ 75   ⑤ 90

093
유형 06

오른쪽 그림의 A, B, C, D, E 5개의 영역을 서로 다른 5가지 색으로 칠하려고 한다. 같은 색을 중복하여 사용해도 좋으나 인접한 영역은 서로 다른 색으로 칠할 때, 칠하는 방법의 수는?

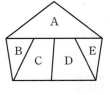

① 360   ② 420   ③ 480
④ 540   ⑤ 600

094

1000원짜리 지폐 1장, 500원짜리 동전 5개, 100원짜리 동전 10개의 일부 또는 전부를 사용하여 지불할 때, 다음 보기 중 옳은 것만을 있는 대로 고른 것은?

(단, 0원을 지불하는 경우는 제외한다.)

┌─ 보기
│ ㄱ. 지불할 수 있는 방법의 수는 131이다.
│ ㄴ. 지불할 수 있는 금액의 수는 46이다.
│ ㄷ. 2000원을 지불하는 방법의 수는 4이다.
└─

① ㄱ   ② ㄷ   ③ ㄱ, ㄴ
④ ㄱ, ㄷ   ⑤ ㄴ, ㄷ

095

1, 2, 3, 4, 5를 일렬로 나열하여 다섯 자리 자연수 $a_1a_2a_3a_4a_5$를 만들 때,

$$a_3=3, \ a_k \neq k \ (k=1, 2, 4, 5)$$

를 만족시키는 자연수의 개수를 구하시오.

096

$_{n+1}P_3 - 6 \times {_nP_2} = 14 \times {_{n-1}P_1}$을 만족시키는 n의 값을 구하시오.

097

어느 동아리 학생 8명 중에서 회장, 부회장, 서기를 각각 1명씩 뽑는 방법의 수를 구하시오.

098

studio에 있는 6개의 문자를 일렬로 나열할 때, 모음끼리 이웃하게 나열하는 방법의 수는?

① 12   ② 24   ③ 48
④ 72   ⑤ 144

099

어느 팬클럽 행사에 참가한 팬 5명과 가수 2명이 일렬로 서서 기념사진을 찍으려고 할 때, 가수끼리 이웃하지 않게 서는 방법의 수는?

① 600   ② 1200   ③ 2400
④ 3600   ⑤ 4800

100

남학생 4명과 여학생 3명이 일렬로 놓인 7개의 똑같은 의자에 앉으려고 한다. 특정한 남학생 3명 중 어느 두 명도 이웃하지 않게 앉는 방법의 수를 a, 여학생과 남학생이 교대로 앉는 방법의 수를 b라 할 때, $a+b$의 값을 구하시오.

101
유형 13

6곡의 음악 A, B, C, D, E, F 중에서 4곡을 택하여 순서대로 들으려고 할 때, F를 마지막에 듣도록 순서를 정하는 방법의 수는?

① 60   ② 62   ③ 64
④ 66   ⑤ 68

102
유형 13

현서와 현아를 포함한 5명의 가족이 한 줄로 서서 가족사진을 찍으려고 할 때, 현서와 현아가 양 끝에 서는 방법의 수는?

① 10   ② 12   ③ 14
④ 16   ⑤ 18

103
유형 13

7개의 문자 T, U, E, S, D, A, Y를 일렬로 나열할 때, T와 S 사이에 2개의 모음만 들어가도록 나열하는 방법의 수를 구하시오.

104
유형 14

A회사의 서로 다른 캐릭터 인형 2개와 B회사의 서로 다른 캐릭터 인형 3개를 일렬로 진열할 때, 적어도 한쪽 끝에 A회사의 캐릭터 인형이 오도록 진열하는 방법의 수를 구하시오.

105
유형 15

0, 1, 2, 3, 4의 숫자가 각각 하나씩 적힌 5장의 카드에서 서로 다른 3장을 뽑아 만들 수 있는 세 자리 자연수 중 짝수의 개수는?

① 21   ② 24   ③ 26
④ 28   ⑤ 30

106
유형 16

5개의 숫자 1, 2, 3, 4, 5에서 서로 다른 4개를 사용하여 만든 네 자리 자연수 중 3200보다 큰 수의 개수는?

① 18   ② 48   ③ 66
④ 80   ⑤ 88

107
유형 17

두 집합 $X=\{1, 2, 3, 4, 5\}$, $Y=\{6, 7, 8, 9, 10\}$에 대하여 함수 $f : X \longrightarrow Y$ 중에서 다음 조건을 모두 만족시키는 함수 f의 개수를 구하시오.

(가) $f(1)+f(2)=16$
(나) 치역과 공역이 일치한다.

08

조합

유형 01 | $_n\mathrm{C}_r$의 계산

(1) $_n\mathrm{C}_r=\dfrac{_n\mathrm{P}_r}{r!}=\dfrac{n!}{r!(n-r)!}$ (단, $0\le r\le n$)

(2) $_n\mathrm{C}_r=_n\mathrm{C}_{n-r}$ (단, $0\le r\le n$)

(3) $_n\mathrm{C}_r=_{n-1}\mathrm{C}_{r-1}+_{n-1}\mathrm{C}_r$ (단, $1\le r<n$)

참고 $_n\mathrm{C}_0=1$, $_n\mathrm{C}_n=1$

대표 문제

001 $3\times_{n+1}\mathrm{C}_3-4\times_n\mathrm{C}_2=0$을 만족시키는 n의 값을 구하시오.

★중요
유형 02 | 조합의 수

서로 다른 n개에서 r개를 택하는 조합의 수
➡ $_n\mathrm{C}_r$

대표 문제

002 장래희망이 프로그래머인 학생 4명, 디자이너인 학생 3명이 있다. 이 중에서 장래희망이 프로그래머인 학생 2명, 디자이너인 학생 1명을 뽑는 방법의 수를 구하시오.

유형 03 | 특정한 것을 포함하거나 포함하지 않는 조합의 수

(1) 서로 다른 n개에서 특정한 k개를 포함하여 r개를 택하는 조합의 수는 $(n-k)$개에서 $(r-k)$개를 택하는 조합의 수와 같다.
➡ $_{n-k}\mathrm{C}_{r-k}$

(2) 서로 다른 n개에서 특정한 k개를 포함하지 않고 r개를 택하는 조합의 수는 $(n-k)$개에서 r개를 택하는 조합의 수와 같다.
➡ $_{n-k}\mathrm{C}_r$

대표 문제

003 민서를 포함한 학생 7명 중에서 4명을 뽑을 때, 민서가 포함되도록 뽑는 방법의 수는?

① 16 ② 18 ③ 20
④ 22 ⑤ 24

유형 04 | '적어도'의 조건이 있는 조합의 수

(사건 A가 적어도 한 번 일어나는 경우의 수)
=(모든 경우의 수)-(사건 A가 일어나지 않는 경우의 수)

대표 문제

004 서로 다른 소설책 6권과 수필집 4권 중에서 4권을 택하여 읽으려고 할 때, 소설책과 수필집이 적어도 1권씩 포함되도록 택하는 방법의 수를 구하시오.

★중요

유형 05 | 뽑아서 나열하는 방법의 수

서로 다른 n개에서 r개를 뽑아 일렬로 나열하는 방법의 수는 다음과 같은 순서로 구한다.

(1) n개에서 r개를 뽑는 방법의 수를 구한다.
(2) 뽑은 r개를 일렬로 나열하는 방법의 수를 구한다.
(3) (1), (2)에서 구한 방법의 수를 곱한다.

➡ $_nC_r \times r!$

08

대표 문제

005 1부터 9까지의 자연수 중에서 서로 다른 홀수 2개와 서로 다른 짝수 2개로 네 자리 비밀번호를 만들려고 할 때, 만들 수 있는 비밀번호의 개수를 구하시오.

유형 06 | 직선의 개수

어느 세 점도 한 직선 위에 있지 않은 서로 다른 n개의 점으로 만들 수 있는 서로 다른 직선의 개수

➡ $_nC_2$

참고 한 직선 위에 있는 서로 다른 n개의 점으로 만들 수 있는 직선은 1개이다.

대표 문제

006 한 평면 위에 있는 서로 다른 6개의 점 중에서 어느 세 점도 한 직선 위에 있지 않을 때, 주어진 점을 이어서 만들 수 있는 서로 다른 직선의 개수는?

① 11   ② 13   ③ 15
④ 17   ⑤ 19

유형 07 | 대각선의 개수

n각형의 대각선의 개수는 n개의 꼭짓점 중에서 2개를 택하여 만들 수 있는 선분의 개수에서 n각형의 변의 개수를 뺀 것과 같다.

➡ $_nC_2 - n$

대표 문제

007 오른쪽 그림과 같은 팔각형에서 대각선의 개수를 구하시오.

유형 08 | 다각형의 개수

어느 세 점도 한 직선 위에 있지 않은 서로 다른 n개의 점에 대하여

(1) 3개의 점을 꼭짓점으로 하는 삼각형의 개수 ➡ $_nC_3$
(2) 4개의 점을 꼭짓점으로 하는 사각형의 개수 ➡ $_nC_4$

참고 한 직선 위에 있는 서로 다른 3개의 점으로는 삼각형을 만들 수 없다.

대표 문제

008 오른쪽 그림과 같이 반원 위에 있는 8개의 점 중에서 3개의 점을 꼭짓점으로 하는 삼각형의 개수는?

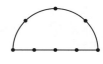

① 40   ② 42   ③ 44
④ 46   ⑤ 48

조합

유형 **09** | 평행사변형의 개수

m개의 평행한 직선과 n개의 평행한 직선이 만날 때, 이 직선으로 만들어지는 평행사변형의 개수는 m개의 직선 중에서 2개를 택하고 n개의 직선 중에서 2개를 택하는 방법의 수와 같다.
➡ $_mC_2 \times _nC_2$

대표 문제

009 오른쪽 그림과 같이 4개의 평행한 직선과 3개의 평행한 직선이 서로 만날 때, 이 직선으로 만들어지는 평행사변형의 개수를 구하시오.

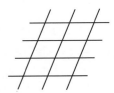

유형 **10** | 함수의 개수

두 집합 X, Y의 원소의 개수가 각각 m, $n(m \leq n)$일 때, 함수 $f : X \longrightarrow Y$ 중에서 $a \in X$, $b \in X$에 대하여 $a < b$이면 $f(a) < f(b)$를 만족시키는 함수 f의 개수
➡ $_nC_m$

대표 문제

010 두 집합 $X = \{1, 2, 3, 4\}$, $Y = \{5, 6, 7, 8, 9, 10\}$에 대하여 함수 $f : X \longrightarrow Y$ 중에서 다음 조건을 만족시키는 함수 f의 개수를 구하시오.

$x_1 \in X$, $x_2 \in X$일 때, $x_1 < x_2$이면 $f(x_1) < f(x_2)$

★ 중요
유형 **11** | 나누는 방법의 수

(1) 서로 다른 n개를 p개, q개, r개$(p+q+r=n)$로 나누는 방법의 수
　① p, q, r가 모두 다른 수일 때
　　➡ $_nC_p \times _{n-p}C_q \times _rC_r$
　② p, q, r 중 어느 두 수가 같을 때
　　➡ $_nC_p \times _{n-p}C_q \times _rC_r \times \dfrac{1}{2!}$
　③ p, q, r가 모두 같은 수일 때
　　➡ $_nC_p \times _{n-p}C_q \times _rC_r \times \dfrac{1}{3!}$
(2) (n묶음으로 나누어 n명에게 나누어 주는 방법의 수)
　＝(n묶음으로 나누는 방법의 수)$\times n!$

대표 문제

011 서로 다른 6개의 사탕을 똑같은 상자 3개에 빈 상자가 없도록 나누어 담는 방법의 수는?

① 30　　　　② 45　　　　③ 60
④ 75　　　　⑤ 90

유형 **12** | 대진표 작성하기

오른쪽 그림과 같은 대진표를 작성하는 방법의 수는 다음과 같은 순서로 구한다.
(1) 5명을 2명, 3명의 두 조로 나누는 방법의 수를 구한다.
(2) 3명의 조에서 부전승으로 올라갈 1명을 택하는 방법의 수를 구한다.
(3) (1), (2)에서 구한 방법의 수를 곱한다.

대표 문제

012 교내 배구 대회에 참가한 6개의 학급이 오른쪽 그림과 같은 토너먼트 방식으로 시합을 할 때, 대진표를 작성하는 방법의 수를 구하시오.

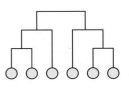

핵심유형 완성하기

유형 01 $_nC_r$의 계산

013 대표 문제 다시 보기

$_nC_2 + _{n+1}C_2 = _{n+3}C_2$를 만족시키는 n의 값은?

① 5   ② 6   ③ 7

④ 8   ⑤ 9

014 하

$_{10}C_r = _{10}C_{r-2}$를 만족시키는 r의 값을 구하시오.

015 중

$_nP_r = 336$, $_nC_r = 56$일 때, $n+r$의 값은?

① 8   ② 9   ③ 10

④ 11   ⑤ 12

016 중

x에 대한 이차방정식 $_nC_2 x^2 - 2 \times _nC_3 x - 2 \times _nC_4 = 0$의 두 근을 α, β라 할 때, $\alpha + \beta = 4$이다. 이때 $\alpha\beta$의 값을 구하시오.

017 중

다음은 $1 \le r < n$일 때, $_nC_r = _{n-1}C_{r-1} + _{n-1}C_r$임을 보이는 과정이다. (가), (나), (다)에 들어갈 알맞은 것을 구하시오.

$$_{n-1}C_{r-1} + _{n-1}C_r = \frac{(n-1)!}{(r-1)!(n-r)!} + \frac{(n-1)!}{r!(\boxed{\text{(가)}})!}$$

$$= \frac{(n-1)!\{r+(\boxed{\text{(나)}})\}}{r!(n-r)!}$$

$$= \frac{\boxed{\text{(다)}}}{r!(n-r)!} = _nC_r$$

$$\therefore _nC_r = _{n-1}C_{r-1} + _{n-1}C_r$$

★중요

유형 02 조합의 수

018 대표 문제 다시 보기

1학년 학생 7명, 2학년 학생 5명으로 구성된 수학 동아리 회원 중에서 교내 수학 체험 부스를 운영할 1학년 학생 3명, 2학년 학생 2명을 뽑는 방법의 수는?

① 230   ② 270   ③ 310

④ 350   ⑤ 390

019 하

연극반 학생 8명 중에서 축제 공연 무대에 오를 주인공 1명, 주인공 외 출연자 2명을 뽑는 방법의 수를 구하시오.

핵심유형 완성하기

020 중

어느 학교의 대학 학과 체험 활동에서 수학교육과 체험 희망자가 5명, 통계학과 체험 희망자가 4명이었다. 이 중에서 3명을 뽑을 때, 3명의 체험 희망 학과가 모두 같은 경우의 수는?

① 10   ② 12   ③ 14
④ 16   ⑤ 40

021 중

어느 고등학교 축구 대회에 참가한 n개의 팀이 다른 팀과 모두 한 번씩 경기를 하였더니 총 경기 수가 66이었다. 이때 n의 값을 구하시오.

022 중

1부터 15까지의 자연수가 각각 하나씩 적힌 15개의 공이 들어 있는 상자에서 동시에 3개의 공을 꺼낼 때, 꺼낸 공에 적힌 수의 총합이 짝수가 되는 경우의 수를 구하시오.

023 상

서로 다른 5개의 바구니에 검은 공 3개와 흰 공 6개를 넣을 때, 다음 조건을 모두 만족시키도록 공을 넣는 방법의 수를 구하시오. (단, 같은 색의 공은 서로 구별하지 않는다.)

> (개) 공은 각 바구니에 1개 이상 넣는다.
> (내) 검은 공은 한 바구니에 2개 이상 넣을 수 없다.

유형 03   특정한 것을 포함하거나 포함하지 않는 조합의 수

024 대표 문제 다시 보기

현수와 정선이를 포함한 8명의 배드민턴 동호회 회원 중에서 시 대회에 참가할 회원 4명을 뽑을 때, 현수와 정선이를 모두 뽑는 방법의 수는?

① 15   ② 21   ③ 28
④ 56   ⑤ 70

025 중

도균이네 반 학생 중에서 교내 축구 대회에 출전하고 싶어 하는 학생은 축구 특기자 2명을 포함한 15명이다. 그런데 교내 축구 대회 규정상 축구 특기자는 출전할 수 없다고 할 때, 이 중에서 교내 축구 대회에 출전할 학생 11명을 뽑는 방법의 수를 구하시오.

026 중

7가지 무지개색 중에서 4가지 색을 택할 때, 빨간색은 포함하지 않고 주황색과 노란색은 포함하여 택하는 방법의 수는?

① 5   ② 6   ③ 7
④ 8   ⑤ 9

027 중

1학년 학생 6명, 2학년 학생 7명으로 구성된 토론 동아리에서 1학년 학생 4명, 2학년 학생 4명을 뽑을 때, 특정한 1학년 학생 1명과 특정한 2학년 학생 2명을 모두 뽑는 방법의 수를 구하시오.

028 중

집합 $X=\{1, 2, 3, 4, \cdots, 10\}$의 부분집합 중에서 1, 2 중 하나만 원소로 갖고, 원소의 개수가 5인 집합의 개수는?

① 84   ② 126   ③ 140
④ 252   ⑤ 280

029 중

5가지 종류의 체험 프로그램이 있는 체험 활동에 참가한 연희와 민아가 체험 프로그램 중에서 각각 2가지를 택할 때, 연희와 민아가 택한 체험 프로그램 중에서 한 종류만 같은 경우의 수는?

① 48   ② 52   ③ 56
④ 60   ⑤ 64

유형 04 '적어도'의 조건이 있는 조합의 수

030 대표 문제 다시 보기

서로 다른 과자 5개와 서로 다른 아이스크림 4개 중에서 3개를 택할 때, 과자와 아이스크림이 적어도 1개씩 포함되도록 택하는 방법의 수는?

① 70   ② 74   ③ 78
④ 82   ⑤ 86

031 하

남자 5명과 여자 5명으로 구성된 모임에서 대표 4명을 뽑을 때, 여자가 적어도 1명 포함되도록 뽑는 방법의 수를 구하시오.

032 중

서로 다른 운동화 4켤레, 구두 5켤레, 슬리퍼 2켤레 중에서 4켤레를 택할 때, 구두가 적어도 2켤레 포함되도록 택하는 방법의 수는?

① 115   ② 200   ③ 215
④ 230   ⑤ 315

033 중

1학년 학생과 2학년 학생으로 구성된 어느 수학 동아리 학생 12명 중에서 운영진 3명을 뽑을 때, 1학년 학생이 적어도 1명 포함되도록 뽑는 방법의 수가 210이다. 이때 1학년 학생은 몇 명인지 구하시오.

핵심유형 완성하기

★중요

유형 05 뽑아서 나열하는 방법의 수

034 (대표 문제) 다시 보기

서로 다른 소설책 6권과 만화책 5권 중에서 소설책 2권과 만화책 2권을 택하여 책꽂이에 일렬로 꽂는 방법의 수는?

① 150　　　　② 360　　　　③ 600

④ 3600　　　⑤ 4200

035 하

5개의 문자 a, b, c, d, e 중에서 a를 포함한 3개의 문자를 택하여 일렬로 나열하는 방법의 수는?

① 30　　　　② 36　　　　③ 60

④ 80　　　　⑤ 144

036 중

연우와 찬호를 포함한 7명의 학생 중에서 4명을 뽑아 일렬로 세울 때, 연우와 찬호가 모두 포함되고 서로 이웃하도록 세우는 방법의 수를 구하시오.

037 상

[신유형]

오른쪽 그림과 같이 9칸으로 이루어진 보관함에 서로 다른 물건 6개를 넣을 때, 세 가로줄에 각각 1개, 2개, 3개로 넣는 방법의 수를 구하시오.

유형 06 직선의 개수

038 (대표 문제) 다시 보기

한 평면 위에 있는 서로 다른 8개의 점 중에서 어느 세 점도 한 직선 위에 있지 않을 때, 주어진 점을 이어서 만들 수 있는 서로 다른 직선의 개수는?

① 24　　　　② 26　　　　③ 28

④ 30　　　　⑤ 32

039 중

오른쪽 그림과 같이 평행한 두 직선 위에 7개의 점이 있을 때, 주어진 점을 이어서 만들 수 있는 서로 다른 직선의 개수를 구하시오.

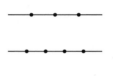

040 중

오른쪽 그림과 같이 반원 위에 9개의 점이 있을 때, 주어진 점을 이어서 만들 수 있는 서로 다른 직선의 개수를 구하시오.

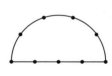

유형 07 대각선의 개수

041 대표 문제 다시 보기

오른쪽 그림과 같은 십각형에서 대각선의
개수는?

① 35   ② 37

③ 39   ④ 41

⑤ 45

042 중

대각선의 개수가 65인 다각형의 꼭짓점의 개수는?

① 12   ② 13   ③ 14

④ 15   ⑤ 16

043 상

구각형의 서로 다른 대각선의 교점의 최대 개수는?

(단, 꼭짓점은 교점에서 제외한다.)

① 120   ② 122   ③ 124

④ 126   ⑤ 128

유형 08 다각형의 개수

044 대표 문제 다시 보기

오른쪽 그림과 같이 반원 위에 있는 10
개의 점 중에서 3개의 점을 꼭짓점으로
하는 삼각형의 개수를 구하시오.

045 하

오른쪽 그림과 같이 원 위에 있는 7개의
점 중에서 4개의 점을 꼭짓점으로 하는
사각형의 개수는?

① 30   ② 35

③ 40   ④ 45

⑤ 50

046 중

오른쪽 그림과 같이 정삼각형의 변 위에
같은 간격으로 놓인 9개의 점 중에서 3개
의 점을 꼭짓점으로 하는 삼각형의 개수
를 구하시오.

047 상

오른쪽 그림과 같이 가로, 세로에 같은
간격으로 놓인 12개의 점 중에서 3개의
점을 꼭짓점으로 하는 삼각형의 개수를
구하시오.

유형 **09** 평행사변형의 개수

048 대표 문제 다시 보기

오른쪽 그림과 같이 5개의 평행한 직선과 4개의 평행한 직선이 서로 만날 때, 이 직선으로 만들어지는 평행사변형의 개수를 구하시오.

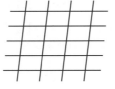

049 중

오른쪽 그림과 같이 각각 3개, 2개, 3개의 평행한 직선이 서로 만날 때, 이 직선으로 만들어지는 평행사변형의 개수는?

① 6　　　　② 9

③ 12　　　　④ 15

⑤ 18

050 중

오른쪽 그림과 같이 6개의 정사각형을 이어붙인 도형에서 정사각형이 아닌 직사각형의 개수를 구하시오.

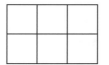

유형 **10** 함수의 개수

051 대표 문제 다시 보기

두 집합 $X=\{1, 2, 3, 4, 5\}$, $Y=\{1, 2, 3, 4, 5, 6, 7\}$에 대하여 함수 $f : X \longrightarrow Y$ 중에서 다음 조건을 만족시키는 함수 f의 개수를 구하시오.

> $x_1 \in X$, $x_2 \in X$일 때, $x_1 < x_2$이면 $f(x_1) < f(x_2)$

052 중

집합 $X=\{1, 2, 3, 4, 5\}$에 대하여 함수 $f : X \longrightarrow X$ 중에서 $f(2) < f(3) < f(4)$를 만족시키는 함수 f의 개수는?

① 210　　　② 220　　　③ 230

④ 240　　　⑤ 250

053 중

두 집합 $X=\{1, 2, 3, 4, 5\}$, $Y=\{-3, -2, -1, 0, 1, 2, 3\}$에 대하여 함수 $f : X \longrightarrow Y$ 중에서 다음 조건을 모두 만족시키는 함수 f의 개수는?

> (개) $x_1 \in X$, $x_2 \in X$일 때, $x_1 < x_2$이면 $f(x_1) < f(x_2)$
> (내) $f(4)=1$

① 8　　　　② 10　　　　③ 12

④ 14　　　　⑤ 16

★중요

유형 **11** 나누는 방법의 수

054 대표 문제 다시 보기

서로 다른 7개의 공을 똑같은 상자 3개에 빈 상자가 없도록 나누어 담는 방법의 수를 구하시오.

055 중

남학생 7명, 여학생 3명을 5명씩 두 개의 조로 나눌 때, 각 조에 적어도 한 명의 여학생이 포함되도록 나누는 방법의 수를 구하시오.

056 중

7명의 학생을 2명, 2명, 2명, 1명의 4개 조로 나누어 서로 다른 4곳에서 봉사활동을 하는 방법의 수는?

① 105   ② 210   ③ 315

④ 1260   ⑤ 2520

057 상   신유형

서로 다른 상자 6개에 서로 다른 공 5개를 나누어 넣을 때, 빈 상자가 3개가 되도록 공을 넣는 방법의 수를 구하시오.

유형 **12** 대진표 작성하기

058 대표 문제 다시 보기

피구 대회에 참가한 6개의 학급이 오른쪽 그림과 같은 토너먼트 방식으로 시합을 할 때, 대진표를 작성하는 방법의 수는?

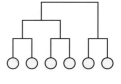

① 15   ② 45   ③ 90

④ 135   ⑤ 270

059 중

발야구 대회에 참가한 5개의 학급이 오른쪽 그림과 같은 토너먼트 방식으로 시합을 할 때, 대진표를 작성하는 방법의 수는?

① 25   ② 27   ③ 30

④ 32   ⑤ 35

060 상

야구 대회에 참가한 7개의 팀이 다음 그림과 같은 토너먼트 방식으로 시합을 할 때, 대진표를 작성하는 방법의 수는?

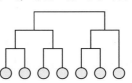

① 225   ② 255   ③ 285

④ 315   ⑤ 345

061
유형 01

다음 중 $_7C_3 + _7C_4$의 값과 같은 것은?

① $_7C_2$ ② $_7C_6$ ③ $_8C_3$

④ $_8C_4$ ⑤ $_8C_6$

062
유형 01

$_{n+1}P_2 + _{n+1}C_{n-1} = 63$을 만족시키는 n의 값은?

① 4   ② 5   ③ 6

④ 7   ⑤ 8

063
유형 02

A모둠 학생 6명과 B모둠 학생 5명 중에서 3명을 뽑을 때, 3명의 학생이 모두 같은 모둠인 경우의 수를 구하시오.

064
유형 02

2부터 40까지의 짝수 중에서 서로 다른 두 수를 택할 때, 택한 두 수의 합이 3의 배수가 되는 경우의 수는?

① 55   ② 58   ③ 61

④ 64   ⑤ 67

065
유형 03

7개의 문자 a, b, c, d, e, f, g 중에서 4개를 택할 때, a, b를 포함하여 택하는 방법의 수와 a, b를 포함하지 않고 택하는 방법의 수의 합은?

① 15   ② 20   ③ 25

④ 30   ⑤ 35

066
유형 03

A, B를 포함한 9편의 영화 중에서 5편을 택할 때, A, B 중에서 한 편만 택하는 방법의 수는?

① 50   ② 55   ③ 60

④ 65   ⑤ 70

067
유형 04

1부터 9까지의 자연수 중에서 서로 다른 5개의 수를 택할 때, 9의 약수가 적어도 2개 포함되도록 택하는 방법의 수는?

① 15   ② 30   ③ 45

④ 60   ⑤ 75

068
유형 04

서로 다른 종류의 연필과 볼펜을 합하여 9자루가 있다. 이 중에서 3자루를 택할 때, 볼펜이 적어도 1자루 포함되도록 택하는 방법의 수가 74이다. 이때 연필은 모두 몇 자루인지 구하시오.

069
유형 05

어느 수학·과학 융합 체험전에 수학 부스가 4개, 과학 부스가 3개 있다. 희수가 이 체험전에서 수학 부스 2개, 과학 부스 1개를 골라 순서를 정해 체험하려고 할 때, 체험하는 방법의 수는?

① 18   ② 36   ③ 72
④ 108   ⑤ 144

070
유형 05

민수, 현재, 동현이를 포함한 9명의 학생 중에서 5명을 뽑아 일렬로 세울 때, 민수와 현재는 모두 포함되고 동현이는 포함되지 않으며 민수와 현재가 서로 이웃하지 않게 세우는 방법의 수는?

① 480   ② 720   ③ 960
④ 1200   ⑤ 1440

071
유형 06

오른쪽 그림과 같이 원 위에 7개의 점이 있을 때, 주어진 점을 이어서 만들 수 있는 서로 다른 직선의 개수는?

① 21   ② 23
③ 25   ④ 27
⑤ 29

072
유형 07

오른쪽 그림과 같은 정십이각형에서 대각선의 개수를 구하시오.

073
유형 08

다음 그림과 같이 평행한 두 직선 위에 10개의 점이 있을 때, 이 중에서 4개의 점을 꼭짓점으로 하는 사각형의 개수는?

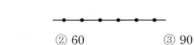

① 15   ② 60   ③ 90
④ 150   ⑤ 205

074
유형 09

다음 그림과 같이 5개의 평행한 직선과 6개의 평행한 직선이 서로 만날 때, 이 직선으로 만들어지는 평행사변형의 개수를 구하시오.

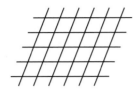

075
유형 10

두 집합 $X=\{1, 2, 3, 4\}$, $Y=\{2, 4, 6, 8, 10\}$에 대하여 함수 $f : X \longrightarrow Y$ 중에서 다음 조건을 만족시키는 함수 f의 개수를 구하시오.

$x_1 \in X$, $x_2 \in X$일 때, $x_1 < x_2$이면 $f(x_1) < f(x_2)$

076
유형 10

두 집합 $X=\{-3, -1, 0, 1, 3\}$, $Y=\{1, 2, 3, 4\}$에 대하여 치역과 공역이 일치하는 X에서 Y로의 함수의 개수는?

① 220 　　　　② 240 　　　　③ 260
④ 280 　　　　⑤ 300

077
유형 11

서로 다른 6개의 구슬을 3개, 3개의 두 묶음으로 나누는 방법의 수를 a, 2개, 4개의 두 묶음으로 나누는 방법의 수를 b라 할 때, $b-a$의 값은?

① 5 　　　　② 6 　　　　③ 7
④ 8 　　　　⑤ 9

078
유형 11

윤우와 선호를 포함한 7명이 3명, 2명, 2명의 3개 조로 나누어 지하철, 버스, 택시를 이용하여 이동할 때, 윤우와 선호가 같은 교통수단을 이용하는 방법의 수를 구하시오. (단, 각 조는 서로 다른 교통수단을 이용하고, 교통수단은 한 조에 1가지만 이용한다.)

079
유형 12

축구 대회에 참가한 8개의 팀이 다음 그림과 같은 토너먼트 방식으로 시합을 할 때, 대진표를 작성하는 방법의 수를 구하시오.

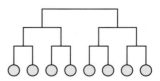

빠른답 체크

01 집합의 뜻과 포함 관계 ——— 8~21쪽

001 ②	002 ⑤	003 ②	004 ④
005 2	006 ②	007 ②	008 2
009 6	010 ④	011 ③	012 8
013 ③	014 ③	015 ④	016 2
017 ④	018 ①	019 ④	020 ③
021 ④	022 24	023 $C=\{2, 3, 4, 5, 6, 7, 8\}$	
024 ②	025 ㄱ, ㄴ	026 ③	027 ④
028 2	029 ③	030 ⑤	031 ②
032 ①	033 ③	034 3	035 ④
036 ∅, {1}, {3}, {9}, {1, 3}, {1, 9}, {3, 9}			037 ①
038 ②	039 ②	040 ㄱ, ㄷ	041 ④
042 ⑤	043 ②	044 $-4\leq a\leq-3$	
045 ②	046 ④	047 5	048 ⑤
049 100	050 −1	051 512	052 ③
053 ⑤	054 14	055 4	056 ①
057 8	058 11	059 ④	060 4
061 15	062 9	063 ③	064 15
065 56	066 ③	067 ④	068 ⑤
069 ③	070 ①	071 $C=\{-4, -2, 0, 2, 4\}$	
072 ㄴ, ㄹ	073 ⑤	074 ③	075 7
076 ①	077 ③	078 4	079 4
080 4	081 95	082 ②	083 ④
084 ②	085 57		

02 집합의 연산 ——— 24~37쪽

001 {1, 2, 3, 5, 6, 7}	002 ④	003 42	
004 ②	005 2	006 ③	007 16
008 ⑤	009 ⑤	010 −9	011 ③
012 ④	013 8	014 ④	015 5
016 ⑤	017 {2, 5, 6, 7}	018 19	
019 ②	020 ③	021 ②	022 36
023 ⑤	024 {3, 4, 5, 7, 9}	025 33	
026 ⑤	027 ㄴ, ㄹ	028 ④	029 3
030 4	031 ⑤	032 ③	033 ⑤
034 ③	035 ④	036 ③	037 ③
038 ③	039 8	040 ③	041 ②
042 ①	043 ⑤	044 ①	045 ③
046 ⑤	047 ②	048 ②	049 24
050 ④	051 33	052 30	053 −11
054 ⑤	055 2		
056 $-4<k\leq-3$ 또는 $3\leq k<4$			057 ③
058 ②	059 ④	060 ①	061 4
062 2	063 20	064 ①	065 5
066 35	067 2	068 15	069 12
070 7	071 30	072 ④	073 ①
074 ⑤	075 ①	076 ⑤	077 ③
078 −1	079 ⑤	080 ②	081 16
082 ③	083 ②	084 ④	085 ①
086 −7	087 ③	088 34	089 ①
090 10	091 12		

03 명제 40~57쪽

001 ① 002 ③ 003 {−2} 004 ④
005 ③ 006 $a<-2$ 007 ② 008 ⑤
009 6 010 ③ 011 ③ 012 ②
013 ③ 014 ④ 015 ㄱ, ㄷ 016 ①
017 {−4, −3, −1, 1, 2, 3, 4} 018 3
019 ④ 020 3 021 ⑤ 022 ①
023 ① 024 ⑤ 025 ② 026 ①
027 ㄱ, ㄹ 028 16 029 3 030 ②
031 ④ 032 ④ 033 ㄴ, ㄷ 034 ①
035 ③ 036 ⑤ 037 ① 038 ⑤
039 ④ 040 ④ 041 ⑤ 042 2
043 −5 044 ④ 045 ② 046 ㄴ, ㄷ
047 ⑤ 048 ④ 049 ② 050 ①
051 ⑤ 052 2 053 풀이 참조 054 풀이 참조
055 풀이 참조 056 ② 057 ④ 058 5
059 ② 060 (개) 충분 (내) 필요 061 ㄷ
062 ㄱ, ㄷ 063 ③ 064 ④ 065 ④
066 ④ 067 ⑤ 068 ③ 069 −4
070 −2 071 3
072 (개) $3k-2$ (내) $3k^2-4k+1$ (대) $3k^2-2k$ 073 ②
074 (개) 유리수 (내) 유리수 (대) 무리수 075 ⑤
076 ③ 077 (개) $ay-bx$ (내) $ay=bx$ 078 ④
079 19 080 ③ 081 $200\,\mathrm{m}^2$ 082 ④
083 ⑤ 084 12 085 ③ 086 $\dfrac{1}{12}$
087 ③ 088 13 089 8 090 ⑤
091 ① 092 ③ 093 15 094 ㄱ, ㄷ
095 ① 096 3 097 ② 098 ⑤
099 ② 100 12 101 ④ 102 ③
103 ③ 104 ⑤ 105 −1 106 ①
107 ① 108 $\dfrac{2}{3}$ 109 ① 110 10
111 4 112 ③

04 함수 60~79쪽

001 ③ 002 2 003 ④ 004 3
005 −1 006 ㄱ, ㄷ 007 −3 008 ④
009 ⑤ 010 ㄱ, ㄴ, ㄹ 011 ⑤ 012 ④
013 ③ 014 7 015 ⑤ 016 ③
017 ② 018 {0, 1, 2} 019 2 020 ④
021 ① 022 $\dfrac{1}{64}$ 023 ② 024 ④
025 ② 026 ㄱ, ㄴ 027 {−2}, {5}, {−2, 5}
028 ④ 029 ③ 030 ㄴ 031 25
032 1 033 ① 034 $-2<a<2$
035 ② 036 4 037 ③ 038 4
039 281 040 6 041 ③ 042 4
043 ④ 044 −1 045 ⑤ 046 3
047 ③ 048 6 049 ② 050 ②
051 ② 052 ④ 053 ④ 054 ①
055 ② 056 0 057 3 058 ②
059 3 060 4 061 ③ 062 ⑤
063 −1 064 3 065 ④ 066 2
067 $h(x)=-\dfrac{3}{2}x+\dfrac{1}{2}$ 068 ④ 069 ④
070 ① 071 6 072 3 073 ②
074 7 075 $-\dfrac{7}{2}$ 076 ② 077 4
078 ③ 079 ⑤ 080 6 081 −1
082 8 083 ③ 084 $h^{-1}(x)=-\dfrac{1}{3}x+1$
085 −1 086 ① 087 8 088 9
089 2 090 ③ 091 4 092 ②
093 2 094 ⑤ 095 ②
096 $h(x)=\begin{cases}\dfrac{1}{2}x & (x\geq2)\\ x-1 & (x<2)\end{cases}$ 097 ④ 098 ④
099 ③ 100 $\dfrac{2}{3}$ 101 −1 102 ⑤
103 ② 104 10 105 ① 106 ㄱ, ㄴ, ㄹ
107 22 108 5 109 ㄱ, ㄴ, ㄷ 110 ①
111 −1 112 6 113 7 114 ③
115 ④ 116 2 117 −6 118 ②
119 5 120 ⑤ 121 $a<-1$ 또는 $a>1$
122 ① 123 $-\dfrac{5}{2}$ 124 4 125 5
126 ① 127 $2\sqrt{2}$

001 ④　　002 ①　　003 −1　　004 $4x+6$

005 6　　006 $\dfrac{1}{x}$　　007 ①　　008 $\dfrac{11}{14}$

009 ③　　010 $\dfrac{5}{x^3+1}$　　011 $\dfrac{2}{(x+1)(x-1)}$

012 $\dfrac{x+1}{(x+3)(x-1)}$　　013 ③　　014 ④

015 ③　　016 ③　　017 ⑤

018 $\dfrac{7x-1}{(x-1)(x+2)}$　　019 12　　020 ④

021 $\dfrac{9}{22}$　　022 ③　　023 ④　　024 $-x$

025 10　　026 −3　　027 −3　　028 ①

029 ③　　030 $\dfrac{2}{3}$　　031 ③　　032 −2

033 1　　034 ③　　035 $\dfrac{11}{5}$　　036 −2

037 ⑤　　038 3　　039 ⑤　　040 ③

041 제2사분면　042 ⑤　　043 ⑤　　044 4

045 $\dfrac{1}{4}$　　046 ④　　047 14　　048 5

049 ③　　050 ④　　051 2　　052 ㄱ, ㄴ

053 −2　　054 2　　055 ②　　056 6

057 ④　　058 −2　　059 3　　060 ④

061 ①　　062 $0 \leq a < 2$ 또는 $a > 2$　　063 ①

064 ④　　065 4　　066 ⑤　　067 ④

068 ㄱ, ㄴ　069 ⑤　　070 5　　071 ②

072 27　　073 −2　　074 ①　　075 0

076 ②　　077 ④　　078 $\dfrac{10}{3}$　　079 $\dfrac{2}{3}$

080 $11+6\sqrt{2}$　081 6　　082 $2\sqrt{2}$　　083 5

084 ⑤　　085 $\dfrac{10}{1001}$　　086 ㄱ, ㄴ, ㄷ　087 ①

088 1　　089 ②　　090 −4　　091 $\dfrac{6}{5}$

092 $\dfrac{1}{2}$　　093 −9　　094 ②　　095 ④

096 ③　　097 16　　098 $\dfrac{1}{900}$　　099 ①

100 −3　　101 ⑤　　102 ②　　103 ⑤

104 −1　　105 3　　106 ④　　107 ①

108 ⑤　　109 ②　　110 ②　　111 ④

112 9　　113 ⑤　　114 12　　115 $-\dfrac{1}{2}$

001 $1 \leq x < 2$　002 ⑤　　003 ③　　004 $\dfrac{\sqrt{5}-1}{2}$

005 ④　　006 ②　　007 6

008 제1, 2사분면　　009 ㄷ　　010 4

011 ⑤　　012 $2 \leq k < \dfrac{9}{4}$　　013 $\dfrac{3}{2}$

014 $f^{-1}(x)=\dfrac{1}{2}x^2-4x+\dfrac{17}{2}\,(x \geq 4)$　　015 ④

016 ③　　017 ⑤　　018 ③　　019 $x+7$

020 ③　　021 7　　022 ⑤　　023 ④

024 ④　　025 10　　026 $\sqrt{21}-1$　　027 $2\sqrt{2}-\sqrt{7}$

028 ①　　029 1　　030 $-\sqrt{2}$　　031 ②

032 $2\sqrt{2}$　　033 4　　034 ④　　035 44

036 2　　037 ②　　038 $\left(\dfrac{8}{3},\,0\right)$　　039 ②

040 ④　　041 정의역: $\{x \mid x \leq 1\}$, 치역: $\{y \mid y \geq -2\}$

042 ⑤　　043 ②　　044 2

045 제1, 4사분면　　046 ㄱ, ㄴ, ㄹ　047 ②

048 ⑤　　049 $a>0,\ b>0,\ c<0$　　050 ⑤

051 ④　　052 ①　　053 ①

054 $-2 \leq k < -\dfrac{3}{2}$　　055 ①

056 $k < \dfrac{1}{2}$ 또는 $k=1$　　057 4　　058 $\dfrac{1}{2}$

059 $\dfrac{1}{4}$　　060 ①　　061 4

062 $f^{-1}(x)=x^2+2x+4\,(x \geq -1)$　　063 ⑤

064 ①　　065 ④　　066 4　　067 $\dfrac{13}{2}$

068 $\dfrac{1}{2}$　　069 ⑤　　070 ⑤　　071 ①

072 ③　　073 $2x+2$　　074 ②　　075 ⑤

076 ③　　077 −24　　078 −1　　079 ①

080 ③　　081 ⑤　　082 ②　　083 4

084 ③　　085 $\dfrac{3}{2}$　　086 $\dfrac{13}{2}$　　087 ①

088 5　　089 ③　　090 $\dfrac{5}{2}$

07 순열 118~133쪽

001 ⑤	002 ③	003 ②	004 14
005 18	006 540	007 49	008 9
009 ②	010 7	011 9	012 ④
013 16	014 ②	015 10	016 4
017 ⑤	018 15	019 ①	020 ③
021 4	022 ③	023 12	024 ④
025 10	026 48	027 30	028 4
029 48	030 ②	031 84	032 420
033 98	034 ⑤	035 23	036 ④
037 ⑤	038 15	039 6	040 ①
041 ②	042 ④	043 ⑤	044 84
045 ③	046 79번째	047 18	048 7
049 ②	050 11	051 ③	
052 (개) $(n-r)!$ (내) n (대) $n!$		053 ⑤	054 ⑤
055 8	056 ③	057 720	058 ③
059 3	060 ④	061 480	062 144
063 ④	064 ⑤	065 ①	066 ④
067 ②	068 720	069 ⑤	070 720
071 432	072 ①	073 ②	074 3
075 156	076 100	077 ③	078 ②
079 108번째	080 ②	081 ③	082 4523
083 96	084 ②	085 ①	086 18
087 ⑤	088 ②	089 60	090 ④
091 ③	092 ③	093 ④	094 ①
095 9	096 7	097 336	098 ⑤
099 ④	100 1584	101 ①	102 ②
103 288	104 84	105 ⑤	106 ③
107 24			

08 조합 136~148쪽

001 3	002 18	003 ③	004 194
005 1440	006 ③	007 20	008 ④
009 18	010 15	011 ⑤	012 90
013 ②	014 6	015 ④	016 −5
017 (개) $n-r-1$ (내) $n-r$ (대) $n!$			018 ④
019 168	020 ③	021 12	022 231
023 700	024 ①	025 78	026 ②
027 100	028 ③	029 ④	030 ①
031 205	032 ③	033 7명	034 ④
035 ②	036 120	037 38880	038 ③
039 14	040 27	041 ①	042 ②
043 ④	044 110	045 ②	046 72
047 200	048 60	049 ④	050 10
051 21	052 ⑤	053 ①	054 301
055 105	056 ⑤	057 3000	058 ②
059 ③	060 ④	061 ④	062 ③
063 30	064 ④	065 ①	066 ⑤
067 ⑤	068 5자루	069 ④	070 ⑤
071 ①	072 54	073 ③	074 150
075 5	076 ②	077 ①	078 150
079 315			

핵심 유형 마스터

만렙 PM

15개정 교육과정

고등 **수학(하)**

정답과 해설

visang

ABOVE IMAGINATION

우리는 남다른 상상과 혁신으로
교육 문화의 새로운 전형을 만들어
모든 이의 행복한 경험과 성장에 기여한다

핵심 유형 마스터

만렙
PM

정답과 해설

고등 **수학**(하)

001 답 ②

①, ③, ④, ⑤ '착한', '소질이 있는', '큰', '잘하는'은 기준이 명확하지 않아 그 대상을 분명히 정할 수 없으므로 집합이 아니다.

002 답 ⑤

집합 A의 원소는 2, 3, 5, 7이므로
⑤ $9 \notin A$

003 답 ②

② {2, 3, 5, 7}이므로 주어진 집합과 같지 않다.

004 답 ④

② {1, 3, 5, 7, …} ➡ 무한집합
③ {2, 4, 6, 8, …} ➡ 무한집합
④ {5, 10, 15, 20, …, 95} ➡ 유한집합
⑤ {3, 6, 9, 12, …} ➡ 무한집합
따라서 보기 중 유한집합인 것은 ④이다.

005 답 2

$A=\{1, 2, 4, 5, 10, 20\}$이므로 $n(A)=6$
$B=\{12, 24, 36, 48, 60, 72, 84, 96\}$이므로 $n(B)=8$
$\therefore n(B)-n(A)=8-6=2$

006 답 ②

$A=\{2, 3, 5\}$, $B=\{2, 3, 4, 5, 6, 7\}$, $C=\{2, 3, 5, 7\}$이므로
$A \subset C \subset B$

007 답 ②

② {1, 2}는 집합 A의 원소이므로 $\{1, 2\} \in A$

008 답 2

$A \subset B$가 성립하도록 두 집합 A, B를 수직선 위에 나타내면 오른쪽 그림과 같으므로
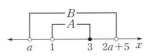
$a \leq 1$, $2a+5 > 3$
$2a+5 > 3$에서 $a > -1$이므로 $-1 < a \leq 1$
따라서 구하는 정수 a는 0, 1의 2개이다.

009 답 6

$A=B$이므로 $2 \in B$에서 $2 \in A$
$a=2$ 또는 $3a+1=2$ $\therefore a=2$ 또는 $a=\dfrac{1}{3}$
그런데 a는 자연수이므로 $a=2$
따라서 $A=\{2, 4, 7, 9\}$이므로 $A=B$에서
$3b-2=7$ $\therefore b=3$
$\therefore ab=6$

010 답 ④

$A=\{1, 3, 5, 9, 15, 45\}$이므로 $n(A)=6$
따라서 집합 A의 부분집합의 개수는 $2^6=64$

011 답 ③

집합 A의 부분집합 중 0을 반드시 원소로 갖는 부분집합의 개수는
$2^{4-1}=2^3=8$

012 답 8

집합 X의 개수는 집합 B의 부분집합 중 1, 2를 반드시 원소로 갖는 부분집합의 개수와 같으므로
$2^{5-2}=2^3=8$

013 답 ③

집합 A의 부분집합 중 1 또는 2를 원소로 갖는 부분집합은 집합 A의 부분집합에서 집합 {3, 4, 5}의 부분집합을 제외하면 된다.
따라서 구하는 부분집합의 개수는
$2^5-2^3=32-8=24$

014 답 ③

ㄴ, ㄷ. '맛있는', '유명한'은 기준이 명확하지 않아 그 대상을 분명히 정할 수 없으므로 집합이 아니다.
따라서 보기 중 집합인 것은 ㄱ, ㄹ이다.

015 답 ④

④ '시력이 좋은'은 기준이 명확하지 않아 그 대상을 분명히 정할 수 없으므로 집합이 아니다.

016 답 2

ㄱ, ㄴ. '많은', '큰'은 기준이 명확하지 않아 그 대상을 분명히 정할 수 없으므로 집합이 아니다.
따라서 보기 중 집합인 것은 ㄷ, ㄹ의 2개이다.

017 답 ④

집합 A의 원소는 1, 2, 3, 6, 9, 18이므로
① $1 \in A$ ② $4 \notin A$ ③ $6 \in A$ ⑤ $18 \in A$

018 답 ①

$x^3-x^2-2x=0$에서 $x(x^2-x-2)=0$
$x(x+1)(x-2)=0$ $\therefore x=-1$ 또는 $x=0$ 또는 $x=2$
따라서 집합 A의 원소는 -1, 0, 2이므로
① $-2 \notin A$

019 답 ④

① $\sqrt{2}$는 무리수이므로 $\sqrt{2} \notin Q$
② 3은 정수이므로 $3 \in Q$
③ $\dfrac{2}{5}$는 유리수이고, 유리수는 실수에 포함되므로 $\dfrac{2}{5} \in R$
⑤ $1+\sqrt{2}$는 무리수이고, 무리수는 실수에 포함되므로 $1+\sqrt{2} \in R$

020 답 ③

① $A=\{1, 2, 4\}$ ② $A=\{1, 2, 4, 8\}$
③ $A=\{1, 2, 4, 8, 16\}$ ④ $A=\{2, 4, 6, 8, \cdots, 16\}$
⑤ $A=\{4, 8, 12, 16, 20\}$
따라서 보기 중 바르게 나타낸 것은 ③이다.

021 답 ④

④ $\{1, 2, 3, 4, \cdots, 9\}$

022 답 24

k의 값이 될 수 있는 자연수는 21, 22, 23, 24이므로 k의 최댓값은 24이다.

023 답 $C=\{2, 3, 4, 5, 6, 7, 8\}$

$a\in A$, $b\in B$인 a, b에 대하여 $a+b$의 값을 구하면 오른쪽 표와 같으므로
$C=\{2, 3, 4, 5, 6, 7, 8\}$

a\\b	2	4	6
0	2	4	6
1	3	5	7
2	4	6	8

024 답 ②

$x=2^a\times3^b$에서 a, b는 자연수이므로 x는 2와 3을 모두 인수로 갖는다.
① $6=2^1\times3^1$ ② $9=3^2$ ③ $12=2^2\times3^1$
④ $18=2^1\times3^2$ ⑤ $24=2^3\times3^1$
따라서 보기 중 집합 B의 원소가 아닌 것은 ②이다.

025 답 ㄱ, ㄴ

ㄱ. $\varnothing$ ➡ 유한집합
ㄴ. $\{0\}$ ➡ 유한집합
ㄷ. $\{4, 8, 12, 16, \cdots\}$ ➡ 무한집합
ㄹ. $\{3, 4, 5, 6, \cdots\}$ ➡ 무한집합
따라서 보기 중 유한집합인 것은 ㄱ, ㄴ이다.

026 답 ③

① $\{1\}$ ➡ 유한집합
② $\{10, 12, 14, 16, \cdots, 98\}$ ➡ 유한집합
③ $-1<x<1$인 유리수는 무수히 많으므로 무한집합이다.
④ $\varnothing$ ➡ 유한집합
⑤ $\{-1, 3\}$ ➡ 유한집합
따라서 보기 중 무한집합인 것은 ③이다.

027 답 ④

① 원소가 1개 있으므로 공집합이 아니다.
② $\{2\}$이므로 공집합이 아니다.
③ $\{-1, 0, 1\}$이므로 공집합이 아니다.
④ $x^2+4x+3<0$에서 $(x+3)(x+1)<0$ ∴ $-3<x<-1$
　이때 $-3<x<-1$을 만족시키는 자연수 x는 존재하지 않으므로 공집합이다.

⑤ $\{ab\,|\,0\le ab\le1\}$이므로 공집합이 아니다.
따라서 보기 중 공집합인 것은 ④이다.

028 답 2

주어진 집합이 공집합이 되려면 이차방정식 $x^2+2x+k=0$의 판별식을 D라 할 때, $D<0$이어야 하므로
$\dfrac{D}{4}=1^2-k<0$ ∴ $k>1$
따라서 정수 k의 최솟값은 2이다.

029 답 ③

$A=\{2, 3, 5, 7\}$이므로 $n(A)=4$
$B=\{3, 6, 9, 12, \cdots, 48\}$이므로 $n(B)=16$
∴ $n(A)+n(B)=4+16=20$

030 답 ⑤

⑤ $n(\{1, 2, 3\})-n(\{1, 2\})=3-2=1$

031 답 ②

$A=\{(0, 1), (0, -1), (1, 0), (-1, 0)\}$이므로
$n(A)=4$

032 답 ①

$A=\{1, 2, 3, 6\}$이므로 $n(A)=4$
$B=\{1, 2, 3, 4, \cdots, k\}$이므로 $n(B)=k$
이때 $n(A)+n(B)=9$이므로
$4+k=9$ ∴ $k=5$

033 답 ③

a는 자연수이므로 $a+3\ge4$
즉, $\dfrac{24}{a+3}\le6$이므로 x는 24의 양의 약수 중 6 이하의 자연수이다.
따라서 $A=\{1, 2, 3, 4, 6\}$이므로
$n(A)=5$

034 답 3

x와 $4-x$가 모두 자연수이므로
$x\ge1$, $4-x\ge1$ ∴ $1\le x\le3$
따라서 집합 A의 원소가 될 수 있는 것은 1, 2, 3이고
$1\in A$이면 $4-1=3\in A$,
$2\in A$이면 $4-2=2\in A$,
$3\in A$이면 $4-3=1\in A$
이므로 1과 3은 동시에 집합 A의 원소이거나 원소가 아니다.
(i) 원소가 1개일 때, $A=\{2\}$
(ii) 원소가 2개일 때, $A=\{1, 3\}$
(iii) 원소가 3개일 때, $A=\{1, 2, 3\}$
(i), (ii), (iii)에 의하여 $n(A)$의 최댓값은 3이다.

035 답 ④

$A=\{-2, -1, 0, 1, 2\}$, $B=\{-1, 1\}$, $C=\{-1, 0, 1\}$이므로
$B \subset C \subset A$

036 답 $\varnothing$, $\{1\}$, $\{3\}$, $\{9\}$, $\{1, 3\}$, $\{1, 9\}$, $\{3, 9\}$

$\{1, 3, 9\}$의 진부분집합을 구하면
$\varnothing$, $\{1\}$, $\{3\}$, $\{9\}$, $\{1, 3\}$, $\{1, 9\}$, $\{3, 9\}$

037 답 ①

모든 정수는 유리수이고 모든 유리수는 실수이므로
$Z \subset Q \subset R$

038 답 ②

$A \subset B$이고 $B \subset A$이므로 $A=B$인 것을 찾으면 된다.
① $B=\{2, 4, 6, 8, \cdots\}$이므로 $A \neq B$
② $B=\{1, 2, 3, 4\}$이므로 $A=B$
③ $A=\{2, 3, 5, 7\}$이므로 $A \neq B$
④ $A=\{0, 1\}$, $B=\{-1, 0, 1\}$이므로 $A \neq B$
⑤ $A=\{1, 2, 3, 6\}$, $B=\{3, 6, 9, 12, \cdots\}$이므로 $A \neq B$
따라서 보기 중 $A \subset B$이고 $B \subset A$인 것은 ②이다.

039 답 ②

$x \in A$, $y \in A$인 x, y에 대하여 $x+y$, xy의 값을 구하면 각각 다음 표와 같다.

x＼y	0	1	2
0	0	1	2
1	1	2	3
2	2	3	4

x＼y	0	1	2
0	0	0	0
1	0	1	2
2	0	2	4

$x+y$ xy

따라서 $A=\{0, 1, 2\}$, $B=\{0, 1, 2, 3, 4\}$, $C=\{0, 1, 2, 4\}$이므로
$A \subset C \subset B$

040 답 ㄱ, ㄷ

ㄴ. c는 집합 A의 원소가 아니므로 $c \notin A$
ㄹ. $\{b, c\}$는 집합 A의 원소이므로 $\{b, c\} \in A$
따라서 보기 중 옳은 것은 ㄱ, ㄷ이다.

041 답 ④

$A=\{a, c, d\}$, $B=\{a, b, c, d, e\}$이므로
④ $\{c, d\} \subset B$

042 답 ⑤

$A=\{3, 6, 9, 12\}$, $B=\{1, 2, 3, 4, 6, 12\}$이므로
⑤ $\{1, 2, 4, 8\} \not\subset B$

043 답 ②

② 2는 집합 A의 원소가 아니므로 $2 \notin A$

044 답 $-4 \leq a \leq -3$

$A \subset B$가 성립하도록 두 집합 A, B를 수직선 위에 나타내면 오른쪽 그림과 같으므로

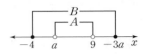

$-4 \leq a$, $9 \leq -3a$
$9 \leq -3a$에서 $a \leq -3$이므로
$-4 \leq a \leq -3$

045 답 ②

$A \subset B \subset C$가 성립하도록 세 집합 A, B, C를 수직선 위에 나타내면 오른쪽 그림과 같으므로

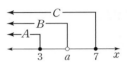

$3 < a \leq 7$
따라서 구하는 정수 a는 4, 5, 6, 7의 4개이다.

046 답 ④

$A \subset B$이므로 $1 \in A$에서 $1 \in B$
$a-1=1$ 또는 $2a-1=1$ $\therefore a=2$ 또는 $a=1$
(i) $a=1$일 때
    $A=\{1, 3\}$, $B=\{0, 1, 4\}$이므로 $A \not\subset B$
(ii) $a=2$일 때
    $A=\{1, 4\}$, $B=\{1, 3, 4\}$이므로 $A \subset B$
(i), (ii)에 의하여 $a=2$

047 답 5

$A=B$이므로 $1 \in B$에서 $1 \in A$
$a=1$ 또는 $a+2=1$ $\therefore a=1$ 또는 $a=-1$
그런데 a는 자연수이므로 $a=1$
따라서 $A=\{1, 3, 6, 9\}$이므로 $A=B$에서
$b-1=3$ $\therefore b=4$
$\therefore a+b=5$

048 답 ⑤

$A=B$이므로 $a+b=4$, $3a-2b=7$
두 식을 연립하여 풀면 $a=3$, $b=1$
$\therefore a-b=2$

049 답 100

$A=B$이므로 $b \in A$, $4 \in A$
즉, b, 4는 이차방정식 $x^2+x+a=0$의 두 근이므로 근과 계수의 관계에 의하여
$b+4=-1$, $b \times 4=a$ $\therefore a=-20$, $b=-5$
$\therefore ab=100$

050 답 −1

$A \subset B$이고 $B \subset A$이므로 $A = B$

$6 \in B$에서 $6 \in A$이므로

$a^2 - 2a + 3 = 6$, $a^2 - 2a - 3 = 0$

$(a+1)(a-3) = 0$ ∴ $a = -1$ 또는 $a = 3$

(i) $a = -1$일 때

$A = \{2, 6, 9\}$, $B = \{2, 6, 9\}$이므로 $A = B$

(ii) $a = 3$일 때

$A = \{2, 6, 9\}$, $B = \{-7, 6, 10\}$이므로 $A \neq B$

(i), (ii)에 의하여 $a = -1$

051 답 512

$A = \{1, 2, 3, 4, 6, 9, 12, 18, 36\}$이므로 $n(A) = 9$

따라서 집합 A의 부분집합의 개수는 $2^9 = 512$

052 답 ③

$A = \{2, 3, 5, 7\}$이므로 $n(A) = 4$

따라서 집합 A의 진부분집합의 개수는 $2^4 - 1 = 15$

053 답 ⑤

각 집합의 부분집합의 개수를 구하면

①, ② 원소의 개수가 4이므로 $2^4 = 16$

③ $\{1, 2, 3, 4\}$에서 원소의 개수가 4이므로 $2^4 = 16$

④ $\{1, 2, 4, 8, 16, 32\}$에서 원소의 개수가 6이므로 $2^6 = 64$

⑤ $\{6, 12, 18, 24, 30\}$에서 원소의 개수가 5이므로 $2^5 = 32$

따라서 보기의 집합 중 부분집합의 개수가 32인 것은 ⑤이다.

054 답 14

두 집합 A, B의 원소의 개수를 각각 a, b라 하면

$2^a = 64$, $2^b - 1 = 255$

$2^a = 64 = 2^6$에서 $a = 6$

$2^b = 256 = 2^8$에서 $b = 8$

∴ $n(A) + n(B) = a + b = 14$

055 답 4

집합 A의 부분집합 중 5, 7을 원소로 갖지 않는 부분집합의 개수는 $2^{4-2} = 2^2 = 4$

056 답 ①

$A = \{2, 4, 6, 8, 10, 12, 14\}$이므로 집합 A의 진부분집합 중 6, 12를 반드시 원소로 갖는 부분집합의 개수는

$2^{7-2} - 1 = 2^5 - 1 = 32 - 1 = 31$

057 답 8

집합 A의 부분집합 중 a, c는 반드시 원소로 갖고 e는 원소로 갖지 않는 부분집합 X의 개수는

$2^{6-2-1} = 2^3 = 8$

058 답 11

$A = \{1, 2, 3, 4, \cdots, k\}$에서 $n(A) = k$이므로 2, 7은 반드시 원소로 갖고 3, 4, 5는 원소로 갖지 않는 부분집합의 개수는

$2^{k-2-3} = 2^{k-5}$

따라서 $2^{k-5} = 64 = 2^6$이므로

$k - 5 = 6$ ∴ $k = 11$

059 답 ④

$A = \{1, 3\}$, $B = \{1, 3, 5, 15, 25, 75\}$

따라서 집합 X의 개수는 집합 B의 부분집합 중 1, 3을 반드시 원소로 갖는 부분집합의 개수와 같으므로

$2^{6-2} = 2^4 = 16$

060 답 4

구하는 집합의 개수는 집합 B의 부분집합 중 a, b는 반드시 원소로 갖고 e는 원소로 갖지 않는 부분집합의 개수와 같으므로

$2^{5-2-1} = 2^2 = 4$

061 답 15

$A = \{1, 2, 4, 5, 10, 20\}$

따라서 집합 X의 개수는 집합 A의 진부분집합 중 1, 2를 반드시 원소로 갖는 부분집합의 개수와 같으므로

$2^{6-2} - 1 = 2^4 - 1 = 16 - 1 = 15$

062 답 9

집합 X의 개수는 집합 A의 부분집합 중 1, 2, 3, 6을 반드시 원소로 갖는 부분집합의 개수와 같으므로

$2^{n-4} = 32 = 2^5$

따라서 $n - 4 = 5$이므로 $n = 9$

063 답 ③

$A = \{2, 5, 8, 11, 14, 17, 20\}$이므로 집합 A의 부분집합 중 5 또는 8을 원소로 갖는 부분집합은 집합 A의 부분집합에서 집합 $\{2, 11, 14, 17, 20\}$의 부분집합을 제외하면 된다.

따라서 구하는 부분집합의 개수는 $2^7 - 2^5 = 128 - 32 = 96$

064 답 15

$A = \{1, 2, 3, 4, \cdots, 10\}$이므로 집합 A의 부분집합 중 소수인 원소만으로 이루어진 부분집합은 집합 $\{2, 3, 5, 7\}$의 부분집합에서 $\varnothing$을 제외하면 된다.

따라서 구하는 부분집합의 개수는 $2^4 - 1 = 16 - 1 = 15$

065 답 56

$A = \{5, 10, 15, 20, 25, 30\}$이므로 집합 A의 부분집합 중 적어도 1개의 홀수를 원소로 갖는 부분집합은 집합 A의 부분집합에서 집합 $\{10, 20, 30\}$의 부분집합을 제외하면 된다.

따라서 구하는 부분집합의 개수는 $2^6 - 2^3 = 64 - 8 = 56$

066 답 ③

원소의 합이 25 이상이려면 원소가 3개 이상이어야 한다.

(i) 원소가 3개인 경우

$\{6, 9, 10\}, \{7, 8, 10\}, \{7, 9, 10\}, \{8, 9, 10\}$의 4개

(ii) 원소가 4개인 경우

$\{6, 7, 8, 9\}, \{6, 7, 8, 10\}, \{6, 7, 9, 10\}, \{6, 8, 9, 10\},$

$\{7, 8, 9, 10\}$의 5개

(iii) 원소가 5개인 경우

$\{6, 7, 8, 9, 10\}$의 1개

(i), (ii), (iii)에 의하여 구하는 부분집합의 개수는

$4+5+1=10$

067 답 ④

④ '잘하는'은 기준이 명확하지 않아 그 대상을 분명히 정할 수 없으므로 집합이 아니다.

068 답 ⑤

$A=\{4, 8, 12, 16, 20, \cdots\}, B=\{1, 2, 4, 8, 16, 32\}$이므로

⑤ $24\notin B$

069 답 ③

① $\{1, 2, 4, 8\}$

② $\{1, 2, 3, 4, 6, 12\}$

④ $\{2, 4, 6, 8, \cdots, 24\}$

⑤ $\{4, 8, 12, 16, 20, 24\}$

070 답 ①

$x^2-2x-3<0$에서 $(x+1)(x-3)<0$

$\therefore -1<x<3$

따라서 $A=\{0, 1, 2\}$이므로 모든 원소의 합은

$0+1+2=3$

071 답 $C=\{-4, -2, 0, 2, 4\}$

$a\in A$, $b\in B$인 a, b에 대하여 ab의 값을 구하면 오른쪽 표와 같으므로

$C=\{-4, -2, 0, 2, 4\}$

a\b	1	2
-2	-2	-4
0	0	0
2	2	4

072 답 ㄴ, ㄹ

ㄱ. $\{1, 2, 4, 5, 10, 20, 25, 50, 100\}$ ➡ 유한집합

ㄴ. $0<x<1$인 실수 x는 무수히 많으므로 무한집합이다.

ㄷ. $\{101, 103, 105, 107, \cdots, 999\}$ ➡ 유한집합

ㄹ. $\{\cdots, -2, -1, 1, 2, \cdots\}$ ➡ 무한집합

따라서 보기 중 무한집합인 것은 ㄴ, ㄹ이다.

073 답 ⑤

⑤ 집합 $\{1, 2, \{3, 4\}\}$의 원소는 1, 2, $\{3, 4\}$의 3개이므로

$n(\{1, 2, \{3, 4\}\})=3$

074 답 ③

$n(A)=1$이 되려면 이차방정식 $x^2-4x+k=0$이 중근을 가져야 한다.

이 이차방정식의 판별식을 D라 하면 $D=0$이어야 하므로

$\dfrac{D}{4}=(-2)^2-k=0$ $\therefore k=4$

075 답 7

a와 $\dfrac{16}{a}$이 모두 자연수이므로 a는 16의 양의 약수이다.

따라서 집합 A의 원소가 될 수 있는 것은 1, 2, 4, 8, 16이고

$1\in A$이면 $\dfrac{16}{1}=16\in A$, $2\in A$이면 $\dfrac{16}{2}=8\in A$,

$4\in A$이면 $\dfrac{16}{4}=4\in A$, $8\in A$이면 $\dfrac{16}{8}=2\in A$,

$16\in A$이면 $\dfrac{16}{16}=1\in A$

이므로 1과 16, 2와 8은 동시에 집합 A의 원소이거나 원소가 아니다.

(i) 원소가 1개일 때, $A=\{4\}$

(ii) 원소가 2개일 때, $A=\{1, 16\}$, $A=\{2, 8\}$

(iii) 원소가 3개일 때, $A=\{1, 4, 16\}$, $A=\{2, 4, 8\}$

(iv) 원소가 4개일 때, $A=\{1, 2, 8, 16\}$

(v) 원소가 5개일 때, $A=\{1, 2, 4, 8, 16\}$

(i)~(v)에 의하여 구하는 집합 A의 개수는

$1+2+2+1+1=7$

076 답 ①

모든 정사각형은 직사각형이고 모든 직사각형은 평행사변형이므로

$X\subset Y\subset Z$

077 답 ③

ㄴ. $\{\varnothing\}$은 집합 A의 원소이므로 $\{\varnothing\}\in A$

ㄷ. $\{2, 3\}$은 집합 A의 원소이므로 $\{2, 3\}\in A$

따라서 보기 중 옳은 것은 ㄱ, ㄹ이다.

078 답 4

$A=\{-2, 3\}$이고 $A\subset B$이므로 $-2\in B$, $3\in B$

따라서 $a>3$이어야 하므로 정수 a의 최솟값은 4이다.

079 답 4

$B=\{x|1\leq x\leq 2\}, C=\{x|-2<x<6\}$

$B\subset A\subset C$가 성립하도록 세 집합 A, B, C를 수직선 위에 나타내면 오른쪽 그림과 같으므로

$2\leq a<6$

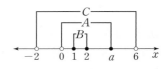

따라서 구하는 정수 a는 2, 3, 4, 5의 4개이다.

080 답 4

$A \subset B$이고 $B \subset A$이므로 $A = B$

$4 \in B$에서 $4 \in A$이므로

$a^2 - 3a = 4$, $a^2 - 3a - 4 = 0$

$(a+1)(a-4) = 0$ ∴ $a = -1$ 또는 $a = 4$

(i) $a = -1$일 때

   $A = \{-1, 3, 4\}$, $B = \{-2, 4, 9\}$이므로 $A \neq B$

(ii) $a = 4$일 때

   $A = \{-1, 3, 4\}$, $B = \{-1, 3, 4\}$이므로 $A = B$

(i), (ii)에 의하여 $a = 4$

081 답 95

$A_{16} = \{x \mid x$는 16의 양의 약수$\} = \{1, 2, 4, 8, 16\}$

$A_{18} = \{x \mid x$는 18의 양의 약수$\} = \{1, 2, 3, 6, 9, 18\}$

따라서 $a = 2^5 = 32$, $b = 2^6 - 1 = 63$이므로

$a + b = 95$

082 답 ②

집합 A의 진부분집합의 개수가 31이면 부분집합의 개수가 32이므로 집합 A의 원소의 개수를 a라 하면

$2^a = 32 = 2^5$ ∴ $a = 5$

즉, $A = \{2, 3, 5, 7, 11\}$이어야 하므로

$11 < k \leq 13$ ∴ $k = 12$ 또는 $k = 13$

따라서 모든 k의 값의 합은

$12 + 13 = 25$

083 답 ④

$A = \{1, 2, 3, 5, 6, 10, 15, 30\}$이므로 집합 A의 부분집합 중 1은 반드시 원소로 갖고 2, 3, 6은 원소로 갖지 않는 부분집합의 개수는

$2^{8-1-3} = 2^4 = 16$

084 답 ②

$A = \{1, 2, 3, 4, \cdots, 10\}$, $B = \{2, 3, 5, 7\}$이므로 집합 X는 집합 A의 부분집합 중 2, 3, 5, 7을 반드시 원소로 갖는 부분집합에서 두 집합 A, B를 제외하면 된다.

따라서 구하는 집합 X의 개수는

$2^{10-4} - 2 = 2^6 - 2 = 62$

085 답 57

$B = \{1, 3, 5, 7, 9, 11, 13, 15, 17, 19\}$이므로 집합 X는 집합 B의 부분집합 중 1, 3, 5, 7을 반드시 원소로 갖고, 나머지 원소 9, 11, 13, 15, 17, 19 중 2개 이상을 원소로 갖는 집합이다.

따라서 구하는 집합 X의 개수는 집합 $\{9, 11, 13, 15, 17, 19\}$의 부분집합의 개수에서 원소의 개수가 1인 부분집합 6개와 공집합 1개를 뺀 것과 같으므로

$2^6 - 6 - 1 = 57$

001 답 $\{1, 2, 3, 5, 6, 7\}$

$A = \{1, 3, 5, 7\}$, $B = \{1, 2, 3, 6, 9, 18\}$,

$C = \{1, 2, 3, 4, 6, 8, 12, 24\}$이므로

$A \cup (B \cap C) = \{1, 3, 5, 7\} \cup \{1, 2, 3, 6\} = \{1, 2, 3, 5, 6, 7\}$

002 답 ④

② $\{2, 4, 6, 8\}$ ③ $\{2, 3, 5, 7\}$ ④ $\{1, 3, 5, 15\}$ ⑤ $\{1, 4\}$

따라서 보기 중 집합 $\{2, 4, 6, 8\}$과 서로소인 집합은 ④이다.

003 답 42

$U = \{1, 2, 3, 4, \cdots, 12\}$, $A = \{1, 2, 3, 4, 6, 12\}$, $B = \{4, 8, 12\}$

이므로

$A^C - B = \{5, 7, 8, 9, 10, 11\} - \{4, 8, 12\} = \{5, 7, 9, 10, 11\}$

따라서 집합 $A^C - B$의 모든 원소의 합은 $5 + 7 + 9 + 10 + 11 = 42$

004 답 ②

①   ③

④   ⑤

005 답 2

$A \cap B = \{1, 2\}$에서 $2 \in A$이므로

$a^2 - a = 2$, $a^2 - a - 2 = 0$

$(a+1)(a-2) = 0$ ∴ $a = -1$ 또는 $a = 2$

(i) $a = -1$일 때

   $A = \{1, 2, 4\}$, $B = \{-2, 2, 4\}$이므로 $A \cap B = \{2, 4\}$

   따라서 주어진 조건을 만족시키지 않는다.

(ii) $a = 2$일 때

   $A = \{1, 2, 4\}$, $B = \{1, 2, 7\}$이므로 $A \cap B = \{1, 2\}$

(i), (ii)에 의하여 $a = 2$

006 답 ③

$A \cap B = A$에서 $A \subset B$

③ $A \subset B$이므로 $A - B = \varnothing$

007 답 16

$A \cup X = X$에서 $A \subset X$이고, $B \cap X = X$에서 $X \subset B$이므로

$A \subset X \subset B$

따라서 집합 X는 집합 B의 부분집합 중 2, 4, 6을 반드시 원소로 갖는 부분집합이므로 집합 X의 개수는

$2^{7-3} = 2^4 = 16$

008 답 ⑤

$$(A-B)^C \cap B^C = (A \cap B^C)^C \cap B^C$$
$$= (A^C \cup B) \cap B^C$$
$$= (A^C \cap B^C) \cup (B \cap B^C)$$
$$= (A^C \cap B^C) \cup \varnothing$$
$$= A^C \cap B^C = (A \cup B)^C$$

009 답 ⑤

$$(A_3 \cup A_6) \cap (A_4 \cup A_{12}) = A_3 \cap A_4 = A_{12}$$

010 답 -9

$x^2 - 3x - 4 > 0$에서 $(x+1)(x-4) > 0$
$\therefore x < -1$ 또는 $x > 4$
$\therefore A = \{x | x < -1$ 또는 $x > 4\}$
이때 $A \cup B = \{x | x$는 모든 실수$\}$,
$A \cap B = \{x | 4 < x \le 5\}$이므로 오른
쪽 그림에서
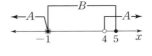
$B = \{x | -1 \le x \le 5\}$
$\quad = \{x | (x+1)(x-5) \le 0\}$
$\quad = \{x | x^2 - 4x - 5 \le 0\}$
따라서 $a = -4$, $b = -5$이므로 $a + b = -9$

011 답 ③

① $A \triangle A = (A \cup A) - (A \cap A) = A - A = \varnothing$
② $A \triangle \varnothing = (A \cup \varnothing) - (A \cap \varnothing) = A - \varnothing = A$
③ $A \triangle U = (A \cup U) - (A \cap U) = U - A = A^C$
④ $A \triangle A^C = (A \cup A^C) - (A \cap A^C) = U - \varnothing = U$
⑤ $A \triangle B = (A \cup B) - (A \cap B)$
$\qquad = (B \cup A) - (B \cap A) = B \triangle A$

012 답 ④

$n(A-B) = n(A) - n(A \cap B)$이므로
$10 = 15 - n(A \cap B)$ $\quad \therefore n(A \cap B) = 5$
$\therefore n(A \cup B) = n(A) + n(B) - n(A \cap B)$
$\qquad = 15 + 10 - 5 = 20$

013 답 8

(i) $n(A \cap B)$가 최대인 경우는 $B \subset A$일 때이므로
$\quad M = n(B) = 12$
(ii) $n(A \cap B)$가 최소인 경우는 $n(A \cup B)$가 최대일 때이므로
$\quad A \cup B = U$일 때이다.
$\quad n(A \cap B) = n(A) + n(B) - n(A \cup B)$에서
$\quad m = 16 + 12 - 24 = 4$
(i), (ii)에 의하여 $M - m = 12 - 4 = 8$

014 답 ④

학생 전체의 집합을 U, 축구를 좋아하는 학생의 집합을 A, 농구를 좋아하는 학생의 집합을 B라 하면
$n(U) = 35$, $n(A) = 23$, $n(B) = 16$, $n((A \cup B)^C) = 7$

$n((A \cup B)^C) = n(U) - n(A \cup B)$에서
$7 = 35 - n(A \cup B)$ $\quad \therefore n(A \cup B) = 28$
축구와 농구를 모두 좋아하는 학생의 집합은 $A \cap B$이므로
$n(A \cap B) = n(A) + n(B) - n(A \cup B)$
$\qquad = 23 + 16 - 28 = 11$
따라서 구하는 학생 수는 11이다.

015 답 5

$A = \{2, 3, 5, 7\}$, $B = \{1, 2, 3, 5, 6, 10, 15, 30\}$, $C = \{1, 2, 4\}$
이므로
$(A \cap B) \cup C = \{2, 3, 5\} \cup \{1, 2, 4\} = \{1, 2, 3, 4, 5\}$
$\therefore n((A \cap B) \cup C) = 5$

016 답 ⑤

$C = \{1, 2, 7, 14\}$이므로
⑤ $A \cup (B \cap C) = \{1, 3, 5, 7\}$

017 답 $\{2, 5, 6, 7\}$

주어진 조건을 벤다이어그램으로 나타내면
오른쪽 그림과 같으므로
$B = \{2, 5, 6, 7\}$

018 답 19

주어진 집합은 $\{1, 2, 3, 4, 5, 6, 7\}$
㈎에서 $X \cap \{3, 4, 5\} = \{4\}$이므로 $3 \notin X$, $4 \in X$, $5 \notin X$
㈏에서 $S(X)$의 값은 홀수이므로 집합 X는 주어진 집합의 원소 중 홀수인 원소 1, 3, 5, 7에서 1개 또는 3개의 원소를 갖는다.
이때 $3 \notin X$, $5 \notin X$이므로 원소 1, 7 중 1개를 원소로 갖는다.
따라서 주어진 조건을 만족시키면서 원소의 개수가 가장 많은 집합 X는 $\{1, 2, 4, 6\}$, $\{2, 4, 6, 7\}$이고 $X = \{2, 4, 6, 7\}$일 때 $S(X)$의 값이 최대이므로 $S(X)$의 최댓값은
$2 + 4 + 6 + 7 = 19$

019 답 ②

④ $\{8, 16, 24, 32, \cdots\}$ ⑤ $\{1, 3, 5, 7, 9\}$
따라서 보기 중 집합 $\{1, 2, 4, 8\}$과 서로소인 집합은 ②이다.

020 답 ③

③ $B \subset A$이므로 $A \cap B \ne \varnothing$
④ $A = \{1, 2, 3, 6\}$, $B = \{4, 8, 12, 16, \cdots\}$이므로 $A \cap B = \varnothing$
⑤ $A = \{-1, 0\}$, $B = \{1, 2\}$이므로 $A \cap B = \varnothing$
따라서 보기 중 두 집합 A, B가 서로소가 아닌 것은 ③이다.

021 답 ②

집합 $A = \{a, b, c, d, e\}$의 부분집합 중에서 집합 $B = \{d, e\}$와 서로소인 집합은 원소 d, e를 포함하지 않는 부분집합이다.
따라서 구하는 집합의 개수는
$2^{5-2} = 2^3 = 8$

022 답 **36**

$A=\{3, 5, 7, 9\}$, $B=\{2, 5, 8\}$이므로 $A-B=\{3, 7, 9\}$

$\therefore (A-B)^C=\{1, 2, 4, 5, 6, 8, 10\}$

따라서 집합 $(A-B)^C$의 모든 원소의 합은

$1+2+4+5+6+8+10=36$

023 답 ⑤

$A=\{1, 2, 4, 8\}$, $B=\{2, 4, 6, 8\}$이므로 ⑤ $A-B=\{1\}$

024 답 **{3, 4, 5, 7, 9}**

$U=\{1, 2, 3, 4, \cdots, 10\}$,

$(A\cup B)^C=\{6, 10\}$이므로 주어진 조건을 벤다이어그램으로 나타내면 오른쪽 그림과 같다.

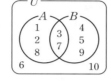

$\therefore B=\{3, 4, 5, 7, 9\}$

025 답 **33**

집합 $(A-B)\cup(B-A)$는 오른쪽 벤다이어 그램의 색칠한 부분과 같고,

$A=\{1, 2, 4, 5, 7, 8\}$이므로

$A-B=\{1, 4, 7\}$, $B-A=\{3, 6, 9\}$

$\therefore B=\{2, 3, 5, 6, 8, 9\}$

따라서 집합 B의 모든 원소의 합은

$2+3+5+6+8+9=33$

026 답 ⑤

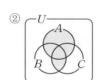

027 답 ㄴ, ㄹ

ㄱ, ㄷ.

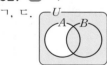

028 답 ④

③ $(A\cap B)-C=\varnothing$

029 답 **3**

$B-A=\{4\}$에서 $2\in(A\cap B)$이므로

$a^2-2a-1=2$, $a^2-2a-3=0$

$(a+1)(a-3)=0$ $\therefore a=-1$ 또는 $a=3$

(i) $a=-1$일 때

$A=\{2, 3, 5\}$, $B=\{-7, 2, 4\}$이므로

$B-A=\{-7, 4\}$

따라서 주어진 조건을 만족시키지 않는다.

(ii) $a=3$일 때

$A=\{2, 3, 5\}$, $B=\{2, 4, 5\}$이므로

$B-A=\{4\}$

(i), (ii)에 의하여 $a=3$

030 답 **4**

$A\cap B=\{-2, 5\}$이므로

$2a+b=5$, $a-b=-2$

두 식을 연립하여 풀면

$a=1$, $b=3$

$\therefore a+b=4$

031 답 ⑤

$A-B=\{2\}$에서 $2\in A$이므로

$a=2$ 또는 $a+2=2$

$\therefore a=2$ 또는 $a=0$

(i) $a=0$일 때

$A=\{0, 2, 3\}$, $B=\{3, 5, 6\}$이므로

$A-B=\{0, 2\}$

따라서 주어진 조건을 만족시키지 않는다.

(ii) $a=2$일 때

$A=\{2, 3, 4\}$, $B=\{3, 4, 5\}$이므로

$A-B=\{2\}$

(i), (ii)에 의하여 $B=\{3, 4, 5\}$

따라서 집합 B의 모든 원소의 합은

$3+4+5=12$

032 답 ③

$A\cup B=\{-2, 1, 3, 4\}$에서 $-2\in A$ 또는 $1\in A$이므로

$a-2=-2$ 또는 $a-2=1$ $\therefore a=0$ 또는 $a=3$

(i) $a=0$일 때

$A=\{-2, 3, 4\}$, $B=\{-3, -2, 1\}$이므로

$A\cup B=\{-3, -2, 1, 3, 4\}$

따라서 주어진 조건을 만족시키지 않는다.

(ii) $a=3$일 때

$A=\{1, 3, 4\}$, $B=\{-2, 3, 4\}$이므로

$A\cup B=\{-2, 1, 3, 4\}$

(i), (ii)에 의하여 $a=3$

033 답 ⑤

$(A-B) \cup (B-A) = \{5, 9\}$이고, $a+2 \neq a+7$, $a^2+1 \neq a^2$이므로
$a+2 = a^2$ 또는 $a^2+1 = a+7$
즉, $a^2-a-2=0$ 또는 $a^2-a-6=0$
∴ $a=-2$ 또는 $a=-1$ 또는 $a=2$ 또는 $a=3$

(i) $a=-2$일 때
  $A=\{0, 5\}$, $B=\{4, 5\}$이므로 $(A-B) \cup (B-A) = \{0, 4\}$
  따라서 주어진 조건을 만족시키지 않는다.

(ii) $a=-1$일 때
  $A=\{1, 2\}$, $B=\{1, 6\}$이므로 $(A-B) \cup (B-A) = \{2, 6\}$
  따라서 주어진 조건을 만족시키지 않는다.

(iii) $a=2$일 때
  $A=\{4, 5\}$, $B=\{4, 9\}$이므로 $(A-B) \cup (B-A) = \{5, 9\}$

(iv) $a=3$일 때
  $A=\{5, 10\}$, $B=\{9, 10\}$이므로 $(A-B) \cup (B-A) = \{5, 9\}$

(i)~(iv)에 의하여 $a=2$ 또는 $a=3$
따라서 모든 상수 a의 값의 합은 $2+3=5$

034 답 ③

$A \cup B = A$이므로
ㄱ. $B \subset A$ ㄹ. $A^c - B^c = \varnothing$
따라서 보기 중 항상 옳은 것은 ㄴ, ㄷ이다.

035 답 ④

③ $U - A^c = (A^c)^c = A$
④ $A - B = A \cap B^c$
따라서 옳지 않은 것은 ④이다.

036 답 ③

$A - B = A$이므로 두 집합 A, B는 서로소이다.
따라서 옳지 않은 것은 ③이다.

037 답 ③

① $A - B^c = A \cap (B^c)^c = A \cap B$
② $B - A^c = B \cap (A^c)^c = A \cap B$
③ $A \cup (B \cap B^c) = A \cup \varnothing = A$
④ $B \cap (U - A^c) = B \cap \{U \cap (A^c)^c\}$
  $= B \cap (U \cap A) = A \cap B$
⑤ $(A \cap B) \cap (A \cup A^c) = (A \cap B) \cap U = A \cap B$
따라서 나머지 넷과 다른 하나는 ③이다.

038 답 ②

$B^c \subset A^c$이므로 $A \subset B$
① $A \cup B = B$
② $B - A^c = B \cap (A^c)^c = B \cap A = A$
③ $B \cap (A \cup B) = B \cap B = B$
④ $B \cup (A \cap B) = B \cup A = B$
⑤ $B \cup (A - B) = B \cup \varnothing = B$
따라서 나머지 넷과 다른 하나는 ②이다.

039 답 8

$(A \cap B) \cup X = X$에서 $(A \cap B) \subset X$
$(A \cup B) \cap X = X$에서 $X \subset (A \cup B)$
∴ $(A \cap B) \subset X \subset (A \cup B)$
$A \cap B = \{3, 5, 7\}$, $A \cup B = \{1, 2, 3, 5, 7, 9\}$이므로
$\{3, 5, 7\} \subset X \subset \{1, 2, 3, 5, 7, 9\}$
따라서 집합 X는 집합 $\{1, 2, 3, 5, 7, 9\}$의 부분집합 중 3, 5, 7
을 반드시 원소로 갖는 부분집합이므로 집합 X의 개수는
$2^{6-3} = 2^3 = 8$

040 답 ③

$U = \{1, 2, 3, 4, \cdots, 10\}$, $A = \{2, 3, 5, 7\}$이고, $A \cup X = U$이므
로 집합 X는 집합 A^c의 원소 1, 4, 6, 8, 9, 10을 반드시 원소로
가져야 한다.
따라서 구하는 집합 X의 개수는 $2^{10-6} = 2^4 = 16$

041 답 ②

$A - X = \varnothing$이므로 $A \subset X$
$B \cap X^c = B - X = B$이므로 $B \cap X = \varnothing$
따라서 집합 X는 집합 U의 부분집합 중 1, 3, 5, 7은 반드시 원소
로 갖고 4, 8은 원소로 갖지 않는 부분집합이므로 집합 X의 개수는
$2^{8-4-2} = 2^2 = 4$

042 답 ①

$A - B = \{1, 2\}$이고 $(A-B) \cap X = \{2\}$이므로 $2 \in X$, $1 \notin X$
$B \cup X = X$에서 $B \subset X$이므로 $\{5, 10\} \subset X$
따라서 집합 X는 집합 $U = \{1, 2, 4, 5, 10, 20\}$의 부분집합 중 2,
5, 10은 반드시 원소로 갖고 1은 원소로 갖지 않는 부분집합이므
로 집합 X의 개수는 $2^{6-3-1} = 2^2 = 4$

043 답 ⑤

$(A-C) - (B-C) = (A \cap C^c) - (B \cap C^c)$
$= (A \cap C^c) \cap (B \cap C^c)^c$
$= (A \cap C^c) \cap (B^c \cup C)$
$= (A \cap C^c \cap B^c) \cup (A \cap C^c \cap C)$
$= \{A \cap (C^c \cap B^c)\} \cup \varnothing$
$= A \cap (B \cup C)^c = A - (B \cup C)$

044 답 ①

$A \cup (B \cap C) = (A \cup B) \cap (A \cup C)$
$= \{1, 2, 3, 4, 5\} \cap \{2, 4, 6\} = \{2, 4\}$
따라서 집합 $A \cup (B \cap C)$의 모든 원소의 합은 $2+4=6$

045 답 ③

$U = \{1, 2, 3, 4, 5\}$이고 $A^c \cup B^c = (A \cap B)^c = \{1, 2, 4, 5\}$이므
로 $A \cap B = \{3\}$
또 $B \cap (A \cap B)^c = B - (A \cap B) = \{5\}$이므로 $B = \{3, 5\}$
∴ $B^c = U - B = \{1, 2, 3, 4, 5\} - \{3, 5\} = \{1, 2, 4\}$

046 답 ⑤

$$\{(A-B)\cup B\}^c = \{(A\cap B^c)\cup B\}^c$$
$$= \{(A\cup B)\cap(B^c\cup B)\}^c$$
$$= \{(A\cup B)\cap U\}^c$$
$$= (A\cup B)^c = \varnothing$$
$$\therefore A\cup B = U$$

047 답 ②

$$\{(A\cap B)\cup(A-B)\}\cup B = \{(A\cap B)\cup(A\cap B^c)\}\cup B$$
$$= \{A\cap(B\cup B^c)\}\cup B$$
$$= (A\cap U)\cup B$$
$$= A\cup B = A$$

따라서 $B\subset A$이므로
①, ③ $A\cap B = B$
④ $B-A = \varnothing$
⑤ $A^c\subset B^c$

048 답 ②

① $A\cap(A^c\cup B) = (A\cap A^c)\cup(A\cap B)$
$$= \varnothing\cup(A\cap B)$$
$$= A\cap B$$
② $(A-B)\cup(A-C) = (A\cap B^c)\cup(A\cap C^c)$
$$= A\cap(B^c\cup C^c)$$
$$= A\cap(B\cap C)^c$$
$$= A-(B\cap C)$$
③ $A-(B-C) = A-(B\cap C^c)$
$$= A\cap(B\cap C^c)^c$$
$$= A\cap(B^c\cup C)$$
$$= (A\cap B^c)\cup(A\cap C)$$
$$= (A-B)\cup(A\cap C)$$
④ $(A\cup B)\cap(A^c\cap B^c) = (A\cup B)\cap(A\cup B)^c$
$$= (A\cup B)-(A\cup B) = \varnothing$$
⑤ $(A\cap B)-(A\cap C) = (A\cap B)\cap(A\cap C)^c$
$$= (A\cap B)\cap(A^c\cup C^c)$$
$$= (A\cap B\cap A^c)\cup(A\cap B\cap C^c)$$
$$= \varnothing\cup(A\cap B\cap C^c)$$
$$= (A\cap B)\cap C^c$$
$$= (A\cap B)-C$$

049 답 24

$$(A_2\cap A_3)\cap(A_8\cup A_{16}) = A_6\cap A_8 = A_{24}$$
$$\therefore n = 24$$

050 답 ④

$$A_{16}\cap A_{24}\cap A_{32} = (A_{16}\cap A_{24})\cap A_{32}$$
$$= A_8\cap A_{32} = A_8$$
$$= \{1, 2, 4, 8\}$$
따라서 집합 $A_{16}\cap A_{24}\cap A_{32}$에 속하지 않는 원소는 ④이다.

051 답 33

$$A_2\cap(A_3\cup A_4) = (A_2\cap A_3)\cup(A_2\cap A_4)$$
$$= A_6\cup A_4$$
따라서 집합 $A_2\cap(A_3\cup A_4)$는 100 이하의 자연수 중 4의 배수이거나 6의 배수인 수의 집합이므로 원소의 개수는
(4의 배수의 개수)+(6의 배수의 개수)−(12의 배수의 개수)
$$= 25+16-8 = 33$$

052 답 30

$A_4\cap A_5 = A_{20}$이므로 $A_p\subset A_{20}$을 만족시키는 자연수 p는 20의 양의 배수이다.
$B_{20}\cap B_{30} = B_{10}$이므로 $B_q\subset B_{10}$을 만족시키는 자연수 q는 10의 양의 약수이다.
따라서 자연수 p의 최솟값은 20이고 자연수 q의 최댓값은 10이므로 구하는 합은
$$20+10 = 30$$

053 답 −11

$x^2-x-6\leq 0$에서 $(x+2)(x-3)\leq 0$
$$\therefore -2\leq x\leq 3$$
$$\therefore A = \{x\,|\,-2\leq x\leq 3\}$$
이때 $A\cap B = \{x\,|\,1\leq x\leq 3\}$,
$A\cup B = \{x\,|\,-2\leq x\leq 5\}$이므로 오른쪽
그림에서

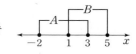

$B = \{x\,|\,1\leq x\leq 5\}$
$$= \{x\,|\,(x-1)(x-5)\leq 0\}$$
$$= \{x\,|\,x^2-6x+5\leq 0\}$$
따라서 $a=-6$, $b=5$이므로
$$a-b = -11$$

054 답 ⑤

$x^2-5x+6=0$에서 $(x-2)(x-3)=0$
$$\therefore x=2 \text{ 또는 } x=3$$
$$\therefore A = \{2, 3\}$$
이때 $A-B = \{3\}$에서 $2\in B$
따라서 $x^3-ax^2-4a(x-1)=0$의 한 근이 2이므로
$$8-4a-4a=0 \qquad \therefore a=1$$
즉, $B = \{x\,|\,x^3-x^2-4x+4=0\}$이므로
$x^3-x^2-4x+4=0$에서
$$x^2(x-1)-4(x-1)=0$$
$$(x^2-4)(x-1)=0$$
$$(x+2)(x-2)(x-1)=0$$
$$\therefore x=-2 \text{ 또는 } x=1 \text{ 또는 } x=2$$
$$\therefore B = \{-2, 1, 2\}$$
$$\therefore B-A = \{-2, 1\}$$
따라서 집합 $B-A$의 모든 원소의 합은
$$-2+1 = -1$$

055 답 2

$x^2-5x+4<0$에서 $(x-1)(x-4)<0$

$\therefore 1<x<4$

$\therefore A=\{x|1<x<4\}$

$x^2-2(k+1)x+4k<0$에서

$(x-2)(x-2k)<0$

$\therefore 2<x<2k \ (\because k>1)$

$\therefore B=\{x|2<x<2k\}$

이때 $A\cap B=B$이므로 $B\subset A$

$B\subset A$이려면 오른쪽 그림에서

$2<2k\le4$ $\therefore 1<k\le2$

따라서 실수 k의 최댓값은 2이다.

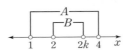

056 답 $-4<k\le-3$ 또는 $3\le k<4$

$|x|<2$에서 $-2<x<2$

$\therefore A=\{x|-2<x<2\}$

$|x-k|<3$에서 $k-3<x<k+3$

$\therefore B=\{x|k-3<x<k+3\}$

집합 $A\cap B$에 속하는 정수가 1개가 되는 경우는 다음 그림과 같이 2가지가 있다.

(i) 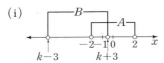 (ii)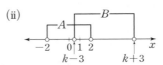

(i) $-1<k+3\le0$에서 $-4<k\le-3$

(ii) $0\le k-3<1$에서 $3\le k<4$

(i), (ii)에 의하여 상수 k의 값의 범위는

$-4<k\le-3$ 또는 $3\le k<4$

057 답 ③

① $A\bigstar\varnothing=(A-\varnothing)\cup(\varnothing-A)$

$\qquad =A\cup\varnothing=A$

② $U\bigstar A=(U-A)\cup(A-U)$

$\qquad =A^c\cup\varnothing=A^c$

③ $A\bigstar A=(A-A)\cup(A-A)$

$\qquad =\varnothing\cup\varnothing=\varnothing$

④ $U\bigstar\varnothing=(U-\varnothing)\cup(\varnothing-U)$

$\qquad =U\cup\varnothing=U$

⑤ $A\bigstar B=(A-B)\cup(B-A)$

$\qquad =(B-A)\cup(A-B)$

$\qquad =B\bigstar A$

058 답 ②

$B\odot A=(B\cup A)\cap(B\cup A^c)$

$\qquad =B\cup(A\cap A^c)$

$\qquad =B\cup\varnothing=B$

즉, $B\odot A=B$이므로

$(B\odot A)\odot A=B\odot A=B$

059 답 ④

$A\diamondsuit B=(A\cup B)\cap(A\cap B)^c=(A\cup B)-(A\cap B)$이므로

ㄱ. $A\diamondsuit A^c=(A\cup A^c)-(A\cap A^c)$

$\qquad =U-\varnothing=U$

ㄴ. $A\diamondsuit B=(A\cup B)-(A\cap B)$

$\qquad =(B\cup A)-(B\cap A)$

$\qquad =B\diamondsuit A$

ㄷ. $(A\diamondsuit B)\diamondsuit C$를 벤다이어그램으로 나타내면

$\quad (A\diamondsuit B) \quad \diamondsuit \quad C \quad = \quad (A\diamondsuit B)\diamondsuit C$

$A\diamondsuit(B\diamondsuit C)$를 벤다이어그램으로 나타내면

$\quad A \quad \diamondsuit \quad (B\diamondsuit C) \quad = \quad A\diamondsuit(B\diamondsuit C)$

$\therefore (A\diamondsuit B)\diamondsuit C=A\diamondsuit(B\diamondsuit C)$

따라서 보기 중 옳은 것은 ㄴ, ㄷ이다.

060 답 ①

$n(A\cup B)=n(A)+n(B)-n(A\cap B)$

$\qquad =12+15-7=20$

$\therefore n(A^c\cap B^c)=n((A\cup B)^c)$

$\qquad =n(U)-n(A\cup B)$

$\qquad =30-20=10$

061 답 4

$n(A^c\cup B^c)=n((A\cap B)^c)=n(U)-n(A\cap B)$이므로

$20=25-n(A\cap B)$

$\therefore n(A\cap B)=5$

$n(A)=n(U)-n(A^c)$

$\qquad =25-16=9$

$\therefore n(A-B)=n(A)-n(A\cap B)$

$\qquad =9-5=4$

062 답 2

$n(A^c\cap B^c)=n((A\cup B)^c)=n(U)-n(A\cup B)$이므로

$4=18-n(A\cup B)$

$\therefore n(A\cup B)=14$

$n(A\cup B)=n(A-B)+n(B-A)+n(A\cap B)$이므로

$14=5+7+n(A\cap B)$

$\therefore n(A\cap B)=2$

063 답 20

$A \cap B = \varnothing$이므로 $A \cap B \cap C = \varnothing$

$n(A \cup C) = n(A) + n(C) - n(A \cap C)$이므로

$16 = 8 + 14 - n(A \cap C)$

$\therefore n(A \cap C) = 6$

$n(B \cup C) = n(B) + n(C) - n(B \cap C)$이므로

$18 = 9 + 14 - n(B \cap C)$

$\therefore n(B \cap C) = 5$

$\therefore n(A \cup B \cup C) = n(A) + n(B) + n(C) - n(A \cap B)$
$\qquad\qquad\qquad - n(B \cap C) - n(C \cap A) + n(A \cap B \cap C)$
$\qquad\qquad = 8 + 9 + 14 - 0 - 5 - 6 + 0 = 20$

064 답 ①

$n(A) = n(U) - n(A^c) = 50 - 16 = 34$

(i) $n(A \cap B)$가 최대인 경우는 $B \subset A$일 때이므로

$\quad M = n(B) = 28$

(ii) $n(A \cap B)$가 최소인 경우는 $n(A \cup B)$가 최대일 때이므로

$\quad A \cup B = U$일 때이다.

$\quad n(A \cap B) = n(A) + n(B) - n(A \cup B)$에서

$\quad m = 34 + 28 - 50 = 12$

(i), (ii)에 의하여 $M - m = 28 - 12 = 16$

065 답 5

$n(B - A) = n(B) - n(A \cap B)$
$\qquad\qquad = 25 - n(A \cap B) \quad \cdots\cdots \ \bigcirc$

이므로 $n(B - A)$가 최소인 경우는 $n(A \cap B)$가 최대일 때이다.

$n(A \cap B)$가 최대인 경우는 $A \subset B$일 때이므로

$n(A \cap B) = n(A) = 20$

이를 $\bigcirc$에 대입하면

$n(B - A) = 25 - 20 = 5$

따라서 $n(B - A)$의 최솟값은 5이다.

066 답 35

$n(A \cap B)$가 최대인 경우는 $A \subset B$일 때이므로

$n(A \cap B) = n(A) = 8$

$\therefore 3 \le n(A \cap B) \le 8 \quad \cdots\cdots \ \bigcirc$

$n(A \cup B) = n(A) + n(B) - n(A \cap B) = 23 - n(A \cap B)$이므로

$n(A \cap B) = 23 - n(A \cup B) \quad \cdots\cdots \ \bigcirc$

$\bigcirc$, $\bigcirc$에서 $3 \le 23 - n(A \cup B) \le 8$이므로

$15 \le n(A \cup B) \le 20$

따라서 $M = 20$, $m = 15$이므로 $M + m = 35$

067 답 2

학생 전체의 집합을 U, 수학 참고서를 가지고 있는 학생의 집합을 A, 영어 참고서를 가지고 있는 학생의 집합을 B라 하면

$n(U) = 40$, $n(A) = 32$, $n(B) = 24$, $n(A \cap B) = 18$

$\therefore n(A \cup B) = n(A) + n(B) - n(A \cap B)$
$\qquad\qquad\qquad = 32 + 24 - 18 = 38$

두 참고서 중 어느 것도 가지고 있지 않은 학생의 집합은 $(A \cup B)^c$이므로

$n((A \cup B)^c) = n(U) - n(A \cup B) = 40 - 38 = 2$

따라서 구하는 학생 수는 2이다.

068 답 15

학생 전체의 집합을 U, 야구를 좋아하는 학생의 집합을 A, 축구를 좋아하는 학생의 집합을 B라 하면

$n(U) = 50$, $n(A) = 22$, $n((A \cup B)^c) = 13$

$n((A \cup B)^c) = n(U) - n(A \cup B)$이므로

$13 = 50 - n(A \cup B) \qquad \therefore n(A \cup B) = 37$

축구만 좋아하는 학생의 집합은 $B - A$이므로

$n(B - A) = n(A \cup B) - n(A)$
$\qquad\qquad = 37 - 22 = 15$

따라서 구하는 학생 수는 15이다.

069 답 12

고객 전체의 집합을 U, 손거울을 구매한 고객의 집합을 A, 책갈피를 구매한 고객의 집합을 B라 하면

$n(U) = 28$, $n(A) = 16$, $n(B) = 12$

손거울과 책갈피 중 어느 것도 구매하지 않은 고객의 집합은 $(A \cup B)^c$이므로

$n((A \cup B)^c) = n(U) - n(A \cup B)$
$\qquad\qquad\qquad = 28 - n(A \cup B) \quad \cdots\cdots \ \bigcirc$

에서 $n((A \cup B)^c)$가 최대인 경우는 $n(A \cup B)$가 최소일 때이다.

$n(A \cup B)$가 최소인 경우는 $B \subset A$일 때이므로

$n(A \cup B) = n(A) = 16$

이를 $\bigcirc$에 대입하면

$n((A \cup B)^c) = 28 - 16 = 12$

따라서 $n((A \cup B)^c)$의 최댓값은 12이므로 구하는 고객 수의 최댓값은 12이다.

070 답 7

선우네 반 학생 전체의 집합을 U, 속초에 가 본 학생의 집합을 A, 부산에 가 본 학생의 집합을 B, 광주에 가 본 학생의 집합을 C라 하면

$n(U) = 40$, $n(A) = 15$, $n(B) = 16$, $n(C) = 22$,

$n(A \cap B \cap C) = 3$

이때 한 곳도 가 보지 않은 학생은 없으므로

$n(A \cup B \cup C) = n(U) = 40$

$n(A \cup B \cup C) = n(A) + n(B) + n(C) - n(A \cap B) - n(B \cap C)$
$\qquad\qquad\qquad\qquad - n(C \cap A) + n(A \cap B \cap C)$

이므로

$40 = 15 + 16 + 22 - n(A \cap B) - n(B \cap C) - n(C \cap A) + 3$

$\therefore n(A \cap B) + n(B \cap C) + n(C \cap A) = 16$

따라서 세 곳 중 두 곳만 가 본 학생 수는

$n(A \cap B) + n(B \cap C) + n(C \cap A) - 3 \times n(A \cap B \cap C)$
$= 16 - 3 \times 3 = 7$

071 답 30

학생 전체의 집합을 U, 한국사 체험 학습을 신청한 학생의 집합을 A, 과학 체험 학습을 신청한 학생의 집합을 B라 하면

$n(U)=100$

$n(A)=n(B)+10$ ...... ㉠

$n((A \cup B)^c)=n(A \cup B)-40$ ...... ㉡

㉡에서

$n(U)-n(A \cup B)=n(A \cup B)-40$

$100-n(A \cup B)=n(A \cup B)-40$

$\therefore n(A \cup B)=70$

이때 $n(A \cup B)=n(A)+n(B)-n(A \cap B)$이므로

$70=n(B)+10+n(B)-n(A \cap B)$ ($\because$ ㉠)

$2n(B)=60+n(A \cap B)$

$\therefore n(B)=30+\dfrac{1}{2} \times n(A \cap B)$

그런데 과학 체험 학습만 신청한 학생 수는

$n(B-A)=n(B)-n(A \cap B)$

$\qquad =30+\dfrac{1}{2} \times n(A \cap B)-n(A \cap B)$

$\qquad =30-\dfrac{1}{2} \times n(A \cap B)$

이때 $n(B-A)$가 최대인 경우는 $n(A \cap B)$가 최소일 때이고 $n(A \cap B)$의 최솟값은 0이므로 $n(B-A)$의 최댓값은 30이다.

따라서 구하는 학생 수의 최댓값은 30이다.

072 답 ④

주어진 조건을 벤다이어그램으로 나타내면 오른쪽 그림과 같으므로

$A=\{1, 3, 5\}$

073 답 ①

$B=\{1, 3, 5, 7, 9\}$이므로 집합 $A=\{1, 2, 3, 4, 5\}$의 부분집합 중에서 집합 B와 서로소인 집합은 1, 3, 5를 원소로 갖지 않는 부분집합이다.

따라서 구하는 집합의 개수는

$2^{5-3}=2^2=4$

074 답 ⑤

$U=\{1, 2, 3, 4, \cdots, 8\}$, $A=\{1, 2, 4, 8\}$, $B=\{4, 8\}$이므로

$B^c=\{1, 2, 3, 5, 6, 7\}$

$\therefore A-B^c=\{4, 8\}$

따라서 집합 $A-B^c$의 모든 원소의 합은

$4+8=12$

075 답 ①

주어진 조건을 벤다이어그램으로 나타내면 오른쪽 그림과 같으므로

$A \cap B=\{1, 7\}$

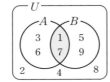

076 답 ⑤

①   ②

③ 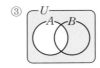 ④

077 답 ③

$A-B=\{3\}$이므로 집합 A에서 4, 7, $a+b$는 모두 집합 B의 원소이다.

따라서 $a+b=5$, $-a+3b=7$이므로 두 식을 연립하여 풀면

$a=2$, $b=3$

$\therefore ab=6$

078 답 -1

$A^c \subset B^c$이므로 $B \subset A$

이때 $3 \in B$에서 $3 \in A$이므로 $a^2-2a=3$

$a^2-2a-3=0$, $(a+1)(a-3)=0$

$\therefore a=-1$ 또는 $a=3$

(ⅰ) $a=-1$일 때

$A=\{2, 3, 7\}$, $B=\{2, 3\}$이므로 $B \subset A$

(ⅱ) $a=3$일 때

$A=\{2, 3, 7\}$, $B=\{3, 6\}$이므로 $B \not\subset A$

따라서 주어진 조건을 만족시키지 않는다.

(ⅰ), (ⅱ)에 의하여 $a=-1$

079 답 ⑤

$B-A=B$이므로 두 집합 A, B는 서로소이다.

따라서 보기 중 항상 옳은 것은 ㄱ, ㄴ, ㄷ이다.

080 답 ②

$(A^c \cap B) \cup (A \cap B^c)=(B \cap A^c) \cup (A \cap B^c)$

$\qquad\qquad\qquad\qquad\qquad =(B-A) \cup (A-B)$

$\qquad\qquad\qquad\qquad\qquad =\varnothing$

즉, $B-A=\varnothing$, $A-B=\varnothing$이므로

$B \subset A$, $A \subset B$

$\therefore A=B$

081 답 16

$A=\{1, 2, 5, 10\}$, $B=\{1, 2, 4, 8\}$이므로 $A-B=\{5, 10\}$

$(A-B) \cup X=X$에서 $(A-B) \subset X$, $B \cup X=X$에서 $B \subset X$

$\therefore \{5, 10\} \subset X$, $\{1, 2, 4, 8\} \subset X$

따라서 집합 X는 집합 $U=\{1, 2, 3, 4, \cdots, 10\}$의 부분집합 중 1, 2, 4, 5, 8, 10을 반드시 원소로 갖는 부분집합이므로 집합 X의 개수는

$2^{10-6}=2^4=16$

082 답 ③

집합 X는 집합 A의 부분집합 중 집합 $A \cap B = \{1, 2, 3, 6\}$의 원소에서 3개는 반드시 원소로 갖고 1개는 원소로 갖지 않는 부분집합이다.

(ⅰ) 1, 2, 3은 반드시 원소로 갖고 6은 원소로 갖지 않는 집합 X의 개수는 $2^{6-3-1} = 2^2 = 4$

(ⅱ) 1, 2, 6은 반드시 원소로 갖고 3은 원소로 갖지 않는 집합 X의 개수는 $2^{6-3-1} = 2^2 = 4$

(ⅲ) 1, 3, 6은 반드시 원소로 갖고 2는 원소로 갖지 않는 집합 X의 개수는 $2^{6-3-1} = 2^2 = 4$

(ⅳ) 2, 3, 6은 반드시 원소로 갖고 1은 원소로 갖지 않는 집합 X의 개수는 $2^{6-3-1} = 2^2 = 4$

(ⅰ)~(ⅳ)에 의하여 구하는 집합 X의 개수는 $4+4+4+4 = 16$

083 답 ②

$$(A-B)^c \cap B^c = (A \cap B^c)^c \cap B^c = (A^c \cup B) \cap B^c$$
$$= (A^c \cap B^c) \cup (B \cap B^c) = (A \cup B)^c \cup \varnothing$$
$$= (A \cup B)^c$$

이때 $B \subset A$에서 $A \cup B = A$이므로
$$(A-B)^c \cap B^c = (A \cup B)^c = A^c$$

084 답 ④

ㄱ. $(A \cap B^c) \cup B = (A \cup B) \cap (B^c \cup B) = (A \cup B) \cap U$
$\qquad = A \cup B$

ㄴ. $(A-B)^c \cap A = (A \cap B^c)^c \cap A = (A^c \cup B) \cap A$
$\qquad = (A^c \cap A) \cup (B \cap A) = \varnothing \cup (A \cap B)$
$\qquad = A \cap B$

ㄷ. $(A \cap B) \cup (A^c \cup B)^c = (A \cap B) \cup (A \cap B^c)$
$\qquad\qquad\qquad\qquad\quad = A \cap (B \cup B^c) = A \cap U = A$

따라서 보기 중 항상 옳은 것은 ㄴ, ㄷ이다.

085 답 ①

$A_n \cap A_2 = A_{2n}$에서 자연수 n과 2는 서로소이므로 n은 홀수이다.

또 $A_n - A_3 = \varnothing$에서 $A_n \subset A_3$이므로 n은 3의 배수이다.

따라서 n은 3의 배수인 홀수이므로 30 이하의 자연수 n은 3, 9, 15, 21, 27의 5개이다.

086 답 -7

$x^2 - 6x + 8 > 0$에서 $(x-2)(x-4) > 0$ $\therefore x < 2$ 또는 $x > 4$
$\therefore A = \{x \,|\, x < 2 \text{ 또는 } x > 4\}$

또 $x^2 + 2x + 4 > 0$에서 $(x+1)^2 + 3 > 0$이므로
$C = \{x \,|\, x \text{는 모든 실수}\}$

이때 $A \cup B = \{x \,|\, x \text{는 모든 실수}\}$,
$A \cap B = \{x \,|\, -1 \leq x < 2\}$이므로 오른쪽 그림에서
$B = \{x \,|\, -1 \leq x \leq 4\}$
$\quad = \{x \,|\, (x+1)(x-4) \leq 0\}$
$\quad = \{x \,|\, x^2 - 3x - 4 \leq 0\}$

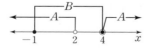

따라서 $a = -3$, $b = -4$이므로 $a+b = -7$

087 답 ③

$$A \triangleright B = (A \cup B) \cap (A^c \cup B)$$
$$= (A \cap A^c) \cup B$$
$$= \varnothing \cup B = B$$

따라서 $A \triangleright B = B$이므로
$$(A \triangleright B) \triangleright C = B \triangleright C = C$$

088 답 34

$n(A^c \cap B^c) = n((A \cup B)^c) = n(U) - n(A \cup B)$이므로
$24 = 42 - n(A \cup B)$ $\therefore n(A \cup B) = 18$
$n(A \cup B) = n(A) + n(B) - n(A \cap B)$이므로
$18 = n(A) + n(B) - 16$
$\therefore n(A) + n(B) = 34$

089 답 ①

$n(A^c \cap B) = n(B-A) = 7$이므로
$n(A \cup B) = n(A) + n(B-A) = 21 + 7 = 28$
$\therefore n(A \cap B) = n(A \cup B) - n((A-B) \cup (B-A))$
$\qquad\qquad\quad = 28 - 14 = 14$

다른 풀이 $n(A^c \cap B) = n(B-A) = 7$이므로
$n((A-B) \cup (B-A)) = n(A-B) + n(B-A)$에서
$14 = n(A-B) + 7$ $\therefore n(A-B) = 7$
$\therefore n(A \cap B) = n(A) - n(A-B) = 21 - 7 = 14$

090 답 10

(ⅰ) $n(A \cap B)$가 최대인 경우는 $A \subset B$일 때이므로 $n(A \cap B)$의 최댓값은
$\quad n(A \cap B) = n(A) = 14$

(ⅱ) $n(A \cap B)$가 최소인 경우는 $n(A \cup B)$가 최대일 때이므로 $A \cup B = U$일 때이다.
$\quad n(A \cap B) = n(A) + n(B) - n(A \cup B)$에서 $n(A \cap B)$의 최솟값은
$\quad n(A \cap B) = 14 + 18 - 28 = 4$

(ⅰ), (ⅱ)에 의하여 $n(A \cap B)$의 최댓값과 최솟값의 차는
$14 - 4 = 10$

091 답 12

학생 전체의 집합을 U, 영화 A를 관람한 학생의 집합을 A, 영화 B를 관람한 학생의 집합을 B라 하면
$n(U) = 36$, $n(A) = 31$, $n(A-B) = 20$, $n((A \cup B)^c) = 4$
$n(A-B) = n(A) - n(A \cap B)$이므로
$20 = 31 - n(A \cap B)$ $\therefore n(A \cap B) = 11$
또 $n((A \cup B)^c) = n(U) - n(A \cup B)$이므로
$4 = 36 - n(A \cup B)$ $\therefore n(A \cup B) = 32$
$n(A \cup B) = n(A) + n(B) - n(A \cap B)$이므로
$32 = 31 + n(B) - 11$ $\therefore n(B) = 12$
따라서 구하는 학생 수는 12이다.

001 답 ①
②, ③, ⑤ 참인 명제이다.
④ 거짓인 명제이다.

002 답 ③
'~p 또는 q'의 부정은 'p 그리고 ~q'이다.
p: $x>1$, ~q: $x<5$이므로 'p 그리고 ~q'는 $1<x<5$

003 답 {-2}
$x^2-x-6=0$에서 $(x+2)(x-3)=0$
∴ $x=-2$ 또는 $x=3$
조건 p의 진리집합을 P라 하면
$P=\{-2, 3\}$
$x^2-4\leq0$에서 $(x+2)(x-2)\leq0$
∴ $-2\leq x\leq2$
조건 q의 진리집합을 Q라 하면
$Q=\{-2, -1, 0, 1, 2\}$
따라서 조건 'p 그리고 q'의 진리집합은 $P\cap Q$이므로
$P\cap Q=\{-2\}$

004 답 ④
① $x=-1$이면 $(-1)^2+(-1)=0$이므로 주어진 명제는 참이다.
② p: $|x|=1$, q: $x^2=1$이라 하고 두 조건 p, q의 진리집합을 각각 P, Q라 하면
　$P=\{-1, 1\}$, $Q=\{-1, 1\}$
　따라서 $P\subset Q$이므로 주어진 명제는 참이다.
③ p: $|x|<1$, q: $x^2<1$이라 하고 두 조건 p, q의 진리집합을 각각 P, Q라 하면
　$P=\{x|-1<x<1\}$, $Q=\{x|-1<x<1\}$
　따라서 $P\subset Q$이므로 주어진 명제는 참이다.
④ [반례] $x=3$이면 x는 3의 배수이지만 6의 배수는 아니다.
⑤ 'p: x가 4의 양의 약수이다.', 'q: x가 8의 양의 약수이다.'라 하고 두 조건 p, q의 진리집합을 각각 P, Q라 하면
　$P=\{1, 2, 4\}$, $Q=\{1, 2, 4, 8\}$
　따라서 $P\subset Q$이므로 주어진 명제는 참이다.
따라서 보기 중 거짓인 명제는 ④이다.

005 답 ③
명제 $p \longrightarrow$ ~q가 참이므로 $P\subset Q^C$
∴ $P\cap Q=\varnothing$

006 답 $a<-2$
두 조건 p, q의 진리집합을 각각 P, Q라 하면
$P=\{x|-2\leq x<3\}$, $Q=\{x|x>a\}$

이때 명제 $p \longrightarrow q$가 참이 되려면
$P\subset Q$이어야 하므로 오른쪽 그림에서
$a<-2$

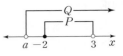

007 답 ②
$U=\{-1, 0, 1\}$에 대하여
① [반례] $x=0$이면 $x^2=0$이다.
② p: $x^2=x$라 하고 조건 p의 진리집합을 P라 하면
　$P=\{0, 1\}$
　따라서 $P\neq\varnothing$이므로 주어진 명제는 참이다.
③ [반례] $x=0$이면 $|x|=x$이다.
④ [반례] $x=1$이면 $x+2=3$이다.
⑤ p: $x-1\geq1$이라 하고 조건 p의 진리집합을 P라 하면 $P=\varnothing$이므로 주어진 명제는 거짓이다.
따라서 보기 중 참인 명제는 ②이다.

008 답 ⑤
① 역: x가 4의 배수이면 x는 2의 배수이다. (참)
② 역: $1<x<2$이면 $x^2-x-2<0$이다. (참)
③ 역: $x=0$이면 $x^2=3x$이다. (참)
④ 역: $x^2<1$이면 $x<1$이다. (참)
⑤ 역: xy가 홀수이면 x 또는 y는 짝수이다. (거짓)
　　[반례] $x=1$, $y=3$이면 xy는 홀수이지만 x, y가 모두 홀수이다.
따라서 보기 중 그 역이 거짓인 명제는 ⑤이다.

009 답 6
주어진 명제가 참이므로 그 대우
'$x>-1$이고 $y>a$이면 $x+y>5$이다.'
도 참이다.
$x>-1$, $y>a$에서 $x+y>a-1$이므로
$a-1\geq5$　∴ $a\geq6$
따라서 실수 a의 최솟값은 6이다.

010 답 ③
명제 $p \longrightarrow q$가 참이므로 그 대우 ~$q \longrightarrow$ ~p도 참이다.
또 명제 $r \longrightarrow$ ~q가 참이므로 그 대우 $q \longrightarrow$ ~r도 참이다.
이때 두 명제 $r \longrightarrow$ ~q, ~$q \longrightarrow$ ~p가 모두 참이므로 명제
$r \longrightarrow$ ~p가 참이고 그 대우 $p \longrightarrow$ ~r도 참이다.
따라서 보기 중 항상 참인 명제는 ③이다.

011 답 ③
①, ④ x의 값이 정해져 있지 않아 참, 거짓을 판별할 수 없으므로 명제가 아니다.
②, ⑤ '향기롭다', '크다'는 기준이 명확하지 않아 참, 거짓을 판별할 수 없으므로 명제가 아니다.
③ 거짓인 명제이다.
따라서 보기 중 명제인 것은 ③이다.

012 답 ②

①, ③, ⑤ 거짓인 명제이다.

② x의 값이 정해져 있지 않아 참, 거짓을 판별할 수 없으므로 명제가 아니다.

④ 참인 명제이다.

따라서 보기 중 명제가 아닌 것은 ②이다.

013 답 ③

ㄱ. x의 값이 정해져 있지 않아 참, 거짓을 판별할 수 없으므로 명제가 아니다.

ㄴ, ㄷ. 거짓인 명제이다.

ㄹ. '크다'는 기준이 명확하지 않아 참, 거짓을 판별할 수 없으므로 명제가 아니다.

따라서 보기 중 명제인 것은 ㄴ, ㄷ이다.

014 답 ④

p: $x^2-3x-4\geq 0$에서 $(x+1)(x-4)\geq 0$

∴ $x\leq -1$ 또는 $x\geq 4$

q: $x^2-1\leq 0$에서 $(x+1)(x-1)\leq 0$

∴ $-1\leq x\leq 1$

'p 그리고 $\sim q$'의 부정은 '$\sim p$ 또는 q'이다.

$\sim p$: $-1<x<4$, q: $-1\leq x\leq 1$이므로 '$\sim p$ 또는 q'는

$-1\leq x<4$

015 답 ㄱ, ㄷ

ㄱ. 부정: $3\leq 5$ (참)

ㄴ. 부정: 2는 소수가 아니다. (거짓)

ㄷ. 부정: 6은 12의 약수이다. (참)

ㄹ. 부정: 정삼각형은 이등변삼각형이 아니다. (거짓)

따라서 보기의 명제 중 그 부정이 참인 것은 ㄱ, ㄷ이다.

016 답 ①

'$(a-b)^2+(b-c)^2+(c-a)^2\neq 0$'의 부정은

'$(a-b)^2+(b-c)^2+(c-a)^2=0$'이므로

$a-b=0$이고 $b-c=0$이고 $c-a=0$

∴ $a=b=c$

017 답 $\{-4, -3, -1, 1, 2, 3, 4\}$

$x^2+2x-8=0$에서 $(x+4)(x-2)=0$

∴ $x=-4$ 또는 $x=2$

조건 p의 진리집합을 P라 하면 $P=\{-4, 2\}$

$x^3-4x=0$에서 $x(x+2)(x-2)=0$

∴ $x=-2$ 또는 $x=0$ 또는 $x=2$

조건 q의 진리집합을 Q라 하면 $Q=\{-2, 0, 2\}$

따라서 조건 'p 또는 $\sim q$'의 진리집합은 $P\cup Q^C$이고

$U=\{-4, -3, -2, -1, \cdots, 4\}$,

$Q^C=\{-4, -3, -1, 1, 3, 4\}$이므로

$P\cup Q^C=\{-4, -3, -1, 1, 2, 3, 4\}$

018 답 3

조건 p의 진리집합은 $\{1, 3, 5, 7\}$이므로 조건 $\sim p$의 진리집합은 $\{2, 4, 6\}$

따라서 조건 $\sim p$의 진리집합의 원소의 개수는 3이다.

019 답 ④

$P=\{x|x>2\}$에서 $P^C=\{x|x\leq 2\}$이고, $Q=\{x|x\geq -4\}$이므로

조건 '$-4\leq x\leq 2$'의 진리집합은 $P^C\cap Q$이다.

020 답 3

$|x-a|<2$에서 $-2<x-a<2$

∴ $a-2<x<a+2$ ∴ $P=\{x|a-2<x<a+2\}$

$x^2-2x-15\leq 0$에서 $(x+3)(x-5)\leq 0$

∴ $-3\leq x\leq 5$ ∴ $Q=\{x|-3\leq x\leq 5\}$

조건 'p 그리고 q'의 진리집합이 P가 되려면

$P\cap Q=P$ ∴ $P\subset Q$

즉, $P\subset Q$이려면 오른쪽 그림에서

$-3\leq a-2$, $a+2\leq 5$

∴ $-1\leq a\leq 3$

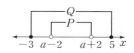

따라서 자연수 a는 1, 2, 3의 3개이다.

021 답 ⑤

① $x=-\sqrt{2}$이면 $(-\sqrt{2})^2=2$이므로 주어진 명제는 참이다.

② $x=2$이면 $2^2-2-2=0$이므로 주어진 명제는 참이다.

③ p: $x<-2$, q: $x^2-2x-8>0$이라 하고 두 조건 p, q의 진리집합을 각각 P, Q라 하면

$P=\{x|x<-2\}$, $Q=\{x|x<-2$ 또는 $x>4\}$

따라서 $P\subset Q$이므로 주어진 명제는 참이다.

⑤ [반례] $x=10$이면 x는 10의 양의 약수이지만 5의 양의 약수는 아니다.

따라서 보기 중 거짓인 명제는 ⑤이다.

022 답 ①

① $n=2$이면 n은 소수이지만 $n^2=4$이므로 홀수가 아니다.

023 답 ①

① p: $|x|>2$, q: $x^2>1$이라 하고 두 조건 p, q의 진리집합을 각각 P, Q라 하면

$P=\{x|x<-2$ 또는 $x>2\}$,

$Q=\{x|x<-1$ 또는 $x>1\}$

따라서 $P\subset Q$이므로 주어진 명제는 참이다.

② [반례] $x=-1$이면 $x^2=1$이지만 $x\neq 1$이다.

③ [반례] $x=0$, $y=1$이면 $xy=0$이지만 $x^2+y^2\neq 0$이다.

④ [반례] $x=-1$, $y=2$이면 $x+y>0$이지만 $xy<0$이다.

⑤ [반례] $x=1$, $y=-1$이면 $x^2=y^2$이지만 $x\neq y$이다.

따라서 보기 중 참인 명제는 ①이다.

024 답 ⑤

명제 $q \longrightarrow p$가 참이므로 $Q \subset P$

③ $P \cap Q = Q$

④ $P \cup Q = P$

⑤ $P^C \cap Q^C = (P \cup Q)^C = P^C$

025 답 ②

두 집합 P, Q가 서로소이므로

$P \subset Q^C$, $Q \subset P^C$

따라서 명제 $p \longrightarrow \sim q$와 $q \longrightarrow \sim p$는 항상 참이다.

026 답 ①

명제 'p이면 $\sim q$이다.'가 거짓임을 보이려면 집합 P의 원소 중에서 Q^C의 원소가 아닌 것을 찾으면 된다.

따라서 구하는 집합은

$P \cap (Q^C)^C = P \cap Q$

027 답 ㄱ, ㄹ

ㄱ. $P \subset R^C$이므로 명제 $p \longrightarrow \sim r$는 참이다.

ㄴ. $Q \not\subset P^C$이므로 명제 $q \longrightarrow \sim p$는 참이 아니다.

ㄷ. $Q \not\subset R$이므로 명제 $q \longrightarrow r$는 참이 아니다.

ㄹ. $R \subset Q$이므로 명제 $r \longrightarrow q$는 참이다.

따라서 보기 중 항상 참인 명제는 ㄱ, ㄹ이다.

028 답 16

$U = \{1, 2, 3, 4, \cdots, 10\}$이므로

$P = \{1, 3, 5, 7, 9\}$, $Q = \{2, 3, 5, 7\}$

이때 명제 'p 또는 q이면 r이다.'가 참이므로

$(P \cup Q) \subset R$

그런데 R는 전체집합 U의 부분집합이므로

$(P \cup Q) \subset R \subset U$

즉, $P \cup Q = \{1, 2, 3, 5, 7, 9\}$이므로 집합 R는 전체집합 U의 부분집합 중 1, 2, 3, 5, 7, 9를 반드시 원소로 갖는 부분집합이다.

따라서 집합 R의 개수는

$2^{10-6} = 2^4 = 16$

029 답 3

$|x-1| \leq a$에서 $-a \leq x-1 \leq a$

$\therefore -a+1 \leq x \leq a+1$

두 조건 p, q의 진리집합을 각각 P, Q라 하면

$P = \{x \mid -a+1 \leq x \leq a+1\}$,

$Q = \{x \mid x \geq -2\}$

이때 명제 $p \longrightarrow q$가 참이 되려면

$P \subset Q$이어야 하므로 오른쪽 그림에서

$-a+1 \geq -2$

$\therefore 0 < a \leq 3 \; (\because a > 0)$

따라서 양수 a의 최댓값은 3이다.

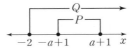

030 답 ②

$p: a-2 \leq x < a+3$, $q: -1 < x < 5$라 하고 두 조건 p, q의 진리집합을 각각 P, Q라 하면

$P = \{x \mid a-2 \leq x < a+3\}$,

$Q = \{x \mid -1 < x < 5\}$

이때 명제 $p \longrightarrow q$가 참이 되려면

$P \subset Q$이어야 하므로 오른쪽 그림에서

$a-2 > -1$, $a+3 \leq 5$

$\therefore 1 < a \leq 2$

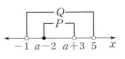

031 답 ④

$q: x < 1$에서 $\sim q: x \geq 1$

두 조건 p, q의 진리집합을 각각 P, Q라 하면

$P = \{x \mid a \leq x \leq 3\}$,

$Q^C = \{x \mid x \geq 1\}$

이때 명제 $p \longrightarrow \sim q$가 참이 되려면

$P \subset Q^C$이어야 하므로 오른쪽 그림에서

$a \geq 1$

$\therefore 1 \leq a \leq 3 \; (\because a \leq 3)$

따라서 실수 a의 최솟값은 1이다.

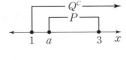

032 답 ④

$q: x < a$에서 $\sim q: x \geq a$

세 조건 p, q, r의 진리집합을 각각 P, Q, R라 하면

$P = \{x \mid -2 \leq x \leq 1 \text{ 또는 } x \geq 3\}$,

$Q^C = \{x \mid x \geq a\}$,

$R = \{x \mid x \geq b\}$

명제 $\sim q \longrightarrow p$가 참이 되려면 $Q^C \subset P$

명제 $p \longrightarrow r$가 참이 되려면 $P \subset R$

즉, $Q^C \subset P \subset R$이어야 하므로 오른쪽 그림에서

$a \geq 3$, $b \leq -2$

따라서 $m = 3$, $M = -2$이므로

$m + M = 1$

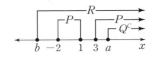

033 답 ㄴ, ㄷ

ㄱ. $p: x^2-x < 0$이라 하고 조건 p의 진리집합을 P라 하면
$P = \varnothing$이므로 주어진 명제는 거짓이다.

ㄴ. $p: |x| \geq x$라 하고 조건 p의 진리집합을 P라 하면
$P = \{-2, -1, 0, 1, 2\}$
따라서 $P = U$이므로 주어진 명제는 참이다.

ㄷ. $p: 2x+1 \geq -3$이라 하고 조건 p의 진리집합을 P라 하면
$P = \{-2, -1, 0, 1, 2\}$
따라서 $P = U$이므로 주어진 명제는 참이다.

ㄹ. $p: x-2 > 0$이라 하고 조건 p의 진리집합을 P라 하면 $P = \varnothing$이므로 주어진 명제는 거짓이다.

따라서 보기 중 참인 명제는 ㄴ, ㄷ이다.

034 답 ①

ㄱ. $P=U$이면 $P\neq\varnothing$이므로 '어떤 x에 대하여 p이다.'는 참이다.

ㄴ. $P\neq\varnothing$이고 $P=U$이면 '모든 x에 대하여 p이다.'는 참이다.

ㄷ. $P\neq U$이고 $P=\varnothing$이면 '어떤 x에 대하여 p이다.'는 거짓이다.

따라서 보기 중 항상 옳은 것은 ㄱ이다.

035 답 ③

① [반례] 2는 소수이지만 짝수이다.

② [반례] $x=0$이면 $x^2=0$이다.

③ $x=\dfrac{1}{2}$이면 $x^2<x$이므로 주어진 명제는 참이다.

④ 모든 실수 x에 대하여 $x^2+2x+2=(x+1)^2+1>0$이므로 주어진 명제는 거짓이다.

⑤ [반례] $x=1+\sqrt{2}$는 무리수이지만 $x^2=3+2\sqrt{2}$는 유리수가 아니다.

따라서 보기 중 참인 명제는 ③이다.

036 답 ⑤

주어진 명제의 부정은

'모든 실수 x에 대하여 $x^2-8x+k\geq0$이다.'

이차방정식 $x^2-8x+k=0$의 판별식을 D라 할 때, 주어진 명제의 부정이 참이 되려면 $D\leq0$이어야 하므로

$\dfrac{D}{4}=(-4)^2-k\leq0$, $16-k\leq0$ $\quad\therefore k\geq16$

따라서 실수 k의 최솟값은 16이다.

037 답 ①

ㄱ. 역: $x<0$이고 $y<0$이면 $x+y<0$이다. (참)

ㄴ. 역: $z-x<z-y$이면 $x<y$이다. (거짓)

ㄷ. 역: $xy=0$이면 $|x|+|y|=0$이다. (거짓)

[반례] $x=0$, $y=1$이면 $xy=0$이지만 $|x|+|y|\neq0$이다.

따라서 보기 중 그 역이 참인 명제는 ㄱ이다.

038 답 ⑤

'$a+b+c>0$'의 부정은 '$a+b+c\leq0$'

'a, b, c 중 적어도 하나는 양수이다.'의 부정은

'a, b, c는 모두 양수가 아니다.'

따라서 주어진 명제의 대우는

'a, b, c가 모두 양수가 아니면 $a+b+c\leq0$이다.'

039 답 ④

명제 $p \longrightarrow {\sim}q$의 역이 참이므로 ${\sim}q \longrightarrow p$가 참이다.

따라서 명제 ${\sim}q \longrightarrow p$의 대우 ${\sim}p \longrightarrow q$도 참이다.

040 답 ④

①, ② 주어진 명제가 참이므로 그 대우도 참이다.

③ 대우: $x^2-3x+2<0$이면 $1<x<2$이다. (참)

④ 대우: $x\leq0$ 또는 $y\leq0$이면 $xy\leq0$이다. (거짓)

[반례] $x=-1$, $y=-2$이면 $xy>0$이다.

⑤ 대우: x, y가 유리수이면 $x+y$는 유리수이다. (참)

따라서 보기 중 그 대우가 거짓인 명제는 ④이다.

041 답 ⑤

① 역: $x>1$이면 $x>0$이다. (참)

대우: $x\leq1$이면 $x\leq0$이다. (거짓)

[반례] $x=\dfrac{1}{2}$이면 $x\leq1$이지만 $x>0$이다.

② 역: $x=2$이면 $x^2=4$이다. (참)

대우: $x\neq2$이면 $x^2\neq4$이다. (거짓)

[반례] $x=-2$이면 $x^2=4$이다.

③ 역: $x^2=y^2$이면 $x=y$이다. (거짓)

[반례] $x=1$, $y=-1$이면 $x^2=y^2$이지만 $x\neq y$이다.

대우: $x^2\neq y^2$이면 $x\neq y$이다. (참)

④ 역: $x^2>y^2$이면 $x>y$이다. (거짓)

[반례] $x=-2$, $y=1$이면 $x^2>y^2$이지만 $x<y$이다.

대우: $x^2\leq y^2$이면 $x\leq y$이다. (거짓)

[반례] $x=1$, $y=-1$이면 $x^2\leq y^2$이지만 $x>y$이다.

⑤ 역: $x\neq0$이고 $y\neq0$이면 $xy\neq0$이다. (참)

대우: $x=0$ 또는 $y=0$이면 $xy=0$이다. (참)

따라서 보기 중 그 역과 대우가 모두 참인 명제는 ⑤이다.

042 답 2

주어진 명제가 참이므로 그 대우

'$a\geq k$이고 $b\geq3$이면 $a+b\geq5$이다.'도 참이다.

$a\geq k$, $b\geq3$에서 $a+b\geq k+3$이므로

$k+3\geq5$ $\quad\therefore k\geq2$

따라서 실수 k의 최솟값은 2이다.

043 답 -5

주어진 명제가 참이므로 그 대우

'$x=1$이면 $x^2+ax+4=0$이다.'도 참이다.

$x^2+ax+4=0$에 $x=1$을 대입하면

$1+a+4=0$ $\quad\therefore a=-5$

044 답 ④

명제 $p \longrightarrow q$가 참이 되려면 그 대우 ${\sim}q \longrightarrow {\sim}p$가 참이 되어야 한다.

${\sim}p$: $|x-a|<3$에서 $-3<x-a<3$

$\therefore a-3<x<a+3$

${\sim}q$: $|x-2|<1$에서 $-1<x-2<1$

$\therefore 1<x<3$

두 조건 p, q의 진리집합을 각각 P, Q라 하면

$P^C=\{x|a-3<x<a+3\}$, $Q^C=\{x|1<x<3\}$

이때 명제 ${\sim}q \longrightarrow {\sim}p$가 참이 되려면

$Q^C\subset P^C$이어야 하므로 오른쪽 그림에서

$a-3\leq1$, $a+3\geq3$ $\quad\therefore 0\leq a\leq4$

따라서 정수 a는 0, 1, 2, 3, 4의 5개이다.

045 답 ②

명제 $r \longrightarrow \sim p$가 참이므로 그 대우 $p \longrightarrow \sim r$도 참이다.

또 명제 $\sim r \longrightarrow q$가 참이므로 그 대우 $\sim q \longrightarrow r$도 참이다.

이때 두 명제 $p \longrightarrow \sim r$, $\sim r \longrightarrow q$가 모두 참이므로 명제

$p \longrightarrow q$가 참이고 그 대우 $\sim q \longrightarrow \sim p$도 참이다.

따라서 보기 중 반드시 참이라고 할 수 없는 명제는 ②이다.

046 답 ㄴ, ㄷ

ㄱ. 명제 $p \longrightarrow \sim q$가 참이므로 그 대우 $q \longrightarrow \sim p$가 참이다.

ㄴ. 두 명제 $s \longrightarrow q$, $q \longrightarrow r$가 모두 참이므로 명제 $s \longrightarrow r$가 참이다.

ㄷ. 명제 $s \longrightarrow q$가 참이므로 그 대우 $\sim q \longrightarrow \sim s$도 참이다.

이때 두 명제 $p \longrightarrow \sim q$, $\sim q \longrightarrow \sim s$가 모두 참이므로 명제

$p \longrightarrow \sim s$가 참이다.

따라서 보기 중 항상 참인 명제는 ㄴ, ㄷ이다.

047 답 ⑤

명제 $r \longrightarrow \sim s$가 참이므로 그 대우 $s \longrightarrow \sim r$도 참이다.

두 명제 $p \longrightarrow q$, $s \longrightarrow \sim r$가 모두 참이므로 명제 $p \longrightarrow \sim r$가 참이 되려면 명제 $q \longrightarrow s$가 참이거나 그 대우 $\sim s \longrightarrow \sim q$가 참이어야 한다.

따라서 명제 $p \longrightarrow \sim r$가 참임을 보이기 위해 필요한 참인 명제는 ⑤이다.

048 답 ④

세 조건 p, q, r를

p: 축구를 좋아한다.

q: 농구를 좋아한다.

r: 달리기를 좋아한다.

라 하면 명제 $p \longrightarrow q$, $\sim p \longrightarrow \sim r$가 참이므로 각각의 대우

$\sim q \longrightarrow \sim p$, $r \longrightarrow p$도 참이다.

이때 두 명제 $\sim q \longrightarrow \sim p$, $\sim p \longrightarrow \sim r$가 모두 참이므로 명제

$\sim q \longrightarrow \sim r$가 참이고 그 대우 $r \longrightarrow q$도 참이다.

① $p \longrightarrow r$ ② $q \longrightarrow r$ ③ $\sim p \longrightarrow \sim q$

④ $\sim q \longrightarrow \sim r$ ⑤ $r \longrightarrow \sim q$

따라서 보기 중 항상 참인 명제는 ④이다.

049 답 ②

① $p \longrightarrow q$: 거짓

     [반례] $x=-1$이면 $x^2=1$이지만 $x \neq 1$이다.

   $q \longrightarrow p$: 참

     따라서 $q \Longrightarrow p$이므로 p는 q이기 위한 필요조건이다.

② $p \longrightarrow q$: 참

   $q \longrightarrow p$: 거짓

     [반례] $x=-1$이면 $x \geq -1$이지만 $-1 < x < 2$가 아니다.

     따라서 $p \Longrightarrow q$이므로 p는 q이기 위한 충분조건이다.

③ $p \longrightarrow q$: 거짓

     [반례] $x=-6$이면 $x^2+5x-6=0$이지만 $x \neq 1$이다.

   $q \longrightarrow p$: 참

     따라서 $q \Longrightarrow p$이므로 p는 q이기 위한 필요조건이다.

④ $p \longrightarrow q$: 거짓

     [반례] $x=1$, $y=-1$이면 $x+y=0$이지만 $x \neq 0$, $y \neq 0$이다.

   $q \longrightarrow p$: 참

     따라서 $q \Longrightarrow p$이므로 p는 q이기 위한 필요조건이다.

⑤ $p \longrightarrow q$: 거짓

     [반례] $x=1$, $y=-1$이면 $|x|=|y|$이지만 $x \neq y$이다.

   $q \longrightarrow p$: 참

     따라서 $q \Longrightarrow p$이므로 p는 q이기 위한 필요조건이다.

따라서 보기 중 p가 q이기 위한 충분조건인 것은 ②이다.

050 답 ①

p는 q이기 위한 필요조건이므로 $q \Longrightarrow p$이고 $\sim p \Longrightarrow \sim q$이다.

또 q는 $\sim r$이기 위한 충분조건이므로 $q \Longrightarrow \sim r$이고 $r \Longrightarrow \sim q$이다.

따라서 반드시 참이라고 할 수 없는 명제는 ①이다.

051 답 ⑤

q는 p이기 위한 필요조건이므로 $p \Longrightarrow q$ $\therefore P \subset Q$

따라서 보기 중 항상 옳은 것은 ⑤이다.

052 답 2

$x^2+x-2 \leq 0$에서 $(x+2)(x-1) \leq 0$

$\therefore -2 \leq x \leq 1$

두 조건 p, q의 진리집합을 각각 P, Q라 하면

$P=\{x \mid -2 \leq x \leq 1\}$, $Q=\{x \mid x < a\}$

이때 p가 q이기 위한 충분조건이 되려면

$P \subset Q$이어야 하므로 오른쪽 그림에서

$a > 1$

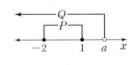

따라서 정수 a의 최솟값은 2이다.

053 답 풀이 참조

주어진 명제의 대우 'n이 짝수이면 n^2도 짝수이다.'가 참임을 보이면 된다.

n이 짝수이면 $n=2k$ (k는 자연수)로 나타낼 수 있으므로

$n^2=(2k)^2=4k^2=2(2k^2)$

이때 $2k^2$이 자연수이므로 n^2은 짝수이다.

따라서 주어진 명제의 대우가 참이므로 주어진 명제도 참이다.

054 답 풀이 참조

$\sqrt{2}$가 유리수라 가정하면

$\sqrt{2}=\dfrac{n}{m}$ (m, n은 서로소인 자연수)

으로 나타낼 수 있다.

양변을 제곱하여 정리하면

$n^2=2m^2$ ⋯⋯ ㉠

이때 n^2이 짝수이므로 n도 짝수이다.

$n=2k$ (k는 자연수)라 하고 ㉠에 대입하여 정리하면

$m^2=2k^2$

이때 m^2이 짝수이므로 m도 짝수이다.

즉, m, n이 모두 짝수이므로 m, n이 서로소라는 가정에 모순이다.

따라서 $\sqrt{2}$는 무리수이다.

055 답 풀이 참조

$a^2+b^2-ab=\left(a-\dfrac{1}{2}b\right)^2+\dfrac{3}{4}b^2$

a, b가 실수이므로 $\left(a-\dfrac{1}{2}b\right)^2 \geq 0$, $\dfrac{3}{4}b^2 \geq 0$

따라서 $a^2+b^2-ab \geq 0$이므로 $a^2+b^2 \geq ab$

이때 등호는 $a-\dfrac{1}{2}b=0$, $b=0$, 즉 $a=b=0$일 때 성립한다.

056 답 ②

$x>0$, $y>0$에서 $5x>0$, $2y>0$이므로 산술평균과 기하평균의 관계에 의하여

$5x+2y \geq 2\sqrt{5x \times 2y}=2\sqrt{10xy}$

그런데 $5x+2y=10$이므로

$10 \geq 2\sqrt{10xy}$, $\sqrt{10xy} \leq 5$ (단, 등호는 $5x=2y$일 때 성립)

양변을 제곱하면 $10xy \leq 25$ ∴ $xy \leq \dfrac{5}{2}$

따라서 xy의 최댓값은 $\dfrac{5}{2}$이다.

057 답 ④

$a>0$, $b>0$에서 $ab>0$이므로 산술평균과 기하평균의 관계에 의하여

$\left(a+\dfrac{2}{b}\right)\left(b+\dfrac{8}{a}\right)=ab+8+2+\dfrac{16}{ab}$

$\qquad\qquad\qquad \geq 2\sqrt{ab \times \dfrac{16}{ab}}+10$

$\qquad\qquad\qquad =18$ (단, 등호는 $ab=4$일 때 성립)

따라서 구하는 최솟값은 18이다.

058 답 5

x, y가 실수이므로 코시-슈바르츠의 부등식에 의하여

$\{2^2+(-1)^2\}(x^2+y^2) \geq (2x-y)^2$

그런데 $2x-y=-5$이므로 $5(x^2+y^2) \geq 25$

∴ $x^2+y^2 \geq 5$ (단, 등호는 $2y=-x$일 때 성립)

따라서 x^2+y^2의 최솟값은 5이다.

059 답 ②

① $p \longrightarrow q$와 $q \longrightarrow p$가 모두 참이므로 $p \Longleftrightarrow q$

따라서 p는 q이기 위한 필요충분조건이다.

② $p \longrightarrow q$: 거짓

[반례] $x=1$, $y=-1$이면 $x^2=y^2$이지만 $x \neq y$이다.

$q \longrightarrow p$: 참

따라서 $q \Longrightarrow p$이므로 p는 q이기 위한 필요조건이다.

③ $p \longrightarrow q$: $x^2+y^2=0$이면 $x=0$, $y=0$이므로 $xy=0$이다. (참)

$q \longrightarrow p$: 거짓

[반례] $x=1$, $y=0$이면 $xy=0$이지만 $x^2+y^2 \neq 0$이다.

따라서 $p \Longrightarrow q$이므로 p는 q이기 위한 충분조건이다.

④ $p \longrightarrow q$와 $q \longrightarrow p$가 모두 참이므로 $p \Longleftrightarrow q$

따라서 p는 q이기 위한 필요충분조건이다.

⑤ $p \longrightarrow q$: 참

$q \longrightarrow p$: 거짓

[반례] $x=-1$, $y=-2$이면 $|x+y|=|x|+|y|$이지만 $x<0$, $y<0$이다.

따라서 $p \Longrightarrow q$이므로 p는 q이기 위한 충분조건이다.

따라서 보기 중 p가 q이기 위한 필요조건이지만 충분조건이 아닌 것은 ②이다.

060 답 ㈎ 충분 ㈏ 필요

• $ab<0$이면 $a<0$ 또는 $b<0$이다. (참)

$a<0$ 또는 $b<0$이면 $ab<0$이다. (거짓)

[반례] $a=-1$, $b=-2$이면 $a<0$ 또는 $b<0$이지만 $ab>0$이다.

따라서 $ab<0$은 $a<0$ 또는 $b<0$이기 위한 ㈎ 충분 조건이다.

• $ab=0$이면 $|a|+|b|=0$이다. (거짓)

[반례] $a=1$, $b=0$이면 $ab=0$이지만 $|a|+|b| \neq 0$이다.

$|a|+|b|=0$이면 $ab=0$이다. (참)

따라서 $ab=0$은 $|a|+|b|=0$이기 위한 ㈏ 필요 조건이다.

061 답 ㄷ

ㄱ. $p \longrightarrow q$: 거짓

[반례] $x=-1$, $y=-2$이면 $|xy|=xy$이지만 $x<0$, $y<0$이다.

$q \longrightarrow p$: 참

따라서 $q \Longrightarrow p$이므로 p는 q이기 위한 필요조건이다.

ㄴ. $p \longrightarrow q$: $|x|=y$이면 $|x|^2=y^2$이므로 $x^2=y^2$이다. (참)

$q \longrightarrow p$: 거짓

[반례] $x=-1$, $y=-1$이면 $x^2=y^2$이지만 $|x| \neq y$이다.

따라서 $p \Longrightarrow q$이므로 p는 q이기 위한 충분조건이다.

ㄷ. $p \longrightarrow q$와 $q \longrightarrow p$가 모두 참이므로 $p \Longleftrightarrow q$

따라서 p는 q이기 위한 필요충분조건이다.

ㄹ. $p \longrightarrow q$: 참

$q \longrightarrow p$: 거짓

[반례] $x=0$, $y=-1$이면 $x^2+y^2>0$이지만 $x+y<0$이다.

따라서 $p \Longrightarrow q$이므로 p는 q이기 위한 충분조건이다.

따라서 보기 중 p가 q이기 위한 필요충분조건인 것은 ㄷ이다.

062 답 ㄱ, ㄷ

p는 q이기 위한 충분조건이므로 $p \Longrightarrow q$이고 $\sim q \Longrightarrow \sim p$

$\sim r$는 $\sim p$이기 위한 필요조건이므로 $\sim p \Longrightarrow \sim r$이고 $r \Longrightarrow p$

이때 $\sim q \Longrightarrow \sim p$, $\sim p \Longrightarrow \sim r$이므로 $\sim q \Longrightarrow \sim r$

따라서 보기 중 항상 참인 명제는 ㄱ, ㄷ이다.

063 답 ③

$p \Longrightarrow q$, $r \Longrightarrow \sim q$이므로 $\sim q \Longrightarrow \sim p$, $q \Longrightarrow \sim r$

이때 $p \Longrightarrow q$, $q \Longrightarrow \sim r$이므로 $p \Longrightarrow \sim r$이고 $r \Longrightarrow \sim p$

① $p \Longrightarrow \sim r$이므로 p는 $\sim r$이기 위한 충분조건이다.

② $q \Longrightarrow \sim r$이므로 q는 $\sim r$이기 위한 충분조건이다.

③ $r \Longrightarrow \sim q$이므로 $r \not\Longrightarrow q$

 따라서 q는 r이기 위한 필요조건이 아니다.

④ $\sim q \Longrightarrow \sim p$이므로 $\sim p$는 $\sim q$이기 위한 필요조건이다.

⑤ $r \Longrightarrow \sim p$이므로 $\sim p$는 r이기 위한 필요조건이다.

따라서 보기 중 옳지 않은 것은 ③이다.

064 답 ④

p는 $\sim q$이기 위한 충분조건이므로 $P \subset Q^c$

⑤ $P \subset Q^c$에서 $Q \subset P^c$이므로 $P^c \cup Q = P^c$

065 답 ④

두 집합 P, Q가 서로소이므로 $P \subset Q^c$, $Q \subset P^c$

따라서 q는 $\sim p$이기 위한 충분조건이다.

066 답 ④

p는 r이기 위한 충분조건이므로 $P \subset R$

p는 q이기 위한 필요조건이므로 $Q \subset P$

$\therefore Q \subset P \subset R$

067 답 ⑤

$(P-Q) \cup (Q-R^c) = \varnothing$이므로

$P-Q = \varnothing$, $Q-R^c = \varnothing$

$\therefore P \subset Q$, $Q \cap R = \varnothing$

① $P \subset Q$이므로 p는 q이기 위한 충분조건이다.

② $Q \cap R = \varnothing$이므로 q는 r이기 위한 충분조건이 아니다.

③ $P \subset Q$이고 $Q \cap R = \varnothing$이므로 $P \cap R = \varnothing$

 따라서 r는 p이기 위한 필요조건이 아니다.

④ $P \cap R = \varnothing$에서 $R \subset P^c$이므로 $\sim p$는 r이기 위한 필요조건이다.

⑤ $P \cap R = \varnothing$에서 $P \subset R^c$이므로 $\sim r$는 p이기 위한 필요조건이다.

따라서 보기 중 항상 옳은 것은 ⑤이다.

068 답 ③

$x^2 - 3x - 4 \leq 0$에서 $(x+1)(x-4) \leq 0$

$\therefore -1 \leq x \leq 4$

$|x-a| < 1$에서 $-1 < x-a < 1$

$\therefore a-1 < x < a+1$

두 조건 p, q의 진리집합을 각각 P, Q라 하면

$P = \{x \mid -1 \leq x \leq 4\}$,

$Q = \{x \mid a-1 < x < a+1\}$

이때 q가 p이기 위한 충분조건이 되려면

$Q \subset P$이어야 하므로 오른쪽 그림에서

$a-1 \geq -1$, $a+1 \leq 4$

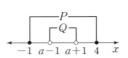

$\therefore 0 \leq a \leq 3$

따라서 정수 a는 0, 1, 2, 3의 4개이다.

069 답 -4

$x^2 - 4x + 3 = 0$에서 $(x-1)(x-3) = 0$

$\therefore x=1$ 또는 $x=3$

$x+a = 0$에서 $x = -a$

두 조건 p, q의 진리집합을 각각 P, Q라 하면

$P = \{1, 3\}$, $Q = \{-a\}$

이때 p가 q이기 위한 필요조건이 되려면 $Q \subset P$이어야 하므로

$-a = 1$ 또는 $-a = 3$

$\therefore a = -3$ 또는 $a = -1$

따라서 모든 상수 a의 값의 합은

$-3 + (-1) = -4$

070 답 -2

$x-2 \neq 0$이 $x^2 - ax - 8 \neq 0$이기 위한 필요조건이므로 명제

'$x^2 - ax - 8 \neq 0$이면 $x-2 \neq 0$이다.'

가 참이다.

따라서 이 명제의 대우

'$x-2 = 0$이면 $x^2 - ax - 8 = 0$이다.'

도 참이다.

$x=2$를 $x^2 - ax - 8 = 0$에 대입하면

$4 - 2a - 8 = 0$ $\therefore a = -2$

071 답 3

세 조건 p, q, r의 진리집합을 각각 P, Q, R라 하면

$P = \{x \mid -2 < x < 3$ 또는 $x > 5\}$,

$Q = \{x \mid x \geq a\}$,

$R = \{x \mid x \leq b\}$

이때 q는 p이기 위한 필요조건이고 $\sim r$는 p이기 위한 충분조건이므로

$P \subset Q$, $R^c \subset P$

즉, $R^c \subset P \subset Q$이어야 하므로 오른쪽 그림에서

$a \leq -2$, $b \geq 5$

따라서 a의 최댓값은 -2, b의 최솟값은 5이므로 구하는 합은

$-2 + 5 = 3$

072 답 (가) $3k-2$ (나) $3k^2 - 4k + 1$ (다) $3k^2 - 2k$

$n = \boxed{\text{(가) } 3k-2}$ 또는 $n = 3k-1$ (k는 자연수)이라 하면

(i) $n = \boxed{\text{(가) } 3k-2}$일 때,

$n^2 = (3k-2)^2 = 9k^2 - 12k + 4$

$= 3(\boxed{\text{(나) } 3k^2 - 4k + 1}) + 1$

(ii) $n = 3k-1$일 때,

$n^2 = (3k-1)^2 = 9k^2 - 6k + 1$

$= 3(\boxed{\text{(다) } 3k^2 - 2k}) + 1$

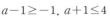

073 답 ②

주어진 명제의 대우 'x, y가 모두 [가 홀수]이면 xy도 [가 홀수]이다.'가 참임을 보이면 된다.

x, y가 모두 홀수이므로

$x=2m-1$, $y=$[나 $2n-1$] (m, n은 자연수)

이라 하면

$xy=(2m-1)($[나 $2n-1$]$)=4mn-2m-2n+1$

$\quad=2($[다 $2mn-m-n$]$)+1$

이므로 xy는 [가 홀수]이다.

074 답 ㈎ 유리수 ㈏ 유리수 ㈐ 무리수

$\sqrt{2}+1$이 유리수라 가정하면

$\sqrt{2}+1=a$ (a는 [㈎ 유리수])

로 나타낼 수 있다.

이때 $\sqrt{2}=a-1$이고 a, 1은 모두 유리수이므로 $a-1$은 [㈏ 유리수]이다.

이는 $\sqrt{2}$가 [㈐ 무리수]라는 사실에 모순이다.

075 답 ⑤

이는 $\sqrt{5}$가 [㈎ 무리수]라는 사실에 모순이므로 [㈏ $b=0$]이다.

$a+b\sqrt{5}=0$에 [㈏ $b=0$]을 대입하면 $a=0$이다.

따라서 유리수 a, b에 대하여 $a+b\sqrt{5}=0$이면 [㈐ $a=b=0$]이다.

076 답 ③

$\dfrac{a+b}{2}-\sqrt{ab}=\dfrac{1}{2}(a+b-2\sqrt{ab})=\dfrac{1}{2}\{(\sqrt{a})^2-2\sqrt{a}\sqrt{b}+(\sqrt{b})^2\}$

$\qquad=\dfrac{1}{2}($[㈎ $\sqrt{a}-\sqrt{b}$]$)^2\geq0$

따라서 $\dfrac{a+b}{2}-\sqrt{ab}\geq0$이므로 $\dfrac{a+b}{2}$[㈏ $\geq$]$\sqrt{ab}$이다.

이때 등호가 성립하는 경우는 $\sqrt{a}-\sqrt{b}=0$, 즉 [㈐ $a=b$]일 때이다.

077 답 ㈎ $ay-bx$ ㈏ $ay=bx$

$(a^2+b^2)(x^2+y^2)-(ax+by)^2$

$=a^2x^2+a^2y^2+b^2x^2+b^2y^2-(a^2x^2+2abxy+b^2y^2)$

$=($[㈎ $ay-bx$]$)^2\geq0$

따라서 $(a^2+b^2)(x^2+y^2)-(ax+by)^2\geq0$이므로

$(a^2+b^2)(x^2+y^2)\geq(ax+by)^2$이다.

이때 등호가 성립하는 경우는 $ay-bx=0$, 즉 [㈏ $ay=bx$]일 때이다.

078 답 ④

$(|a|+|b|)^2-|a+b|^2=|a|^2+2|a||b|+|b|^2-(a+b)^2$

$\qquad\qquad\qquad\qquad=a^2+2|ab|+b^2-(a^2+2ab+b^2)$

$\qquad\qquad\qquad\qquad=2($[㈎ $|ab|-ab$]$)\geq0$

따라서 $(|a|+|b|)^2\geq|a+b|^2$이다.

그런데 $|a|+|b|\geq0$, $|a+b|\geq0$이므로

$|a|+|b|\geq|a+b|$

이때 등호가 성립하는 경우는 $|ab|=ab$, 즉 [㈏ $ab\geq0$]일 때이다.

079 답 **19**

$x>0$, $y>0$에서 $3x>0$, $4y>0$이므로 산술평균과 기하평균의 관계에 의하여

$3x+4y\geq2\sqrt{3x\times4y}=4\sqrt{3xy}$

그런데 $3x+4y=24$이므로 $24\geq4\sqrt{3xy}$, $\sqrt{3xy}\leq6$

양변을 제곱하면 $3xy\leq36$ ∴ $xy\leq12$

이때 등호는 $3x=4y$일 때 성립하고 $3x+4y=24$이므로

$6x=24$, $8y=24$ ∴ $x=4$, $y=3$

따라서 xy는 $x=4$, $y=3$일 때 최댓값 12를 가지므로

$\alpha=12$, $\beta=4$, $\gamma=3$ ∴ $\alpha+\beta+\gamma=19$

080 답 ③

$a>0$, $b>0$에서 $2a>0$, $4b>0$이므로 산술평균과 기하평균의 관계에 의하여

$2a+4b\geq2\sqrt{2a\times4b}=4\sqrt{2ab}$

그런데 $ab=8$이므로

$2a+4b\geq4\sqrt{2\times8}=16$ (단, 등호는 $a=2b$일 때 성립)

따라서 구하는 최솟값은 16이다.

081 답 **200 m²**

전체 구역의 가로의 길이를 a m, 세로의 길이를 b m라 하면

$2a+4b=80$ ……㉠

$a>0$, $b>0$에서 $2a>0$, $4b>0$이므로 산술평균과 기하평균의 관계에 의하여

$2a+4b\geq2\sqrt{2a\times4b}=4\sqrt{2ab}$ ……㉡

㉠, ㉡에서 $80\geq4\sqrt{2ab}$, $\sqrt{2ab}\leq20$ (단, 등호는 $a=2b$일 때 성립)

양변을 제곱하면 $2ab\leq400$ ∴ $ab\leq200$

따라서 ab의 최댓값은 200이므로 구하는 최댓값은 200 m²이다.

082 답 ④

$(\sqrt{2x}+\sqrt{3y})^2=2x+2\sqrt{2x}\sqrt{3y}+3y=2x+2\sqrt{6xy}+3y$ ……㉠

$x>0$, $y>0$에서 $2x>0$, $3y>0$이므로 산술평균과 기하평균의 관계에 의하여

$2x+3y\geq2\sqrt{2x\times3y}=2\sqrt{6xy}$

그런데 $2x+3y=8$이므로

$8\geq2\sqrt{6xy}$ (단, 등호는 $2x=3y$일 때 성립) ……㉡

㉠, ㉡에서 $(\sqrt{2x}+\sqrt{3y})^2=(2x+3y)+2\sqrt{6xy}\leq8+8=16$

이때 $\sqrt{2x}+\sqrt{3y}>0$이므로 $\sqrt{2x}+\sqrt{3y}\leq\sqrt{16}=4$

따라서 $\sqrt{2x}+\sqrt{3y}$의 최댓값은 4이다.

083 답 ⑤

$a>0$, $b>0$에서 $ab>0$이므로 산술평균과 기하평균의 관계에 의하여

$\left(a+\dfrac{1}{b}\right)\left(b+\dfrac{9}{a}\right)=ab+9+1+\dfrac{9}{ab}\geq2\sqrt{ab\times\dfrac{9}{ab}}+10=16$

이때 등호는 $ab=\dfrac{9}{ab}$일 때 성립하므로

$(ab)^2=9$ ∴ $ab=3$ ($\because ab>0$)

따라서 주어진 식은 $ab=3$일 때 최솟값 16을 가지므로

$p=3$, $q=16$ ∴ $p+q=19$

084 답 12

$x>-2$에서 $x+2>0$이므로 산술평균과 기하평균의 관계에 의하여

$$x+\frac{16}{x+2}=x+2+\frac{16}{x+2}-2$$
$$\geq 2\sqrt{(x+2)\times\frac{16}{x+2}}-2=6$$

이때 등호는 $x+2=\frac{16}{x+2}$일 때 성립하므로

$(x+2)^2=16,\ x+2=4\ (\because x+2>0)$ $\therefore x=2$

따라서 주어진 식은 $x=2$일 때, 최솟값 6을 가지므로

$m=6,\ n=2$ $\therefore mn=12$

085 답 ③

$a>0,\ b>0,\ c>0$이므로 산술평균과 기하평균의 관계에 의하여

$$\frac{a+b}{c}+\frac{b+c}{a}+\frac{c+a}{b}=\frac{a}{c}+\frac{b}{c}+\frac{b}{a}+\frac{c}{a}+\frac{c}{b}+\frac{a}{b}$$
$$=\left(\frac{b}{a}+\frac{a}{b}\right)+\left(\frac{c}{b}+\frac{b}{c}\right)+\left(\frac{a}{c}+\frac{c}{a}\right)$$
$$\geq 2\sqrt{\frac{b}{a}\times\frac{a}{b}}+2\sqrt{\frac{c}{b}\times\frac{b}{c}}+2\sqrt{\frac{a}{c}\times\frac{c}{a}}$$
$$=2+2+2$$
$$=6\ (단, 등호는 a=b=c일 때 성립)$$

따라서 구하는 최솟값은 6이다.

086 답 $\frac{1}{12}$

$x\neq 0$이므로 $\dfrac{x}{x^2+2x+25}$의 분모와 분자를 각각 x로 나누면

$$\frac{x}{x^2+2x+25}=\frac{1}{x+2+\frac{25}{x}}$$

이때 $x>0$이므로 산술평균과 기하평균의 관계에 의하여

$$x+2+\frac{25}{x}\geq 2\sqrt{x\times\frac{25}{x}}+2=12$$

$$\left(단,\ 등호는\ x=\frac{25}{x},\ 즉\ x=5일\ 때\ 성립\right)$$

따라서 $x+2+\dfrac{25}{x}$의 최솟값은 12이고, $\dfrac{1}{x+2+\frac{25}{x}}$은 분모가 최

소일 때 최대이므로 구하는 최댓값은 $\dfrac{1}{12}$이다.

087 답 ③

$x,\ y$가 실수이므로 코시-슈바르츠의 부등식에 의하여

$$\left\{\left(\frac{1}{3}\right)^2+\left(\frac{1}{4}\right)^2\right\}(x^2+y^2)\geq\left(\frac{x}{3}+\frac{y}{4}\right)^2$$

그런데 $\dfrac{x}{3}+\dfrac{y}{4}=\dfrac{5}{4}$이므로 $\dfrac{25}{9\times 16}(x^2+y^2)\geq\left(\dfrac{5}{4}\right)^2$

$$\therefore x^2+y^2\geq\frac{25}{16}\times\frac{9\times 16}{25}=9$$

$$\left(단,\ 등호는\ \frac{y}{3}=\frac{x}{4},\ 즉\ 4y=3x일\ 때\ 성립\right)$$

따라서 x^2+y^2의 최솟값은 9이다.

088 답 13

$x,\ y$가 실수이므로 코시-슈바르츠의 부등식에 의하여

$$(2^2+3^2)(x^2+y^2)\geq(2x+3y)^2$$

그런데 $x^2+y^2=13$이므로

$13\times 13\geq(2x+3y)^2,\ (2x+3y)^2\leq 13^2$

$\therefore -13\leq 2x+3y\leq 13\ (단, 등호는 2y=3x일 때 성립)$

따라서 $2x+3y$의 최댓값은 13이다.

089 답 8

직사각형의 가로의 길이를 x, 세로의 길이를 y라 하면

$x^2+y^2=(2\sqrt{2})^2=8$ ...... ㉠

$x,\ y$가 실수이므로 코시-슈바르츠의 부등식에 의하여

$(1^2+1^2)(x^2+y^2)\geq(x+y)^2$ ...... ㉡

㉠, ㉡에서

$2\times 8\geq(x+y)^2,\ (x+y)^2\leq 4^2$

이때 $x>0,\ y>0$이므로

$0<x+y\leq 4\ (단, 등호는 x=y일 때 성립)$

직사각형의 둘레의 길이는 $2(x+y)$이므로 $0<2(x+y)\leq 8$

따라서 구하는 최댓값은 8이다.

090 답 ⑤

$x-y-2z=-3$에서 $y+2z=x+3$ ...... ㉠

$x^2+y^2+z^2=9$에서 $y^2+z^2=9-x^2$ ...... ㉡

$y,\ z$가 실수이므로 코시-슈바르츠의 부등식에 의하여

$(1^2+2^2)(y^2+z^2)\geq(y+2z)^2$ ...... ㉢

㉠, ㉡을 ㉢에 대입하면

$5(9-x^2)\geq(x+3)^2$

$x^2+x-6\leq 0,\ (x+3)(x-2)\leq 0$

$\therefore -3\leq x\leq 2\ (단, 등호는 z=2y일 때 성립)$

따라서 x의 최댓값은 2이다.

091 답 ①

① x의 값이 정해져 있지 않아 참, 거짓을 판별할 수 없으므로 명
제가 아니다.

② $2x+1>2(x-3)$에서 $1>-6$이므로 참인 명제이다.

③, ⑤ 참인 명제이다.

④ 거짓인 명제이다.

따라서 보기 중 명제가 아닌 것은 ①이다.

092 답 ③

'$(a-b)(b-c)=0$'의 부정은 '$(a-b)(b-c)\neq 0$'이므로

$a\neq b$이고 $b\neq c$

093 답 15

$U=\{1,\ 2,\ 3,\ 4,\ \cdots,\ 10\}$이므로 두 조건 $p,\ q$의 진리집합을 각각
$P,\ Q$라 하면

$P=\{2,\ 3,\ 5,\ 7\},\ Q=\{2,\ 4,\ 6,\ 8,\ 10\}$

이때 조건 'p 그리고 $\sim q$'의 진리집합은 $P\cap Q^C$이고

$Q^C=\{1,\ 3,\ 5,\ 7,\ 9\}$이므로 $P\cap Q^C=\{3,\ 5,\ 7\}$

따라서 구하는 모든 원소의 합은 $3+5+7=15$

094 답 ㄱ, ㄷ

ㄱ. $x^2+y^2=0$이면 $x=0$이고 $y=0$이므로 $xy=0$이다.

ㄴ. [반례] $x=y=0$, $z=2$이면 $xy=yz=zx=0$이지만 $x=y=0$, $z\neq0$이다.

ㄷ. $x+y=2$에서 $y=2-x$를 $x^2+y^2=2$에 대입하면
$x^2+(2-x)^2=2$, $x^2-2x+1=0$
$(x-1)^2=0$ $\quad\therefore x=1$
$\therefore x=y=1$
즉, 주어진 명제는 참이다.

따라서 보기 중 참인 명제는 ㄱ, ㄷ이다.

095 답 ①

$P\cup Q=Q$에서 $P\subset Q$이므로 $P\cap Q=P$
$(P\cap Q)-R=P-R=P$이므로 $P\cap R=\varnothing$
① $P\cap R=\varnothing$에서 $P\subset R^C$이므로 명제 $p\longrightarrow\sim r$는 참이다.

096 답 3

$|x-1|>k$에서 $x-1<-k$ 또는 $x-1>k$
$\therefore x<-k+1$ 또는 $x>k+1$
$|x+1|\leq5$에서 $-5\leq x+1\leq5$
$\therefore -6\leq x\leq4$
두 조건 p, q의 진리집합을 각각 P, Q라 하면
$P^C=\{x\,|-k+1\leq x\leq k+1\}$, $Q=\{x\,|-6\leq x\leq4\}$
이때 명제 $\sim p\longrightarrow q$가 참이 되려면
$P^C\subset Q$이어야 하므로 오른쪽 그림
에서

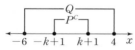

$-k+1\geq-6$, $k+1\leq4$
$\therefore 0<k\leq3 \ (\because k>0)$
따라서 양수 k의 최댓값은 3이다.

097 답 ②

② [반례] $x=8$이면 $2x\notin U$이다.

098 답 ⑤

① 역: $x=1$이면 $x^2=1$이다. (참)
② 역: x, y가 유리수이면 xy는 유리수이다. (참)
③ 역: $x>0$, $y>0$이면 $xy>0$이다. (참)
④ 역: $x=0$, $y=0$이면 $x^2+y^2=0$이다. (참)
⑤ 역: $x^2+y^2>0$이면 $x>0$ 또는 $y>0$이다. (거짓)
　　[반례] $x=-1$, $y=-2$이면 $x^2+y^2>0$이지만 $x<0$, $y<0$이다.

따라서 보기 중 그 역이 거짓인 명제는 ⑤이다.

099 답 ②

명제 $\sim p\longrightarrow q$의 역이 참이므로 $q\longrightarrow\sim p$가 참이다.
즉, $Q\subset P^C$이므로
② $P\cap Q=\varnothing$

100 답 12

주어진 명제가 참이므로 그 대우
'$x\leq-2$이고 $y\leq a$이면 $x+y\leq10$이다.'
도 참이다.
$x\leq-2$, $y\leq a$에서 $x+y\leq a-2$이므로
$a-2\leq10$ $\quad\therefore a\leq12$
따라서 실수 a의 최댓값은 12이다.

101 답 ④

명제 $p\longrightarrow r$가 참이므로 그 대우 $\sim r\longrightarrow\sim p$도 참이다.
또 명제 $q\longrightarrow\sim r$가 참이므로 그 대우 $r\longrightarrow\sim q$도 참이다.
이때 두 명제 $p\longrightarrow r$, $r\longrightarrow\sim q$가 모두 참이므로 명제 $p\longrightarrow\sim q$
가 참이고 그 대우 $q\longrightarrow\sim p$도 참이다.
따라서 보기 중 반드시 참이라고 할 수 없는 명제는 ④이다.

102 답 ③

① $p\longrightarrow q$: $x^3=1$이면 $x=1$이므로 $x^2=1$이다. (참)
　$q\longrightarrow p$: 거짓
　　　　[반례] $x=-1$이면 $x^2=1$이지만 $x^3\neq1$이다.
　따라서 $p\Longrightarrow q$이므로 p는 q이기 위한 충분조건이다.
② $p\longrightarrow q$: $x^2=9$이면 $x=\pm3$이므로 $|x|=3$이다. (참)
　$q\longrightarrow p$: $|x|=3$이면 $x=\pm3$이므로 $x^2=9$이다. (참)
　따라서 $p\Longleftrightarrow q$이므로 p는 q이기 위한 필요충분조건이다.
③ $p\longrightarrow q$: 거짓
　　　　[반례] $x=-3$이면 $x^2>4$이지만 $x\leq2$이다.
　$q\longrightarrow p$: 참
　따라서 $q\Longrightarrow p$이므로 p는 q이기 위한 필요조건이다.
④ $p\longrightarrow q$: $x+2=3$이면 $x=1$이므로 $x^2-2x+1=0$이다. (참)
　$q\longrightarrow p$: $x^2-2x+1=0$이면 $(x-1)^2=0$에서 $x=1$이므로 $x+2=3$이다. (참)
　따라서 $p\Longleftrightarrow q$이므로 p는 q이기 위한 필요충분조건이다.
⑤ $p\longrightarrow q$: 참
　$q\longrightarrow p$: 거짓
　　　　[반례] $x=\dfrac{1}{2}$, $y=-\dfrac{1}{2}$이면 $x+y$는 정수이지만 x, y는 모두 정수가 아니다.
　따라서 $p\Longrightarrow q$이므로 p는 q이기 위한 충분조건이다.
따라서 보기 중 p가 q이기 위한 필요조건이지만 충분조건이 아닌 것은 ③이다.

103 답 ③

두 명제 $p\longrightarrow\sim q$, $\sim r\longrightarrow q$가 모두 참이므로 그 대우
$q\longrightarrow\sim p$, $\sim q\longrightarrow r$도 참이다.

ㄱ. 두 명제 $p\longrightarrow\sim q$, $\sim q\longrightarrow r$가 참이므로 명제 $p\longrightarrow r$가 참이다.
　따라서 p는 r이기 위한 충분조건이다.
ㄴ. 명제 $q\longrightarrow\sim p$가 참이므로 q는 $\sim p$이기 위한 충분조건이다.
ㄷ. 명제 $\sim q\longrightarrow r$가 참이므로 r는 $\sim q$이기 위한 필요조건이다.
따라서 보기 중 옳은 것은 ㄱ, ㄷ이다.

104 답 ⑤

p는 q이기 위한 충분조건이므로 $P \subset Q$

$\sim q$는 $\sim r$이기 위한 필요조건이므로

$R^c \subset Q^c$ ∴ $Q \subset R$

∴ $P \subset Q \subset R$

④ $Q \cup R = R$이므로 $P \subset R$

⑤ $Q \cap R = Q$이므로 $P \subset (Q \cap R)$

따라서 보기 중 옳지 않은 것은 ⑤이다.

105 답 −1

q가 p이기 위한 필요조건이므로 명제

'$x^2 - x - 6 \neq 0$이면 $x + a \neq 0$이다.'

가 참이다.

즉, 이 명제의 대우

'$x + a = 0$이면 $x^2 - x - 6 = 0$이다.'

도 참이다.

$x + a = 0$에서 $x = -a$이므로 이를 $x^2 - x - 6 = 0$에 대입하면

$a^2 + a - 6 = 0$, $(a+3)(a-2) = 0$

∴ $a = -3$ 또는 $a = 2$

따라서 모든 상수 a의 값의 합은

$-3 + 2 = -1$

106 답 ①

주어진 명제의 대우 '실수 a, b에 대하여 $\boxed{(가) \ a = 0$이고 $b = 0}$이면 $a^2 + b^2 \leq 0$이다.'가 참임을 보이면 된다.

이때 $\boxed{(가) \ a = 0$이고 $b = 0}$이면 $\boxed{(나) \ a^2 + b^2 = 0}$이므로 $a^2 + b^2 \leq 0$을 만족시킨다.

107 답 ①

$(\sqrt{a-b})^2 - (\sqrt{a} - \sqrt{b})^2 = (a-b) - (a - 2\sqrt{ab} + b)$
$= 2\sqrt{ab} - 2b$
$= 2\sqrt{b}(\boxed{(가) \ \sqrt{a} - \sqrt{b}}) > 0$

따라서 $(\sqrt{a-b})^2 > (\sqrt{a} - \sqrt{b})^2$이다.

그런데 $\sqrt{a-b} \ \boxed{(나) \ >} \ 0$, $\sqrt{a} - \sqrt{b} \ \boxed{(나) \ >} \ 0$이므로

$\sqrt{a-b} > \sqrt{a} - \sqrt{b}$

108 답 $\dfrac{2}{3}$

$a + b = 6$이므로 $\dfrac{1}{a} + \dfrac{1}{b} = \dfrac{a+b}{ab} = \dfrac{6}{ab}$

$a > 0$, $b > 0$이므로 산술평균과 기하평균의 관계에 의하여

$a + b \geq 2\sqrt{ab}$

그런데 $a + b = 6$이므로

$6 \geq 2\sqrt{ab}$, $\sqrt{ab} \leq 3$ (단, 등호는 $a = b$일 때 성립)

양변을 제곱하면

$ab \leq 9$이므로 $\dfrac{1}{ab} \geq \dfrac{1}{9}$ ∴ $\dfrac{6}{ab} \geq \dfrac{2}{3}$

따라서 구하는 최솟값은 $\dfrac{2}{3}$이다.

109 답 ①

$a > 0$, $b > 0$에서 $a^2 \geq 0$, $4b^2 \geq 0$이므로 산술평균과 기하평균의 관계에 의하여

$a^2 + 4b^2 \geq 2\sqrt{a^2 \times 4b^2} = 4ab$

그런데 $a^2 + 4b^2 = 8$이므로

$8 \geq 4ab$ ∴ $ab \leq 2$

이때 등호는 $a = 2b$일 때 성립하므로 $a^2 + 4b^2 = 8$에 대입하면

$4b^2 + 4b^2 = 8$, $b^2 = 1$

∴ $b = 1$ (∵ $b > 0$)

$b = 1$을 $a = 2b$에 대입하면 $a = 2$

따라서 ab는 $a = 2$, $b = 1$일 때 최댓값 2를 가지므로

$p = 2$, $q = 2$, $r = 1$

∴ $p + q - r = 3$

110 답 10

$x > 4$에서 $x - 4 > 0$이므로 산술평균과 기하평균의 관계에 의하여

$\dfrac{x^2 - 4x + 9}{x - 4} = \dfrac{x(x-4) + 9}{x - 4}$
$= x + \dfrac{9}{x-4}$
$= x - 4 + \dfrac{9}{x-4} + 4$
$\geq 2\sqrt{(x-4) \times \dfrac{9}{x-4}} + 4 = 10$

$\left($단, 등호는 $x - 4 = \dfrac{9}{x-4}$, 즉 $x = 7$일 때 성립$\right)$

따라서 구하는 최솟값은 10이다.

111 답 4

a, b가 실수이므로 코시−슈바르츠의 부등식에 의하여

$\left\{\left(\dfrac{1}{2}\right)^2 + 2^2\right\}(a^2 + b^2) \geq \left(\dfrac{a}{2} + 2b\right)^2$

그런데 $\dfrac{a}{2} + 2b = \sqrt{17}$이므로 $\dfrac{17}{4}(a^2 + b^2) \geq 17$

∴ $a^2 + 4b^2 \geq 4$ $\left($단, 등호는 $\dfrac{b}{2} = 2a$, 즉 $b = 4a$일 때 성립$\right)$

따라서 구하는 최솟값은 4이다.

112 답 ③

$x^2 + y^2 = 5$이므로

$x^2 + x + y^2 + 2y = x + 2y + (x^2 + y^2)$
$= x + 2y + 5$

x, y가 실수이므로 코시−슈바르츠의 부등식에 의하여

$(1^2 + 2^2)(x^2 + y^2) \geq (x + 2y)^2$

그런데 $x^2 + y^2 = 5$이므로

$5 \times 5 \geq (x + 2y)^2$, $(x + 2y)^2 \leq 5^2$

∴ $-5 \leq x + 2y \leq 5$ (단, 등호는 $y = 2x$일 때 성립)

∴ $0 \leq x + 2y + 5 \leq 10$

따라서 $x^2 + x + y^2 + 2y$의 최댓값은 10이다.

001 답 ③

각 대응을 그림으로 나타내면 다음과 같다.

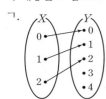 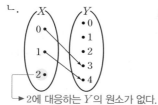

▶2에 대응하는 Y의 원소가 없다.

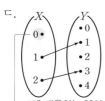 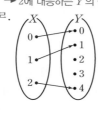

▶0에 대응하는 Y의 원소가 없다.

따라서 보기 중 함수인 것은 ㄱ, ㄹ이다.

002 답 2

$-1<0$이므로 $f(-1)=-1$

$2>0$이므로 $f(2)=2\times2-1=3$

$\therefore f(-1)+f(2)=-1+3=2$

003 답 ④

(i) $a>0$일 때

$f(x)=ax+b$의 공역과 치역이 서로 같으므로

$f(0)=0, f(4)=4$

$b=0, 4a+b=4$ $\therefore a=1, b=0$

그런데 $ab=0$이므로 조건을 만족시키지 않는다.

(ii) $a<0$일 때

$f(x)=ax+b$의 공역과 치역이 서로 같으므로

$f(0)=4, f(4)=0$

$b=4, 4a+b=0$ $\therefore a=-1, b=4$

$\therefore a+b=3$

(i), (ii)에 의하여 $a+b=3$

004 답 3

주어진 식의 양변에 $x=0, y=0$을 대입하면

$f(0+0)=f(0)+f(0)$

$\therefore f(0)=0$

주어진 식의 양변에 $x=-1, y=1$을 대입하면

$f(-1+1)=f(-1)+f(1)$

$0=f(-1)+3$

$\therefore f(-1)=-3$

주어진 식의 양변에 $x=1, y=1$을 대입하면

$f(1+1)=f(1)+f(1)$

$\therefore f(2)=3+3=6$

$\therefore f(-1)+f(2)=-3+6=3$

005 답 -1

$f(0)=g(0)$에서 $b=-1$

$f(1)=g(1)$에서 $a+b=0$ $\therefore a=1$

$\therefore ab=-1$

006 답 ㄱ, ㄷ

ㄴ, ㄹ. $-1\ne1$이지만 $f(-1)=f(1)=1$이므로 일대일대응이 아니다.

007 답 -3

함수 f가 일대일대응이려면 $f(1)=-2, f(3)=0$이어야 하므로

$a+b=-2, 3a+b=0$

두 식을 연립하여 풀면 $a=1, b=-3$

$\therefore ab=-3$

008 답 ③

함수 f는 항등함수이므로 $f(1)=1, f(2)=2$

$f(1)=g(5)$에서 $g(5)=1$

함수 g는 상수함수이므로 $g(1)=g(5)=1$

$\therefore f(2)+3g(1)=2+3\times1=5$

009 답 ⑤

집합 X에서 집합 Y로의 함수에서 X의 원소 a, b, c 각각에 대응할 수 있는 Y의 원소는 1, 2, 3의 3개이므로 함수의 개수는

$3\times3\times3=3^3=27$ $\therefore p=27$

집합 X에서 집합 Y로의 일대일대응에서 X의 원소 a에 대응할 수 있는 Y의 원소는 1, 2, 3의 3개, b에 대응할 수 있는 원소는 a에 대응한 원소를 제외한 2개, c에 대응할 수 있는 원소는 a, b에 대응한 원소를 제외한 1개이므로 일대일대응의 개수는

$3\times2\times1=6$ $\therefore q=6$

집합 X에서 집합 Y로의 함수가 상수함수일 때, X의 원소 a, b, c에 대응할 수 있는 Y의 원소는 1 또는 2 또는 3이므로 상수함수의 개수는 3이다. $\therefore r=3$

$\therefore p+q+r=27+6+3=36$

010 답 ㄱ, ㄴ, ㄹ

각 대응을 그림으로 나타내면 다음과 같다.

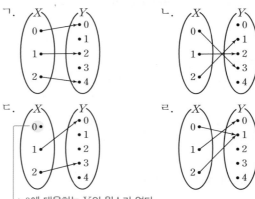

▶0에 대응하는 Y의 원소가 없다.

따라서 보기 중 함수인 것은 ㄱ, ㄴ, ㄹ이다.

011 답 ⑤

⑤ 집합 X의 원소 2에 대응하는 집합 Y의 원소가 a, c의 2개이므로 함수가 아니다.

012 답 ⑤

$X=\{-2, -1, 0, 1, 2\}$, $Y=\{\cdots, -1, 0, 1, 2, 3, 4\}$

⑤ 집합 X의 원소 -2, -1에 대응하는 집합 Y의 원소가 없으므로 함수가 아니다.

013 답 ③

y축에 평행한 직선 $x=k$와 오직 한 점에서 만나는 그래프는 ③이다.

014 답 7

$3 \geq 1$이므로 $f(3)=3$

$-2 < 1$이므로 $f(-2)=-(-2)+2=4$

$\therefore f(3)+f(-2)=3+4=7$

015 답 ⑤

$f(2)=f(3)=f(5)=f(7)=2$

$f(4)=f(9)=3$

$f(6)=f(8)=f(10)=4$

$\therefore f(2)+f(3)+f(4)+\cdots+f(10)=2\times4+3\times2+4\times3$
$$=26$$

016 답 ③

이차방정식 $x^2+4x-2=0$에서 $x=-2\pm\sqrt{6}$

이때 α, β는 무리수이고, $\alpha\beta$는 유리수이므로

$f(\alpha)=\alpha^2$, $f(\beta)=\beta^2$, $f(\alpha\beta)=\alpha\beta$

또 이차방정식의 근과 계수의 관계에 의하여

$\alpha+\beta=-4$, $\alpha\beta=-2$

$\therefore f(\alpha)+f(\beta)+f(\alpha\beta)=\alpha^2+\beta^2+\alpha\beta$
$$=(\alpha+\beta)^2-\alpha\beta$$
$$=(-4)^2-(-2)=18$$

017 답 ②

(i) $a>0$일 때

$f(x)=ax+b$의 공역과 치역이 서로 같으므로

$f(-2)=-3$, $f(3)=2$

$-2a+b=-3$, $3a+b=2$

두 식을 연립하여 풀면 $a=1$, $b=-1$

그런데 $a>b$이므로 조건을 만족시키지 않는다.

(ii) $a<0$일 때

$f(x)=ax+b$의 공역과 치역이 서로 같으므로

$f(-2)=2$, $f(3)=-3$

$-2a+b=2$, $3a+b=-3$

두 식을 연립하여 풀면 $a=-1$, $b=0$

$\therefore a+b=-1$

(i), (ii)에 의하여 $a+b=-1$

018 답 $\{0, 1, 2\}$

$X=\{-3, -2, -1, 0, 1\}$이므로

$f(-3)=2$, $f(-2)=1$, $f(-1)=0$, $f(0)=1$, $f(1)=2$

따라서 함수 f의 치역은 $\{0, 1, 2\}$이다.

019 답 2

$f(-1)=a+1$, $f(0)=1$, $f(1)=a+1$, $f(2)=4a+1$

따라서 치역은 $\{1, a+1, 4a+1\}$이고, 치역의 모든 원소의 합이 13이므로

$1+(a+1)+(4a+1)=13$

$5a=10$ $\therefore a=2$

020 답 ④

$3^1=3$을 4로 나누었을 때의 나머지는 3이므로 $f(1)=3$

$3^2=9$를 4로 나누었을 때의 나머지는 1이므로 $f(2)=1$

$3^3=27$을 4로 나누었을 때의 나머지는 3이므로 $f(3)=3$

$3^4=81$을 4로 나누었을 때의 나머지는 1이므로 $f(4)=1$

$3^5=243$을 4로 나누었을 때의 나머지는 3이므로 $f(5)=3$

$\vdots$

$\therefore f(x)=\begin{cases} 3 & (x\text{는 홀수}) \\ 1 & (x\text{는 짝수}) \end{cases}$

따라서 집합 A는 집합 $\{1, 3, 5, \cdots, 19\}$의 공집합이 아닌 부분집합이므로 구하는 집합 A의 개수는

$2^{10}-1=1024-1=1023$

021 답 ①

$f(x)=-x^2+6$의 공역과 치역이 같으므로

$f(k)=k$

$-k^2+6=k$, $k^2+k-6=0$

$(k+3)(k-2)=0$ $\therefore k=-3$ 또는 $k=2$

그런데 $k=2$이면 $x \leq 2$에서 $f(x)$의 최댓값은 6이므로 치역은 $\{y | y \leq 6\}$이고 공역은 $\{y | y \leq 2\}$로 공역과 치역이 서로 같지 않다.

$\therefore k=-3$

022 답 $\dfrac{1}{64}$

주어진 식의 양변에 $x=1$, $y=0$을 대입하면

$f(1+0)=f(1)f(0)$ $\therefore f(0)=1$

주어진 식의 양변에 $x=1$, $y=-1$을 대입하면

$f(1-1)=f(1)f(-1)$

$1=4f(-1)$ $\therefore f(-1)=\dfrac{1}{4}$

주어진 식의 양변에 $x=-1$, $y=-1$을 대입하면

$f(-1-1)=f(-1)f(-1)$

$\therefore f(-2)=\dfrac{1}{4}\times\dfrac{1}{4}=\dfrac{1}{16}$

주어진 식의 양변에 $x=-1$, $y=-2$를 대입하면

$f(-1-2)=f(-1)f(-2)$

$\therefore f(-3)=\dfrac{1}{4}\times\dfrac{1}{16}=\dfrac{1}{64}$

023 답 ②

주어진 식의 양변에 $x=2$, $y=2$를 대입하면
$f(2\times2)=f(2)+f(2)$
$6=2f(2)$ $\therefore f(2)=3$
주어진 식의 양변에 $x=2$, $y=4$를 대입하면
$f(2\times4)=f(2)+f(4)$
$\therefore f(8)=3+6=9$

024 답 ⑤

ㄱ. 주어진 식의 양변에 $x=2$, $y=1$을 대입하면
　$f(2\times1)=f(2)f(1)$ $\therefore f(1)=1$
ㄴ. 주어진 식의 양변에 $x=2$, $y=2$를 대입하면
　$f(2\times2)=f(2)f(2)$
　$\therefore f(4)=(-4)\times(-4)=16$
ㄷ. 자연수 n에 대하여
　$f(4^n)=f(4\times4\times4\times\cdots\times4)$
　$\quad\quad\;\,=f(4)\times f(4)\times f(4)\times\cdots\times f(4)$
　$\quad\quad\;\,=\{f(4)\}^n=16^n=4^{2n}$
따라서 보기 중 옳은 것은 ㄱ, ㄷ이다.

025 답 ②

$f(-2)=g(-2)$에서
$-6+a=4-2a+b$ $\quad$……㉠
$f(1)=g(1)$에서
$3+a=1+a+b$ $\quad$……㉡
㉠, ㉡에 의하여 $a=4$, $b=2$
$\therefore a^2+b^2=16+4=20$

026 답 ㄱ, ㄴ

ㄱ. $f(-1)=g(-1)=-1$, $f(0)=g(0)=0$, $f(1)=g(1)=1$이므로
　$f=g$
ㄴ. $f(-1)=g(-1)=1$, $f(0)=g(0)=0$, $f(1)=g(1)=1$이므로
　$f=g$
ㄷ. $f(1)=1$, $g(1)=0$이므로 $f(1)\neq g(1)$ $\quad\quad\therefore f\neq g$
따라서 보기 중 $f=g$인 것은 ㄱ, ㄴ이다.

027 답 $\{-2\}$, $\{5\}$, $\{-2, 5\}$

$x^2-2x=x+10$에서 $x^2-3x-10=0$
$(x+2)(x-5)=0$ $\quad\therefore x=-2$ 또는 $x=5$
따라서 집합 X는 집합 $\{-2, 5\}$의 공집합이 아닌 부분집합이므로
$\{-2\}$, $\{5\}$, $\{-2, 5\}$

028 답 ④

① 상수함수이므로 일대일대응이 아니다.
② $-1\neq1$이지만 $f(-1)=f(1)=0$이므로 일대일대응이 아니다.
③ $-1\neq0$이지만 $f(-1)=f(0)=0$이므로 일대일대응이 아니다.
⑤ $-1\neq0$이지만 $f(-1)=f(0)=-1$이므로 일대일대응이 아니다.

029 답 ③

임의의 실수 k에 대하여 x축에 평행한 직선 $y=k$와 오직 한 점에서 만나고, 치역과 공역이 같은 함수의 그래프는 ③이다.

030 답 ㄴ

ㄱ. 임의의 실수 k에 대하여 x축에 평행한 직선 $y=k$와 오직 한 점에서 만나고, 치역과 공역이 같으므로 일대일대응이다.
ㄴ. 임의의 실수 k에 대하여 x축에 평행한 직선 $y=k$와 오직 한 점에서 만나므로 일대일함수이다.
　그런데 치역이 $\{y\,|\,y>0\}$이므로 일대일대응이 아니다.
ㄷ. 임의의 실수 k에 대하여 x축에 평행한 직선 $y=k$와 만나지 않거나 2개의 점에서 만나기도 하므로 일대일함수가 아니다.

031 답 25

함수 f가 일대일대응이려면 $f(0)=4$, $f(2)=-2$이어야 하므로
$b=4$, $2a+b=-2$ $\quad\therefore a=-3$, $b=4$
$\therefore a^2+b^2=9+16=25$

032 답 1

함수 f가 일대일대응이려면 함수 $y=f(x)$의 그래프가 오른쪽 그림과 같아야 한다. 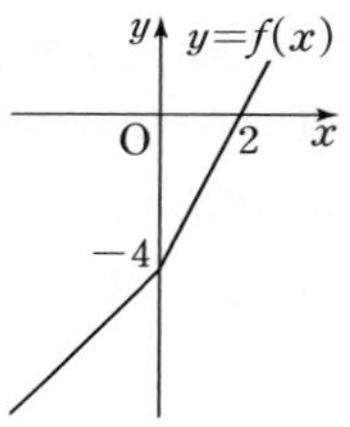
즉, 직선 $y=ax+a^2-5$의 기울기가 양수이어야 하므로 $a>0$
또 직선 $y=ax+a^2-5$가 점 $(0, -4)$를 지나야 하므로
$a^2-5=-4$, $a^2=1$
$\therefore a=1$ ($\because a>0$)

033 답 ①

$f(x)=x^2+2x+k=(x+1)^2+k-1$이므로 $x\geq2$일 때 x의 값이 증가하면 $f(x)$의 값도 증가한다.
따라서 함수 f가 일대일대응이려면 $f(2)=-1$이어야 하므로
$4+4+k=-1$ $\quad\therefore k=-9$

034 답 $-2<a<2$

$f(x)=a|x-2|+2x-3$에서
(i) $x\geq2$일 때
　$f(x)=a(x-2)+2x-3=(a+2)x-2a-3$
(ii) $x<2$일 때
　$f(x)=-a(x-2)+2x-3=(-a+2)x+2a-3$
(i), (ii)에 의하여
$f(x)=\begin{cases}(a+2)x-2a-3 & (x\geq2)\\(-a+2)x+2a-3 & (x<2)\end{cases}$
이때 함수 f가 일대일대응이려면 $x\geq2$일 때의 함수 $y=f(x)$의 그래프의 기울기와 $x<2$일 때의 함수 $y=f(x)$의 그래프의 기울기의 부호가 서로 같아야 하므로
$(a+2)(-a+2)>0$, $(a+2)(a-2)<0$
$\therefore -2<a<2$

035 답 ②

$f(x)=-x^2+2ax+b=-(x-a)^2+a^2+b$이므로 $-1\le x\le0$에서 $f(x)$의 값이 항상 증가하거나 항상 감소하려면 $a\le-1$ 또는 $a>0$ ($\because a\ne0$)이어야 한다.

(i) $a\le-1$일 때

함수 f가 일대일대응이려면 $f(-1)=0$, $f(0)=-1$이어야 하므로

$-1-2a+b=0$, $b=-1$

$\therefore a=-1$, $b=-1$

$\therefore ab=1$

(ii) $a>0$일 때

함수 f가 일대일대응이려면 $f(-1)=-1$, $f(0)=0$이어야 하므로

$-1-2a+b=-1$, $b=0$

$\therefore a=0$, $b=0$

그런데 $a=0$이므로 조건을 만족시키지 않는다.

(i), (ii)에 의하여 $ab=1$

036 답 4

함수 f는 항등함수이므로 $f(3)=3$, $f(-1)=-1$

$f(3)+g(3)=8$에서

$3+g(3)=8$ $\therefore g(3)=5$

함수 g는 상수함수이므로 $g(-1)=g(3)=5$

$\therefore f(-1)+g(-1)=-1+5=4$

037 답 ③

함수 f가 항등함수가 되려면 $f(x)=x$이어야 하므로

$x^3+2x^2-4x-6=x$에서

$x^3+2x^2-5x-6=0$

$(x+3)(x+1)(x-2)=0$

$\therefore x=-3$ 또는 $x=-1$ 또는 $x=2$

따라서 집합 X의 개수는 집합 $\{-3, -1, 2\}$의 공집합이 아닌 부분집합의 개수이므로

$2^3-1=7$

038 답 4

함수 g는 항등함수이므로 $g(1)=1$, $g(2)=2$

$f(1)=g(2)=h(3)$에서 $f(1)=h(3)=2$

$f(1)+f(3)=f(2)$에서 $2+f(3)=f(2)$

함수 f는 일대일대응이므로 $f(3)=1$, $f(2)=3$

함수 h는 상수함수이므로 $h(2)=h(3)=2$

$\therefore f(3)+g(1)+h(2)=1+1+2=4$

039 답 281

$n(X)=4$이므로

$p=4^4=256$, $q=4\times3\times2\times1=24$, $r=1$

$\therefore p+q+r=281$

040 답 6

구하는 함수의 개수는 X에서 Y로의 함수의 개수에서 상수함수의 개수를 빼면 되므로

$2^3-2=6$

041 답 ③

㈎에서 함수 f는 일대일함수이고 ㈏에서 $f(2)=6$이므로 $f(1)$의 값이 될 수 있는 것은 2, 4, 8, 10의 4개, $f(3)$의 값이 될 수 있는 것은 2, 4, 8, 10 중 $f(1)$의 값을 제외한 3개이다.

따라서 구하는 함수 f의 개수는 $4\times3=12$

042 답 4

(i) x가 홀수일 때

$x+f(x)$가 짝수이려면 $f(x)$가 홀수이어야 하므로

$f(1)=1$, $f(3)=3$ 또는 $f(1)=3$, $f(3)=1$

(ii) x가 짝수일 때

$x+f(x)$가 짝수이려면 $f(x)$가 짝수이어야 하므로

$f(2)=2$, $f(4)=4$ 또는 $f(2)=4$, $f(4)=2$

(i), (ii)에 의하여 함수 f의 개수는 $2\times2=4$

043 답 ④

$g(\sqrt{3})=(\sqrt{3})^2+1=4$

$f(4)=3\times4-2=10$

$\therefore (f\circ g)(\sqrt{3})=f(g(\sqrt{3}))=f(4)=10$

044 답 -1

$(f\circ g)(x)=f(g(x))=f(ax+2)$
$\qquad\qquad=2(ax+2)-1=2ax+3$

$(g\circ f)(x)=g(f(x))=g(2x-1)$
$\qquad\qquad=a(2x-1)+2=2ax-a+2$

$f\circ g=g\circ f$이므로 $2ax+3=2ax-a+2$

따라서 $3=-a+2$이므로 $a=-1$

045 답 ⑤

$(f\circ h)(x)=f(h(x))=h(x)-1$

$(f\circ h)(x)=g(x)$이므로 $h(x)-1=2x^2+3$

$\therefore h(x)=2x^2+4$

046 답 3

$f^1(1)=f(1)=2$

$f^2(1)=f(f(1))=f(2)=3$

$f^3(1)=f(f^2(1))=f(3)=4$

$f^4(1)=f(f^3(1))=f(4)=1$

$f^5(1)=f(f^4(1))=f(1)=2$

$\qquad\qquad\vdots$

즉, 자연수 n에 대하여 $f^n(1)$의 값은 2, 3, 4, 1이 이 순서대로 반복된다.

따라서 $150=4\times37+2$이므로 $f^{150}(1)=3$

047 답 ③

$f^{-1}(-3)=1$, $f^{-1}(6)=4$이므로 $f(1)=-3$, $f(4)=6$

$a+b=-3$, $4a+b=6$

두 식을 연립하여 풀면 $a=3$, $b=-6$

따라서 $f(x)=3x-6$이므로

$f(2)=6-6=0$

048 답 6

함수 f의 역함수가 존재하려면 f는 일대일대응이어야 한다.

함수 $y=f(x)$의 그래프의 기울기가 양수이므로

$f(-2)=a$, $f(3)=5$

$-4-b=a$, $6-b=5$ ∴ $a=-5$, $b=1$

∴ $b-a=6$

049 답 ②

$y=2x+a$에서 $2x=y-a$

∴ $x=\dfrac{1}{2}y-\dfrac{a}{2}$

x와 y를 서로 바꾸면 $y=\dfrac{1}{2}x-\dfrac{a}{2}$

∴ $f^{-1}(x)=\dfrac{1}{2}x-\dfrac{a}{2}$

따라서 $\dfrac{1}{2}x-\dfrac{a}{2}=bx+2$이므로

$\dfrac{1}{2}=b$, $-\dfrac{a}{2}=2$ ∴ $a=-4$, $b=\dfrac{1}{2}$

∴ $ab=-2$

050 답 ②

$(f^{-1}\circ g)(a)=f^{-1}(g(a))=4$에서 $f(4)=g(a)$이므로

$2-1=2a+3$ ∴ $a=-1$

051 답 ②

$(g\circ(f^{-1}\circ g)^{-1}\circ g^{-1})(-1)=(g\circ g^{-1}\circ f\circ g^{-1})(-1)$
$=(f\circ g^{-1})(-1)$
$=f(g^{-1}(-1))$

$g^{-1}(-1)=k$라 하면 $g(k)=-1$이므로

$-2k+3=-1$ ∴ $k=2$

∴ $(g\circ(f^{-1}\circ g)^{-1}\circ g^{-1})(-1)=f(g^{-1}(-1))$
$=f(2)=8-3=5$

052 답 ④

$(f\circ f)(a)=f(f(a))=f(b)=c$

한편 $f^{-1}(c)=k$라 하면 $f(k)=c$이므로

$k=b$

$f^{-1}(b)=l$이라 하면 $f(l)=b$이므로

$l=a$

∴ $(f^{-1}\circ f^{-1})(c)=f^{-1}(f^{-1}(c))=f^{-1}(b)=a$

∴ $(f\circ f)(a)+(f^{-1}\circ f^{-1})(c)=c+a$

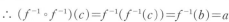

053 답 ④

함수 $y=f(x)$의 그래프와 그 역함수 $y=f^{-1}(x)$의 그래프의 교점은 함수 $y=f(x)$의 그래프와 직선 $y=x$의 교점과 같으므로

$2x-1=x$에서 $x=1$

따라서 교점의 좌표는 $(1, 1)$이므로

$a=1$, $b=1$ ∴ $a+b=2$

054 답 ①

$f(-1)=|-1-3|=4$

$g(4)=-4^2+3=-13$

∴ $(g\circ f)(-1)=g(f(-1))=g(4)=-13$

055 답 ②

$(f\circ f)(2)=f(f(2))=f(1)=0$

$(f\circ f\circ f)(1)=f(f(f(1)))$
$=f(f(0))=f(3)=4$

∴ $(f\circ f)(2)+(f\circ f\circ f)(1)=0+4=4$

056 답 0

$(f\circ g)(2)+(g\circ f)(-2)=f(g(2))+g(f(-2))$
$=f(0)+g(5)$
$=-3+3=0$

057 답 3

$(f\circ(g\circ h))(-2)=((f\circ g)\circ h)(-2)$
$=(f\circ g)(h(-2))$
$=(f\circ g)(1)=3$

058 답 ②

$f(x)=\begin{cases} 3x & (0\leq x<1) \\ -\dfrac{3}{2}x+\dfrac{9}{2} & (1\leq x\leq 3) \end{cases}$, $g(x)=\begin{cases} 2 & (0\leq x<2) \\ -2x+6 & (2\leq x\leq 3) \end{cases}$

∴ $(f\circ g)(1)+(g\circ f)(2)=f(g(1))+g(f(2))$
$=f(2)+g\left(\dfrac{3}{2}\right)$
$=\dfrac{3}{2}+2=\dfrac{7}{2}$

059 답 3

(가)에서 $f(2)=3$, (나)에서 $(f\circ g)(2)=f(g(2))=3$이고 함수 f가 일대일대응이므로

$g(2)=2$

또 (가)에서 $g(1)=3$, (나)에서 $(g\circ f)(3)=g(f(3))=3$이고 함수 g가 일대일대응이므로

$f(3)=1$

따라서 $f(2)=3$, $f(3)=1$이므로 $f(1)=2$이고, $g(1)=3$, $g(2)=2$이므로 $g(3)=1$이다.

∴ $f(1)+g(3)=2+1=3$

060 답 **4**

$f(x)=\begin{cases}-2x+2 & (0\le x<1)\\ 2x-2 & (1\le x\le2)\end{cases}$ 이므로

$f(f(x))=\begin{cases}-2f(x)+2 & (0\le f(x)<1)\\ 2f(x)-2 & (1\le f(x)\le2)\end{cases}$

이때 $f\left(\dfrac{1}{2}\right)=1$, $f\left(\dfrac{3}{2}\right)=1$이므로 $f(x)$의 값이 0, 1이 되는 x의 값을 기준으로 구간을 나누어 합성함수 $f\circ f$의 식을 구해 보자.

(i) $0\le x\le\dfrac{1}{2}$일 때, $1\le f(x)\le2$이므로

$\quad f(f(x))=2f(x)-2=2(-2x+2)-2=-4x+2$

(ii) $\dfrac{1}{2}<x<1$일 때, $0<f(x)<1$이므로

$\quad f(f(x))=-2f(x)+2=-2(-2x+2)+2=4x-2$

(iii) $1\le x<\dfrac{3}{2}$일 때, $0\le f(x)<1$이므로

$\quad f(f(x))=-2f(x)+2=-2(2x-2)+2=-4x+6$

(iv) $\dfrac{3}{2}\le x\le2$일 때, $1\le f(x)\le2$이므로

$\quad f(f(x))=2f(x)-2=2(2x-2)-2=4x-6$

(i)~(iv)에 의하여 합성함수 $y=f(f(x))$의 그래프는 오른쪽 그림과 같다.
이때 방정식 $f(f(x))=2-x$의 서로 다른 실근의 개수는 함수 $y=f(f(x))$의 그래프와 직선 $y=2-x$가 만나는 점의 개수와 같다.

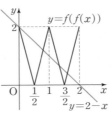

따라서 구하는 방정식의 서로 다른 실근은 4개이다.

061 답 ③

$(f\circ g)(x)=f(g(x))=f(-x+2)$
$\qquad\qquad=a(-x+2)-4=-ax+2a-4$
$(g\circ f)(x)=g(f(x))=g(ax-4)$
$\qquad\qquad=-(ax-4)+2=-ax+6$

$f\circ g=g\circ f$이므로 $-ax+2a-4=-ax+6$
따라서 $2a-4=6$이므로 $a=5$

062 답 ⑤

$(f\circ f)(2)=f(f(2))=f(2a+3)$
$\qquad\qquad=a(2a+3)+3=2a^2+3a+3$
즉, $2a^2+3a+3=12$에서 $2a^2+3a-9=0$
$(a+3)(2a-3)=0$ $\quad\therefore a=\dfrac{3}{2}$ ($\because a>0$)

따라서 $f(x)=\dfrac{3}{2}x+3$이므로 $f(4)=\dfrac{3}{2}\times4+3=9$

063 답 **−1**

$(f\circ g)(x)=f(g(x))=f(x+b)$
$\qquad\qquad=a(x+b)+1=ax+ab+1$

$f\circ g=h$이므로 $ax+ab+1=2x-2$

따라서 $a=2$, $ab+1=-2$이므로 $a=2$, $b=-\dfrac{3}{2}$

$\therefore a+2b=2+2\times\left(-\dfrac{3}{2}\right)=-1$

064 답 **3**

$(f\circ g)(x)=f(g(x))=f(bx+2a)$
$\qquad\qquad=a(bx+2a)+2b=abx+2a^2+2b$
$(g\circ f)(x)=g(f(x))=g(ax+2b)$
$\qquad\qquad=b(ax+2b)+2a=abx+2b^2+2a$

$f\circ g=g\circ f$이므로 $abx+2a^2+2b=abx+2b^2+2a$
따라서 $2a^2+2b=2b^2+2a$이므로 $a^2-b^2-a+b=0$
$(a-b)(a+b-1)=0$ $\quad\therefore a=b$ 또는 $a+b=1$
그런데 두 함수 f, g가 서로 다른 함수이므로 $a\ne b$
$\therefore a+b=1$
$\therefore f(1)+g(1)=(a+2b)+(b+2a)$
$\qquad\qquad\qquad=3a+3b=3(a+b)$
$\qquad\qquad\qquad=3\times1=3$

065 답 ④

$(g\circ h)(x)=g(h(x))=-h(x)+2$
$(g\circ h)(x)=f(x)$이므로 $-h(x)+2=3x^2-1$
$\therefore h(x)=-3x^2+3$

066 답 **2**

$(h\circ g\circ f)(x)=((h\circ g)\circ f)(x)$
$\qquad\qquad\qquad=(h\circ g)(f(x))$
$\qquad\qquad\qquad=2f(x)-3$
에서 $2f(x)-3=4x+5$, $2f(x)=4x+8$
$\therefore f(x)=2x+4$
$\therefore f(-1)=2\times(-1)+4=2$

067 답 $h(x)=-\dfrac{3}{2}x+\dfrac{1}{2}$

$(h\circ f)(x)=h(f(x))=h(-2x+1)$
$(h\circ f)(x)=g(x)$이므로 $h(-2x+1)=3x-1$
$-2x+1=t$로 놓으면 $x=-\dfrac{1}{2}t+\dfrac{1}{2}$이므로
$h(t)=3\left(-\dfrac{1}{2}t+\dfrac{1}{2}\right)-1=-\dfrac{3}{2}t+\dfrac{1}{2}$
$\therefore h(x)=-\dfrac{3}{2}x+\dfrac{1}{2}$

068 답 ④

$(g\circ f)(x)=g(f(x))=g(2x+3)$
$(g\circ f)(x)=x^2+x$이므로 $g(2x+3)=x^2+x$
$2x+3=t$로 놓으면 $x=\dfrac{1}{2}t-\dfrac{3}{2}$이므로
$g(t)=\left(\dfrac{1}{2}t-\dfrac{3}{2}\right)^2+\dfrac{1}{2}t-\dfrac{3}{2}=\dfrac{1}{4}t^2-t+\dfrac{3}{4}$
$\therefore g(-3)=\dfrac{1}{4}\times9+3+\dfrac{3}{4}=6$

다른 풀이 $g(2x+3)=x^2+x$ ······ ㉠
$2x+3=-3$에서 $x=-3$이므로 이를 ㉠에 대입하면
$g(-3)=6$

069 답 ③

$f^1\left(\dfrac{1}{2}\right)=f\left(\dfrac{1}{2}\right)=-\dfrac{1}{2}$

$f^2\left(\dfrac{1}{2}\right)=f\left(f\left(\dfrac{1}{2}\right)\right)=f\left(-\dfrac{1}{2}\right)=\dfrac{1}{2}$

$f^3\left(\dfrac{1}{2}\right)=f\left(f^2\left(\dfrac{1}{2}\right)\right)=f\left(\dfrac{1}{2}\right)=-\dfrac{1}{2}$

$\vdots$

$\therefore f^n\left(\dfrac{1}{2}\right)=\begin{cases}-\dfrac{1}{2} & (n\text{은 홀수})\\[2mm]\dfrac{1}{2} & (n\text{은 짝수})\end{cases}$

$\therefore f^{10}\left(\dfrac{1}{2}\right)+f^{11}\left(\dfrac{1}{2}\right)+f^{12}\left(\dfrac{1}{2}\right)+\cdots+f^{50}\left(\dfrac{1}{2}\right)$

$=\dfrac{1}{2}-\dfrac{1}{2}+\dfrac{1}{2}-\dfrac{1}{2}+\cdots+\dfrac{1}{2}-\dfrac{1}{2}+\dfrac{1}{2}=\dfrac{1}{2}$

070 답 ①

$f^1(x)=f(x)=2x$

$f^2(x)=f(f(x))=2(2x)=2^2x$

$f^3(x)=f(f^2(x))=2(2^2x)=2^3x$

$\vdots$

$\therefore f^n(x)=2^nx$ (단, n은 자연수)

$\therefore f^9(-2)=2^9\times(-2)=-2^{10}$

071 답 6

$f^1(100)=f(100)=\dfrac{100}{2}=50$

$f^2(100)=f(f(100))=f(50)=\dfrac{50}{2}=25$

$f^3(100)=f(f^2(100))=f(25)=\dfrac{25-3}{2}=11$

$f^4(100)=f(f^3(100))=f(11)=\dfrac{11-3}{2}=4$

$f^5(100)=f(f^4(100))=f(4)=\dfrac{4}{2}=2$

$f^6(100)=f(f^5(100))=f(2)=\dfrac{2}{2}=1$

$\therefore n=6$

072 답 3

$f^1(1)=f(1)=2$

$f^2(1)=f(f(1))=f(2)=3$

$f^3(1)=f(f^2(1))=f(3)=1$

$f^4(1)=f(f^3(1))=f(1)=2$

$\vdots$

즉, $f^n(1)$의 값은 2, 3, 1이 이 순서대로 반복된다.

따라서 $200=3\times66+2$이므로 $f^{200}(1)=3$

073 답 ②

$f^1(1)=f(1)=2$

$f^2(1)=f(f(1))=f(2)=4$

$f^3(1)=f(f^2(1))=f(4)=3$

$f^4(1)=f(f^3(1))=f(3)=1$

$\vdots$

따라서 $f^n(1)=1$을 만족시키는 자연수 n의 최솟값은 4이다.

같은 방법으로 $f^n(2)=2$, $f^n(3)=3$, $f^n(4)=4$를 만족시키는 자연수 n의 최솟값은 4이므로 구하는 자연수 n의 최솟값은 4이다.

074 답 7

$f^{-1}(1)=3$, $f^{-1}(-1)=5$이므로

$f(3)=1$, $f(5)=-1$

$3a+b=1$, $5a+b=-1$

두 식을 연립하여 풀면 $a=-1$, $b=4$

따라서 $f(x)=-x+4$이므로 $f(-3)=3+4=7$

075 답 $-\dfrac{7}{2}$

$f^{-1}(4)=2$, $f^{-1}(1)=b$이므로

$f(2)=4$, $f(b)=1$

$2a+3=4$, $ab+3=1$

따라서 $a=\dfrac{1}{2}$, $b=-4$이므로 $a+b=-\dfrac{7}{2}$

076 답 ②

$\dfrac{3-x}{4}=t$로 놓으면 $x=-4t+3$이므로

$f(t)=(-4t+3)-2=-4t+1$

$f^{-1}(5)=k$라 하면 $f(k)=5$이므로

$-4k+1=5$ $\therefore k=-1$ $\therefore f^{-1}(5)=-1$

077 답 4

$f^{-1}(7)=k$라 하면 $f(k)=7$이므로

$k^2-2k-1=7$, $k^2-2k-8=0$

$(k+2)(k-4)=0$ $\therefore k=-2$ 또는 $k=4$

그런데 함수 f의 정의역에 의하여 $k\geq1$이므로 $k=4$

$\therefore f^{-1}(7)=4$

078 답 ③

$x\geq2$일 때, $f(x)=x^2-4x+5=(x-2)^2+1\geq1$

$x<2$일 때, $f(x)=x-1<1$

$f^{-1}(0)=a$, $f^{-1}(10)=b$라 하면

$f(a)=0<1$, $f(b)=10\geq1$이므로 $a<2$, $b\geq2$

$f(a)=0$에서 $a-1=0$ $\therefore a=1$

$f(b)=10$에서 $b^2-4b+5=10$

$b^2-4b-5=0$, $(b+1)(b-5)=0$ $\therefore b=5$ $(\because b\geq2)$

$\therefore f^{-1}(0)+f^{-1}(10)=1+5=6$

079 답 ⑤

함수 f의 역함수가 존재하려면 f는 일대일대응이어야 한다.

함수 $y=f(x)$의 그래프의 기울기가 음수이므로

$f(-1)=a$, $f(2)=2$

$3+b=a$, $-6+b=2$

$\therefore a=11$, $b=8$

$\therefore a+b=19$

080 답 6

함수 f의 역함수가 존재하려면 f는 일대일대응이어야 한다.

따라서 $x \geq 1$일 때의 함수 $y=f(x)$의 그래프의 기울기와 $x < 1$일 때의 함수 $y=f(x)$의 그래프의 기울기의 부호가 서로 같아야 하므로

$(a-4)(1-2a) > 0$, $(a-4)(2a-1) < 0$

$\therefore \dfrac{1}{2} < a < 4$

따라서 정수 a는 1, 2, 3이므로 구하는 모든 정수 a의 값의 합은

$1+2+3=6$

081 답 -1

함수 f의 역함수가 존재하려면 f는 일대일대응이어야 한다.

$f(x)=x^2+kx+k^2=\left(x+\dfrac{k}{2}\right)^2+\dfrac{3}{4}k^2$이므로

$-\dfrac{k}{2} \leq 1$, $f(1)=1$

$-\dfrac{k}{2} \leq 1$에서 $k \geq -2$ $\cdots\cdots$ ㉠

$f(1)=1$에서 $1+k+k^2=1$

$k^2+k=0$, $k(k+1)=0$

$\therefore k=-1$ 또는 $k=0$ $\cdots\cdots$ ㉡

㉠, ㉡에 의하여 $k=-1$ 또는 $k=0$

따라서 모든 상수 k의 값의 합은

$-1+0=-1$

082 답 8

$U=\{6, 12, 18, 24, 30, 36, 42, 48\}$이므로

$f(6)=f(36)=1$, $f(12)=f(42)=2$,

$f(18)=f(48)=3$, $f(24)=4$, $f(30)=0$

함수 f의 역함수가 존재하려면 f가 일대일대응이어야 한다.

$f^{-1}(0)=30$, $f^{-1}(4)=24$이므로 집합 X는 24, 30을 반드시 원소로 갖고, $f^{-1}(1)=6$ 또는 $f^{-1}(1)=36$이므로 6, 36 중 1개,

$f^{-1}(2)=12$ 또는 $f^{-1}(2)=42$이므로 12, 42 중 1개, $f^{-1}(3)=18$ 또는 $f^{-1}(3)=48$이므로 18, 48 중 1개를 반드시 원소로 갖는다.

따라서 구하는 집합 X의 개수는

$2 \times 2 \times 2 = 8$

083 답 ③

$y=ax+3$에서 $ax=y-3$

$\therefore x=\dfrac{1}{a}y-\dfrac{3}{a}$

x와 y를 서로 바꾸면 $y=\dfrac{1}{a}x-\dfrac{3}{a}$

$\therefore f^{-1}(x)=\dfrac{1}{a}x-\dfrac{3}{a}$

따라서 $\dfrac{1}{a}x-\dfrac{3}{a}=\dfrac{1}{3}x+b$이므로

$\dfrac{1}{a}=\dfrac{1}{3}$, $-\dfrac{3}{a}=b$ $\therefore a=3$, $b=-1$

$\therefore a+b=2$

084 답 $h^{-1}(x)=-\dfrac{1}{3}x+1$

$h(x)=(g \circ f)(x)=g(f(x))=g(3x-1)$

$\qquad =-(3x-1)+2=-3x+3$

즉, $h(x)=-3x+3$이므로 $y=-3x+3$에서

$3x=-y+3$ $\therefore x=-\dfrac{1}{3}y+1$

x와 y를 서로 바꾸면 $y=-\dfrac{1}{3}x+1$

$\therefore h^{-1}(x)=-\dfrac{1}{3}x+1$

085 답 -1

$y=ax+1$에서 $ax=y-1$ $\therefore x=\dfrac{1}{a}y-\dfrac{1}{a}$

x와 y를 서로 바꾸면 $y=\dfrac{1}{a}x-\dfrac{1}{a}$

$\therefore f^{-1}(x)=\dfrac{1}{a}x-\dfrac{1}{a}$

$f=f^{-1}$에서 $ax+1=\dfrac{1}{a}x-\dfrac{1}{a}$이므로

$\left(a-\dfrac{1}{a}\right)x+1+\dfrac{1}{a}=0$

이 식이 x의 값에 관계없이 항상 성립해야 하므로

$a-\dfrac{1}{a}=0$, $1+\dfrac{1}{a}=0$ $\therefore a=-1$

086 답 ①

함수 $g(x)$의 역함수가 $f(2x+3)$이므로

$g^{-1}(x)=f(2x+3)$

$y=\dfrac{1}{2}x-1$에서 $\dfrac{1}{2}x=y+1$ $\therefore x=2y+2$

x와 y를 서로 바꾸면 $y=2x+2$ $\therefore g^{-1}(x)=2x+2$

따라서 $f(2x+3)=2x+2$이므로

$2x+3=t$로 놓으면 $x=\dfrac{t-3}{2}$

$\therefore f(t)=2 \times \dfrac{t-3}{2}+2=t-1$

$\therefore f(x)=x-1$

087 답 8

$(f \circ g^{-1})(a)=f(g^{-1}(a))=2$

$g^{-1}(a)=k$라 하면 $f(k)=2$에서 $\dfrac{k-1}{2}=2$ $\therefore k=5$

따라서 $g^{-1}(a)=5$이므로 $a=g(5)=2 \times 5-2=8$

088 답 9

$(f \circ g^{-1})(1)=f(g^{-1}(1))$이고 $g(2)=1$이므로

$g^{-1}(1)=2$

$\therefore (f \circ g^{-1})(1)=f(2)=4$

$(g \circ f^{-1})(1)=g(f^{-1}(1))$이고 $f(4)=1$이므로

$f^{-1}(1)=4$

$\therefore (g \circ f^{-1})(1)=g(4)=5$

$\therefore (f \circ g^{-1})(1)+(g \circ f^{-1})(1)=4+5=9$

089 답 2

$(f \circ g^{-1} \circ f)(a) = f(g^{-1}(f(a))) = 5$

$g^{-1}(f(a)) = k$라 하면 $f(k) = 5$에서

$2k + 3 = 5$ ∴ $k = 1$

∴ $g^{-1}(f(a)) = 1$

따라서 $g(1) = f(a)$이므로

$7 = 2a + 3$ ∴ $a = 2$

090 답 ③

$(f \circ g)(x) = f(g(x)) = f(-2x + b)$
$\qquad\qquad = a(-2x + b) + 1 = -2ax + ab + 1$

$(f \circ g)(x) = -x + 3$이므로

$-2ax + ab + 1 = -x + 3$

따라서 $-2a = -1$, $ab + 1 = 3$이므로 $a = \dfrac{1}{2}$, $b = 4$

∴ $f(x) = \dfrac{1}{2}x + 1$, $g(x) = -2x + 4$

$g^{-1}(-8) = k$라 하면 $g(k) = -8$이므로

$-2k + 4 = -8$ ∴ $k = 6$

∴ $f(g^{-1}(-8)) = f(6) = 3 + 1 = 4$

091 답 4

$(f \circ (f^{-1} \circ g)^{-1} \circ f^{-1})(6) = (f \circ g^{-1} \circ f \circ f^{-1})(6)$
$\qquad\qquad\qquad\qquad\qquad = (f \circ g^{-1})(6) = f(g^{-1}(6))$

$g^{-1}(6) = k$라 하면 $g(k) = 6$이므로

$5k - 4 = 6$ ∴ $k = 2$

∴ $(f \circ (f^{-1} \circ g)^{-1} \circ f^{-1})(6) = f(g^{-1}(6))$
$\qquad\qquad\qquad\qquad\qquad = f(2) = 6 - 2 = 4$

092 답 ②

$(f^{-1} \circ g)(0) + (f^{-1} \circ g)^{-1}(1) = (f^{-1} \circ g)(0) + (g^{-1} \circ f)(1)$
$\qquad\qquad\qquad\qquad = f^{-1}(g(0)) + g^{-1}(f(1))$
$\qquad\qquad\qquad\qquad = f^{-1}(3) + g^{-1}(3)$

$f^{-1}(3) = k$라 하면 $f(k) = 3$이므로

$4k - 1 = 3$ ∴ $k = 1$

$g^{-1}(3) = l$이라 하면 $g(l) = 3$이므로

$5l + 3 = 3$ ∴ $l = 0$

∴ $(f^{-1} \circ g)(0) + (f^{-1} \circ g)^{-1}(1) = f^{-1}(3) + g^{-1}(3)$
$\qquad\qquad\qquad\qquad\qquad = 1 + 0 = 1$

093 답 2

$(g \circ f)(x) = x$에서 $f(x) = g^{-1}(x)$이므로

$g^{-1}(x) = \dfrac{5}{2}x - 4$

$g(1) = k$라 하면 $g^{-1}(k) = 1$이므로

$\dfrac{5}{2}k - 4 = 1$, $\dfrac{5}{2}k = 5$ ∴ $k = 2$

∴ $g(1) = 2$

094 답 ⑤

$h(x) = 4x - 7$이라 하면

$h^{-1}(x) = (f \circ g^{-1})^{-1}(x) = (g \circ f^{-1})(x)$

이때 $h^{-1}(1) = k$라 하면 $h(k) = 1$이므로

$4k - 7 = 1$ ∴ $k = 2$

∴ $(g \circ f^{-1})(1) = h^{-1}(1) = 2$

095 답 ②

$((f \circ g)^{-1} \circ f \circ g^{-1})(a) = (g^{-1} \circ f^{-1} \circ f \circ g^{-1})(a)$
$\qquad\qquad\qquad\qquad = (g^{-1} \circ g^{-1})(a)$
$\qquad\qquad\qquad\qquad = g^{-1}(g^{-1}(a))$
$\qquad\qquad\qquad\qquad = g^{-1}(2a - 5)$
$\qquad\qquad\qquad\qquad = 2(2a - 5) - 5$
$\qquad\qquad\qquad\qquad = 4a - 15$

따라서 $f(a) = 4a - 15$이므로 $f^{-1}(4a - 15) = a$

$(4a - 15) + 3 = a$, $3a = 12$ ∴ $a = 4$

096 답 $h(x) = \begin{cases} \dfrac{1}{2}x & (x \geq 2) \\ x - 1 & (x < 2) \end{cases}$

$f \circ h = g^{-1}$에서 $f^{-1} \circ f \circ h = f^{-1} \circ g^{-1}$

∴ $h = (g \circ f)^{-1}$

(i) $x \geq 1$일 때

$\quad (g \circ f)(x) = g(f(x)) = g(2x - 1)$
$\qquad\qquad\qquad = (2x - 1) + 1 = 2x$

$\quad y = 2x$라 하면 $y \geq 2$이고 $x = \dfrac{1}{2}y$

$\quad x$와 y를 서로 바꾸면 $y = \dfrac{1}{2}x$

$\quad$ ∴ $(g \circ f)^{-1}(x) = \dfrac{1}{2}x$ $(x \geq 2)$

(ii) $x < 1$일 때

$\quad (g \circ f)(x) = g(f(x)) = g(x) = x + 1$

$\quad y = x + 1$이라 하면 $y < 2$이고 $x = y - 1$

$\quad x$와 y를 서로 바꾸면 $y = x - 1$

$\quad$ ∴ $(g \circ f)^{-1}(x) = x - 1$ $(x < 2)$

(i), (ii)에 의하여 $h(x) = \begin{cases} \dfrac{1}{2}x & (x \geq 2) \\ x - 1 & (x < 2) \end{cases}$

097 답 ④

ㄱ. $f \circ f = f^{-1}$이므로 $f \circ f \circ f = f \circ f^{-1}$

$\quad$ 따라서 $f^3(x) = x$이므로 $f^3(1) = 1$

ㄴ. $f^3(x) = x$이므로

$\quad f^{20} = f^{3 \times 6} \circ f^2 = f^2$, $f^{40} = f^{3 \times 13} \circ f = f$

$\quad$ 그런데 $f \neq f^{-1}$이므로 $f \neq f^2$ ∴ $f^{20} \neq f^{40}$

ㄷ. $f^{2020} = f^{3 \times 673} \circ f = f$

$\quad f^{20} = f^{3 \times 6} \circ f^2 = f^2$

$\quad (f^2)^{-1} = (f^{-1})^{-1} = f$이므로 $(f^{20})^{-1} = f$

$\quad$ ∴ $f^{2020} = (f^{20})^{-1}$

따라서 보기 중 옳은 것은 ㄱ, ㄷ이다.

098 답 ④

$(f \circ f)(6) = f(f(6)) = f(3) = 1$

한편 $f^{-1}(6) = k$라 하면 $f(k) = 6$이므로

$k = 9$

$f^{-1}(9) = l$이라 하면 $f(l) = 9$이므로

$l = 11$

$\therefore (f^{-1} \circ f^{-1})(6) = f^{-1}(f^{-1}(6))$

$\qquad\qquad\qquad = f^{-1}(9) = 11$

$\therefore (f \circ f)(6) + (f^{-1} \circ f^{-1})(6) = 1 + 11 = 12$

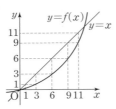

099 답 ③

$g^{-1}(c) = k$라 하면 $g(k) = c$이므로

$k = b$

$f^{-1}(b) = l$이라 하면 $f(l) = b$이므로

$l = c$

$\therefore (g \circ f)^{-1}(c) = (f^{-1} \circ g^{-1})(c)$

$\qquad\qquad\qquad = f^{-1}(g^{-1}(c))$

$\qquad\qquad\qquad = f^{-1}(b) = c$

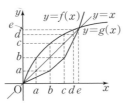

100 답 $\dfrac{2}{3}$

함수 $y = f(x)$의 그래프와 그 역함수 $y = f^{-1}(x)$의 그래프의 교점은 함수 $y = f(x)$의 그래프와 직선 $y = x$의 교점과 같으므로

$-2x + 1 = x$에서 $x = \dfrac{1}{3}$

따라서 교점의 좌표는 $\left(\dfrac{1}{3}, \dfrac{1}{3}\right)$이므로 $a = \dfrac{1}{3}$, $b = \dfrac{1}{3}$

$\therefore a + b = \dfrac{2}{3}$

101 답 -1

함수 $y = f(x)$의 그래프와 그 역함수 $y = f^{-1}(x)$의 그래프의 교점은 함수 $y = f(x)$의 그래프와 직선 $y = x$의 교점과 같으므로

$3x + a = x$의 해가 $x = 1$이어야 한다.

즉, $3 + a = 1$이므로 $a = -2$

한편 점 $(1, b)$는 직선 $y = x$ 위의 점이므로 $b = 1$

$\therefore a + b = -1$

102 답 ⑤

두 함수 $y = f(x)$, $y = f^{-1}(x)$의 그래프가 일치하므로 함수 $y = f(x)$의 그래프는 두 점 $(-1, 4)$, $(4, -1)$을 지난다.

$f(x) = ax + b \, (a \neq 0)$라 하면

$-a + b = 4$, $4a + b = -1$

두 식을 연립하여 풀면 $a = -1$, $b = 3$

따라서 $f(x) = -x + 3$이므로

$f(1) = -1 + 3 = 2$

103 답 ②

함수 $y = f(x)$의 그래프와 그 역함수 $y = f^{-1}(x)$의 그래프의 교점은 함수 $y = f(x)$의 그래프와 직선 $y = x$의 교점과 같으므로

$x^2 - 6x + 12 = x$에서 $x^2 - 7x + 12 = 0$

$(x - 3)(x - 4) = 0$ $\therefore x = 3$ 또는 $x = 4$

따라서 두 교점의 좌표는 $(3, 3)$, $(4, 4)$이므로 두 교점 사이의 거리는 $\sqrt{(4-3)^2 + (4-3)^2} = \sqrt{2}$

104 답 10

함수 $y = f(x)$의 그래프와 그 역함수 $y = f^{-1}(x)$의 그래프는 직선 $y = x$에 대하여 대칭이므로 구하는 넓이는 오른쪽 그림과 같이 함수 $y = f(x)$의 그래프와 직선 $y = x$로 둘러싸인 부분의 넓이의 2배이다.

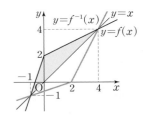

함수 $y = f(x)$의 그래프와 직선 $y = x$의 교점의 x좌표를 구하면

(i) $x \geq 0$일 때, $\dfrac{1}{2}x + 2 = x$ $\therefore x = 4$

(ii) $x < 0$일 때, $3x + 2 = x$ $\therefore x = -1$

(i), (ii)에 의하여 함수 $y = f(x)$의 그래프와 직선 $y = x$의 두 교점의 좌표는 $(-1, -1)$, $(4, 4)$이므로 구하는 넓이는

$2 \times \left(\dfrac{1}{2} \times 2 \times 1 + \dfrac{1}{2} \times 2 \times 4\right) = 10$

105 답 ①

$X = \{-2, -1, 0, 1, 2, 3\}$

ㄴ. 정의역의 원소 2, 3에 대응하는 공역의 원소가 없으므로 g는 함수가 아니다.

ㄷ. 정의역의 원소 0에 대응하는 공역의 원소가 없으므로 h는 함수가 아니다.

따라서 보기 중 함수인 것은 ㄱ이다.

106 답 ㄱ, ㄴ, ㄹ

y축에 평행한 직선 $x = k$와 오직 한 점에서 만나는 그래프는 ㄱ, ㄴ, ㄹ이다.

107 답 22

$f(1) = f(3) = f(5) = \cdots = f(15) = 1$

$f(2) = f(4) = f(6) = \cdots = f(14) = 2$

$\therefore f(1) + f(2) + f(3) + \cdots + f(15) = 1 \times 8 + 2 \times 7 = 22$

108 답 5

함수 $y = f(x)$의 그래프는 점 $(0, b)$를 꼭짓점으로 하는 포물선이다.

(i) $a > 0$일 때

$f(x) = ax^2 + b$의 공역과 치역이 같으므로

$b = -1$, $f(-1) = f(1) = 1$

$a + b = 1$이므로 $a = 2$

$\therefore a^2 + b^2 = 4 + 1 = 5$

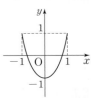

(ii) $a < 0$일 때

$f(x) = ax^2 + b$의 공역과 치역이 같으므로

$b = 1$, $f(-1) = f(1) = -1$

$a + b = -1$이므로 $a = -2$

$\therefore a^2 + b^2 = 4 + 1 = 5$

(i), (ii)에 의하여 $a^2 + b^2 = 5$

109 답 ㄱ, ㄴ, ㄷ

ㄱ. 주어진 식의 양변에 $x=1$, $y=1$을 대입하면

$f(1 \times 1) = f(1) + f(1)$ ∴ $f(1) = 0$

ㄴ. 주어진 식의 양변에 $x=3$, $y=3$을 대입하면

$f(3 \times 3) = f(3) + f(3)$, $2 = 2f(3)$ ∴ $f(3) = 1$

주어진 식의 양변에 $x=3$, $y=\frac{1}{3}$을 대입하면

$f\left(3 \times \frac{1}{3}\right) = f(3) + f\left(\frac{1}{3}\right)$

$0 = 1 + f\left(\frac{1}{3}\right)$ ∴ $f\left(\frac{1}{3}\right) = -1$

ㄷ. $f\left(x \times \frac{1}{x}\right) = f(x) + f\left(\frac{1}{x}\right)$이므로

$0 = f(x) + f\left(\frac{1}{x}\right)$ ∴ $f(x) = -f\left(\frac{1}{x}\right)$

∴ $f(x^2) = f(x \times x) = f(x) + f(x) = f(x) - f\left(\frac{1}{x}\right)$

따라서 보기 중 옳은 것은 ㄱ, ㄴ, ㄷ이다.

110 답 ①

$f(-3) = g(-3)$에서 $6+a = -3b+2$ ...... ㉠

$f(1) = g(1)$에서 $2+a = b+2$ ...... ㉡

㉠, ㉡을 연립하여 풀면 $a=-1$, $b=-1$

∴ $a+b = -2$

111 답 -1

(i) $a>0$일 때

함수 f가 일대일대응이려면 $f(-1) = -1$, $f(2) = 5$이어야 하므로 $-a+b=-1$, $2a+b=5$

두 식을 연립하여 풀면 $a=2$, $b=1$

∴ $\frac{b}{a} = \frac{1}{2}$

(ii) $a<0$일 때

함수 f가 일대일대응이려면 $f(-1) = 5$, $f(2) = -1$이어야 하므로 $-a+b=5$, $2a+b=-1$

두 식을 연립하여 풀면 $a=-2$, $b=3$

∴ $\frac{b}{a} = -\frac{3}{2}$

(i), (ii)에 의하여 모든 $\frac{b}{a}$의 값의 합은

$\frac{1}{2} - \frac{3}{2} = -1$

112 답 6

ㄱ. $f(0)=0$, $f(1)=1$, $f(2)=2$

ㄴ. 정의역의 원소 1에 대응하는 공역의 원소가 없다.

ㄷ. $f(0)=f(2)=2$, $f(1)=1$

ㄹ. $f(0)=2$, $f(1)=1$, $f(2)=0$

따라서 함수인 것은 ㄱ, ㄷ, ㄹ의 3개, 일대일대응인 것은 ㄱ, ㄹ의 2개, 항등함수인 것은 ㄱ의 1개이므로

$a=3$, $b=2$, $c=1$ ∴ $a+b+c = 6$

113 답 7

함수 f는 항등함수이므로

$f(4)=4$, $f(2)=2$, $f(-3)=-3$

$f(4) = g(-5)$에서 $g(-5) = 4$

함수 g는 상수함수이므로 $g(x) = g(-5) = 4$

∴ $h(2) + h(-3) = \{f(2)+g(2)\} + \{f(-3)+g(-3)\}$

$= (2+4) + (-3+4)$

$= 6+1 = 7$

114 답 ③

$a = 4^2 = 16$, $b = 4 \times 3 = 12$, $c = 4$

∴ $a+b+c = 32$

115 답 ④

$(h \circ (g \circ f))(\sqrt{2}) = ((h \circ g) \circ f)(\sqrt{2})$

$= (h \circ g)(f(\sqrt{2}))$

$= (h \circ g)(4)$

$= 4-2 = 2$

116 답 2

$(f \circ g)(0) = (g \circ f)(0)$이므로

$f(g(0)) = g(f(0)) = g(2) = 1$

이때 $f(3)=1$이므로 $g(0) = 3$ ...... ㉠

$(f \circ g)(1) = (g \circ f)(1)$이므로

$f(g(1)) = g(f(1)) = g(0) = 3$ (∵ ㉠)

이때 $f(2)=3$이므로 $g(1) = 2$

$(f \circ g)(2) = (g \circ f)(2)$이므로

$f(g(2)) = g(f(2)) = g(3)$

∴ $g(3) = f(g(2)) = f(1) = 0$

∴ $g(1) + g(3) = 2+0 = 2$

117 답 -6

$(f \circ f)(x) = f(f(x)) = f(ax+b)$

$= a(ax+b)+b = a^2x+ab+b$

따라서 $a^2x+ab+b = 4x-3$이므로

$a^2 = 4$, $ab+b = -3$

$a^2=4$에서 $a=-2$ (∵ $a<0$)

$ab+b=-3$에서

$-2b+b = -3$ ∴ $b=3$

∴ $ab = -6$

118 답 ②

$(f \circ h)(x) = f(h(x)) = 3h(x)-1$

$(f \circ h)(x) = g(x)$이므로 $3h(x)-1 = x+4$

∴ $h(x) = \frac{1}{3}x + \frac{5}{3}$

119 답 5

$f^{-1}(3)=4$에서 $f(4)=3$이므로

$f(1)=4$, $f(2)=1$, $f(4)=3$

이때 f가 일대일대응이므로 $f(3)=2$

$f^1(1)=f(1)=4$

$f^2(1)=f(f(1))=f(4)=3$

$f^3(1)=f(f^2(1))=f(3)=2$

$f^4(1)=f(f^3(1))=f(2)=1$

$f^5(1)=f(f^4(1))=f(1)=4$

$\vdots$

즉, $f^n(1)$의 값은 4, 3, 2, 1이 이 순서대로 반복된다.

따라서 $2022=4\times505+2$, $2023=4\times505+3$이므로

$f^{2022}(1)+f^{2023}(1)=3+2=5$

120 답 ⑤

$\dfrac{2x+3}{4}=t$로 놓으면 $x=2t-\dfrac{3}{2}$이므로

$f(t)=-2\left(2t-\dfrac{3}{2}\right)=-4t+3$

$f^{-1}(7)=k$라 하면 $f(k)=7$이므로

$-4k+3=7$ $\quad\therefore k=-1$

$\therefore f^{-1}(7)=-1$

121 답 $a<-1$ 또는 $a>1$

함수 f의 역함수가 존재하려면 f는 일대일대응이어야 한다.

$f(x)=ax+|x-1|$에서

(i) $x\geq1$일 때, $f(x)=ax+x-1=(a+1)x-1$

(ii) $x<1$일 때, $f(x)=ax-(x-1)=(a-1)x+1$

따라서 (i), (ii)에서 $x\geq1$일 때의 함수 $y=f(x)$의 그래프의 기울기와 $x<1$일 때의 함수 $y=f(x)$의 그래프의 기울기의 부호가 서로 같아야 하므로

$(a+1)(a-1)>0$ $\quad\therefore a<-1$ 또는 $a>1$

122 답 ①

$y=ax+b$에서

$ax=y-b$ $\quad\therefore x=\dfrac{1}{a}y-\dfrac{b}{a}$

x와 y를 서로 바꾸면 $y=\dfrac{1}{a}x-\dfrac{b}{a}$

$\therefore f^{-1}(x)=\dfrac{1}{a}x-\dfrac{b}{a}$

따라서 $\dfrac{1}{a}x-\dfrac{b}{a}=6bx-4ab$이므로

$\dfrac{1}{a}=6b$, $\dfrac{b}{a}=4ab$

$\dfrac{b}{a}=4ab$에서 $a^2=\dfrac{1}{4}$이므로 $a=\dfrac{1}{2}$ ($\because a>0$)

$\dfrac{1}{a}=6b$에서 $2=6b$ $\quad\therefore b=\dfrac{1}{3}$

$\therefore a-b=\dfrac{1}{6}$

123 답 $-\dfrac{5}{2}$

$(f\circ g)(x)=f(g(x))=f(2x+b)$

$\qquad\qquad\quad =a(2x+b)+2=2ax+ab+2$

$y=2ax+ab+2$에서 $2ax=y-ab-2$

$\therefore x=\dfrac{1}{2a}y-\dfrac{b}{2}-\dfrac{1}{a}$

x와 y를 서로 바꾸면 $y=\dfrac{1}{2a}x-\dfrac{b}{2}-\dfrac{1}{a}$

$\therefore (f\circ g)^{-1}(x)=\dfrac{1}{2a}x-\dfrac{b}{2}-\dfrac{1}{a}$

따라서 $\dfrac{1}{2a}x-\dfrac{b}{2}-\dfrac{1}{a}=-2x-1$이므로

$\dfrac{1}{2a}=-2$, $-\dfrac{b}{2}-\dfrac{1}{a}=-1$

$\therefore a=-\dfrac{1}{4}$, $b=10$ $\quad\therefore ab=-\dfrac{5}{2}$

124 답 4

$f^{-1}(5)=k$라 하면 $f(k)=5$이므로

$3k+2=5$ $\quad\therefore k=1$

$\therefore (f\circ g\circ f^{-1})(5)=f(g(f^{-1}(5)))=f(g(1))=f(-2+a)$

$\qquad\qquad\qquad\qquad\quad =3(-2+a)+2=3a-4$

따라서 $3a-4=8$이므로 $a=4$

125 답 5

$(f^{-1}\circ g)^{-1}(-1)+(g\circ(f\circ g)^{-1})(1)$

$=(g^{-1}\circ f)(-1)+(g\circ g^{-1}\circ f^{-1})(1)$

$=g^{-1}(f(-1))+f^{-1}(1)$

$=g^{-1}(5)+f^{-1}(1)$

$g^{-1}(5)=k$라 하면 $g(k)=5$이므로

$3k-1=5$ $\quad\therefore k=2$

$f^{-1}(1)=l$이라 하면 $f(l)=1$이므로

$-l+4=1$ $\quad\therefore l=3$

$\therefore (f^{-1}\circ g)^{-1}(-1)+(g\circ(f\circ g)^{-1})(1)$

$\quad =g^{-1}(5)+f^{-1}(1)=2+3=5$

126 답 ①

$(f^{-1}\circ(g^{-1}\circ f)^{-1})(b)$

$=f^{-1}((f^{-1}\circ g)(b))$

$=f^{-1}(f^{-1}(g(b)))$

$=f^{-1}(f^{-1}(c))$

$=f^{-1}(b)=a$

127 답 $2\sqrt{2}$

함수 $y=f(x)$의 그래프와 그 역함수 $y=f^{-1}(x)$의 그래프의 교점은 함수 $y=f(x)$의 그래프와 직선 $y=x$의 교점과 같으므로

$-2x+6=x$에서 $x=2$

따라서 $\mathrm{P}(2, 2)$이므로

$\overline{\mathrm{OP}}=\sqrt{2^2+2^2}=2\sqrt{2}$

001 답 ④

$$\frac{x}{x+y}+\frac{y}{x-y}-\frac{2xy}{x^2-y^2}=\frac{x(x-y)+y(x+y)-2xy}{(x+y)(x-y)}$$
$$=\frac{x^2+y^2-2xy}{(x+y)(x-y)}$$
$$=\frac{(x-y)^2}{(x+y)(x-y)}$$
$$=\frac{x-y}{x+y}$$

002 답 ①

$$\frac{x-3}{x+1}\times\frac{x^2-x-2}{x^2-3x}=\frac{x-3}{x+1}\times\frac{(x+1)(x-2)}{x(x-3)}=\frac{x-2}{x}$$

003 답 -1

$x^3-1=(x-1)(x^2+x+1)$이므로 주어진 식의 양변에
$(x-1)(x^2+x+1)$을 곱하면
$x+2=(ax-1)(x-1)+b(x^2+x+1)$
$\therefore x+2=(a+b)x^2+(b-a-1)x+b+1$
이 식이 x에 대한 항등식이므로
$a+b=0,\ b-a-1=1,\ b+1=2$
$\therefore a=-1,\ b=1\qquad\therefore ab=-1$

004 답 $4x+6$

$$\frac{x+1}{x}-\frac{2x+3}{x+1}-\frac{x+3}{x+2}+\frac{2x+7}{x+3}$$
$$=\frac{x+1}{x}-\frac{2(x+1)+1}{x+1}-\frac{(x+2)+1}{x+2}+\frac{2(x+3)+1}{x+3}$$
$$=\left(1+\frac{1}{x}\right)-\left(2+\frac{1}{x+1}\right)-\left(1+\frac{1}{x+2}\right)+\left(2+\frac{1}{x+3}\right)$$
$$=\left(\frac{1}{x}-\frac{1}{x+1}\right)-\left(\frac{1}{x+2}-\frac{1}{x+3}\right)$$
$$=\frac{1}{x(x+1)}-\frac{1}{(x+2)(x+3)}$$
$$=\frac{x^2+5x+6-(x^2+x)}{x(x+1)(x+2)(x+3)}$$
$$=\frac{4x+6}{x(x+1)(x+2)(x+3)}$$
$\therefore f(x)=4x+6$

005 답 6

$$\frac{1}{x(x+1)}+\frac{1}{(x+1)(x+2)}+\frac{1}{(x+2)(x+3)}$$
$$=\left(\frac{1}{x}-\frac{1}{x+1}\right)+\left(\frac{1}{x+1}-\frac{1}{x+2}\right)+\left(\frac{1}{x+2}-\frac{1}{x+3}\right)$$
$$=\frac{1}{x}-\frac{1}{x+3}=\frac{3}{x(x+3)}$$
따라서 $\dfrac{3}{x(x+3)}=\dfrac{a}{x(x+b)}$이고, 이 식이 x에 대한 항등식이므로
$a=3,\ b=3\qquad\therefore a+b=6$

006 답 $\dfrac{1}{x}$

$$1-\frac{1}{1-\dfrac{1}{1-x}}=1-\frac{1}{\dfrac{-x}{1-x}}=1-\frac{x-1}{x}=\frac{1}{x}$$

007 답 ①

$a+b+c=0$에서 $a+b=-c,\ b+c=-a,\ c+a=-b$이므로
$$\frac{b+c}{a}+\frac{c+a}{b}+\frac{a+b}{c}=\frac{-a}{a}+\frac{-b}{b}+\frac{-c}{c}=-3$$

008 답 $\dfrac{11}{14}$

$(x+y):(y+z):(z+x)=3:4:5$이므로
$x+y=3k,\ y+z=4k,\ z+x=5k\ (k\neq0)$ $\qquad$ …… ㉠
로 놓고 세 식을 변끼리 더하면
$2(x+y+z)=12k\qquad\therefore x+y+z=6k$ $\qquad$ …… ㉡
㉠, ㉡에 의하여 $x=2k,\ y=k,\ z=3k$
$$\therefore \frac{xy+yz+zx}{x^2+y^2+z^2}=\frac{2k^2+3k^2+6k^2}{(2k)^2+k^2+(3k)^2}=\frac{11k^2}{14k^2}=\frac{11}{14}$$

009 답 ③

$x+2y+z=0$ $\qquad$ …… ㉠
$x-y+3z=0$ $\qquad$ …… ㉡
㉠$-$㉡을 하면
$3y-2z=0\qquad\therefore y=\dfrac{2}{3}z$

㉠에 $y=\dfrac{2}{3}z$를 대입하면
$x+2\times\dfrac{2}{3}z+z=0\qquad\therefore x=-\dfrac{7}{3}z$

$$\therefore \frac{x+y}{x+2z}=\frac{-\dfrac{7}{3}z+\dfrac{2}{3}z}{-\dfrac{7}{3}z+2z}=\frac{-\dfrac{5}{3}z}{-\dfrac{1}{3}z}=5$$

010 답 $\dfrac{5}{x^3+1}$

$$\frac{2}{x^3+1}+\frac{1}{x+1}-\frac{x-2}{x^2-x+1}$$
$$=\frac{2+(x^2-x+1)-(x+1)(x-2)}{(x+1)(x^2-x+1)}$$
$$=\frac{2+(x^2-x+1)-(x^2-x-2)}{x^3+1}$$
$$=\frac{5}{x^3+1}$$

011 답 $\dfrac{2}{(x+1)(x-1)}$

$$\frac{x+4}{x^2-x-2}-\frac{x}{x^2-3x+2}$$
$$=\frac{x+4}{(x+1)(x-2)}-\frac{x}{(x-1)(x-2)}$$
$$=\frac{(x+4)(x-1)-x(x+1)}{(x+1)(x-1)(x-2)}=\frac{x^2+3x-4-(x^2+x)}{(x+1)(x-1)(x-2)}$$
$$=\frac{2(x-2)}{(x+1)(x-1)(x-2)}=\frac{2}{(x+1)(x-1)}$$

012 답 $\dfrac{x+1}{(x+3)(x-1)}$

$\dfrac{x+1}{x^2+5x+6} \div \dfrac{x^2-1}{x^2+3x+2} = \dfrac{x+1}{(x+3)(x+2)} \times \dfrac{(x+2)(x+1)}{(x+1)(x-1)}$

$\qquad\qquad = \dfrac{x+1}{(x+3)(x-1)}$

013 답 ③

$\dfrac{x^2-1}{x^2-x+1} \times \dfrac{x^2-3x+2}{x^2+2x+1} \div \dfrac{x-1}{x^3+1}$

$= \dfrac{(x+1)(x-1)}{x^2-x+1} \times \dfrac{(x-1)(x-2)}{(x+1)^2} \times \dfrac{(x+1)(x^2-x+1)}{x-1}$

$= (x-1)(x-2) = x^2-3x+2$

014 답 ④

$x^3+3x^2+3x+1 = (x+1)^3$이므로 주어진 식의 양변에 $(x+1)^3$을
곱하면

$x^2+x = (ax+b)(x+1) - b(x+1)^2$

$\therefore x^2+x = (a-b)x^2 + (a-b)x$

이 식이 x에 대한 항등식이므로 $a-b=1$

015 답 ③

주어진 식의 양변에 $(x-1)^3$을 곱하면

$(x+1)(x-1) = a(x-1)^2 + b(x-1) + c$

$\therefore x^2-1 = ax^2 - (2a-b)x + a-b+c$

이 식이 x에 대한 항등식이므로

$a=1$, $2a-b=0$, $a-b+c=-1$

$\therefore a=1$, $b=2$, $c=0$ $\qquad \therefore abc=0$

016 답 ③

주어진 식의 양변에 $(x-1)(x-2)(x-3) \times \cdots \times (x-7)$을 곱하면

$1 = a_1(x-2)(x-3)(x-4)(x-5)(x-6)(x-7)$

$\qquad + a_2(x-1)(x-3)(x-4)(x-5)(x-6)(x-7)$

$\qquad + \cdots + a_7(x-1)(x-2)(x-3)(x-4)(x-5)(x-6)$

우변에서 x^6의 계수가 $a_1+a_2+a_3+\cdots+a_7$이므로

$a_1+a_2+a_3+\cdots+a_7=0$

017 답 ⑤

$\dfrac{x+1}{x} - \dfrac{x+2}{x+1} + \dfrac{x-1}{x-2} - \dfrac{x-2}{x-3}$

$= \dfrac{x+1}{x} - \dfrac{(x+1)+1}{x+1} + \dfrac{(x-2)+1}{x-2} - \dfrac{(x-3)+1}{x-3}$

$= \left(1+\dfrac{1}{x}\right) - \left(1+\dfrac{1}{x+1}\right) + \left(1+\dfrac{1}{x-2}\right) - \left(1+\dfrac{1}{x-3}\right)$

$= \left(\dfrac{1}{x} - \dfrac{1}{x+1}\right) + \left(\dfrac{1}{x-2} - \dfrac{1}{x-3}\right)$

$= \dfrac{1}{x(x+1)} - \dfrac{1}{(x-2)(x-3)}$

$= \dfrac{x^2-5x+6 - (x^2+x)}{x(x+1)(x-2)(x-3)}$

$= \dfrac{-6x+6}{x(x+1)(x-2)(x-3)}$

따라서 $a=-6$, $b=6$이므로 $b-a=12$

018 답 $\dfrac{7x-1}{(x-1)(x+2)}$

$\dfrac{3x^2-3x+2}{x-1} - \dfrac{3x^2+6x-5}{x+2} = \dfrac{3x(x-1)+2}{x-1} - \dfrac{3x(x+2)-5}{x+2}$

$\qquad = \left(3x + \dfrac{2}{x-1}\right) - \left(3x - \dfrac{5}{x+2}\right)$

$\qquad = \dfrac{2}{x-1} + \dfrac{5}{x+2}$

$\qquad = \dfrac{2(x+2)+5(x-1)}{(x-1)(x+2)}$

$\qquad = \dfrac{7x-1}{(x-1)(x+2)}$

019 답 12

$\dfrac{2}{x(x+2)} + \dfrac{2}{(x+2)(x+4)} + \dfrac{2}{(x+4)(x+6)}$

$= \left(\dfrac{1}{x} - \dfrac{1}{x+2}\right) + \left(\dfrac{1}{x+2} - \dfrac{1}{x+4}\right) + \left(\dfrac{1}{x+4} - \dfrac{1}{x+6}\right)$

$= \dfrac{1}{x} - \dfrac{1}{x+6} = \dfrac{6}{x(x+6)}$

따라서 $a=6$, $b=6$이므로

$a+b=12$

020 답 ④

$\dfrac{1}{x^2-1} + \dfrac{1}{x^2+4x+3} + \dfrac{1}{x^2+8x+15}$

$= \dfrac{1}{(x-1)(x+1)} + \dfrac{1}{(x+1)(x+3)} + \dfrac{1}{(x+3)(x+5)}$

$= \dfrac{1}{2}\left(\dfrac{1}{x-1} - \dfrac{1}{x+1}\right) + \dfrac{1}{2}\left(\dfrac{1}{x+1} - \dfrac{1}{x+3}\right) + \dfrac{1}{2}\left(\dfrac{1}{x+3} - \dfrac{1}{x+5}\right)$

$= \dfrac{1}{2}\left(\dfrac{1}{x-1} - \dfrac{1}{x+5}\right)$

$= \dfrac{3}{(x+5)(x-1)}$

021 답 $\dfrac{9}{22}$

$\dfrac{1}{2\times3} + \dfrac{1}{3\times4} + \dfrac{1}{4\times5} + \cdots + \dfrac{1}{10\times11}$

$= \left(\dfrac{1}{2} - \dfrac{1}{3}\right) + \left(\dfrac{1}{3} - \dfrac{1}{4}\right) + \left(\dfrac{1}{4} - \dfrac{1}{5}\right) + \cdots + \left(\dfrac{1}{10} - \dfrac{1}{11}\right)$

$= \dfrac{1}{2} - \dfrac{1}{11} = \dfrac{9}{22}$

022 답 ③

$f(x) = x^2-1 = (x-1)(x+1)$이므로

$\dfrac{2}{f(x)} = \dfrac{2}{(x-1)(x+1)} = \dfrac{1}{x-1} - \dfrac{1}{x+1}$

$\therefore \dfrac{2}{f(2)} + \dfrac{2}{f(4)} + \dfrac{2}{f(6)} + \cdots + \dfrac{2}{f(20)}$

$\qquad = \left(1 - \dfrac{1}{3}\right) + \left(\dfrac{1}{3} - \dfrac{1}{5}\right) + \left(\dfrac{1}{5} - \dfrac{1}{7}\right) + \cdots + \left(\dfrac{1}{19} - \dfrac{1}{21}\right)$

$\qquad = 1 - \dfrac{1}{21} = \dfrac{20}{21}$

023 답 ④

$$1+\cfrac{1}{1+\cfrac{1}{x+1}}=1+\cfrac{1}{\cfrac{x+2}{x+1}}=1+\cfrac{x+1}{x+2}=\cfrac{2x+3}{x+2}$$

024 답 $-x$

$$\cfrac{1+\cfrac{x+1}{x-1}}{1-\cfrac{x+1}{x-1}}=\cfrac{\cfrac{x-1+(x+1)}{x-1}}{\cfrac{x-1-(x+1)}{x-1}}=\cfrac{\cfrac{2x}{x-1}}{\cfrac{-2}{x-1}}=-x$$

025 답 **10**

$$\cfrac{53}{30}=1+\cfrac{23}{30}=1+\cfrac{1}{\cfrac{30}{23}}=1+\cfrac{1}{1+\cfrac{7}{23}}=1+\cfrac{1}{1+\cfrac{1}{\cfrac{23}{7}}}$$

$$=1+\cfrac{1}{1+\cfrac{1}{3+\cfrac{2}{7}}}=1+\cfrac{1}{1+\cfrac{1}{3+\cfrac{1}{\cfrac{7}{2}}}}=1+\cfrac{1}{1+\cfrac{1}{3+\cfrac{1}{3+\cfrac{1}{2}}}}$$

따라서 $a=1$, $b=1$, $c=3$, $d=3$, $e=2$이므로
$a+b+c+d+e=10$

026 답 -3

$a_2=\cfrac{1}{1-a_1}$, $a_3=\cfrac{1}{1-a_2}$, $\cdots$이므로 $a_1=\cfrac{1}{3}$, $a_2=\cfrac{1}{1-\cfrac{1}{3}}=\cfrac{3}{2}$,

$a_3=\cfrac{1}{1-\cfrac{3}{2}}=-2$, $a_4=\cfrac{1}{1-(-2)}=\cfrac{1}{3}$, $a_5=\cfrac{1}{1-\cfrac{1}{3}}=\cfrac{3}{2}$, $\cdots$

따라서 a_n은 $\cfrac{1}{3}$, $\cfrac{3}{2}$, -2가 이 순서대로 반복된다.

이때 $a_{32}=a_{3\times10+2}=a_2=\cfrac{3}{2}$, $a_{33}=a_{3\times11}=a_3=-2$이므로

$a_{32}a_{33}=\cfrac{3}{2}\times(-2)=-3$

027 답 -3

$a+b+c=0$에서 $a+b=-c$, $b+c=-a$, $c+a=-b$이므로

$$\left(\cfrac{a}{b}+\cfrac{b}{a}\right)+\left(\cfrac{b}{c}+\cfrac{c}{b}\right)+\left(\cfrac{c}{a}+\cfrac{a}{c}\right)=\cfrac{b}{a}+\cfrac{c}{a}+\cfrac{a}{b}+\cfrac{c}{b}+\cfrac{a}{c}+\cfrac{b}{c}$$

$$=\cfrac{b+c}{a}+\cfrac{c+a}{b}+\cfrac{a+b}{c}$$

$$=\cfrac{-a}{a}+\cfrac{-b}{b}+\cfrac{-c}{c}=-3$$

028 답 ①

$\cfrac{1}{ab}+\cfrac{1}{bc}+\cfrac{1}{ca}=0$에서 $\cfrac{a+b+c}{abc}=0$

$\therefore a+b+c=0$

$$\therefore \cfrac{a^3+b^3+c^3}{abc}=\cfrac{(a+b+c)(a^2+b^2+c^2-ab-bc-ca)+3abc}{abc}$$

$$=\cfrac{3abc}{abc}=3$$

029 답 ③

$(x+y+z)^2=x^2+y^2+z^2+2(xy+yz+zx)$이고 주어진 조건에서
$(x+y+z)^2=x^2+y^2+z^2$이므로 $xy+yz+zx=0$

$$\therefore \cfrac{x}{(x+y)(z+x)}+\cfrac{y}{(x+y)(y+z)}+\cfrac{z}{(y+z)(z+x)}$$

$$=\cfrac{x(y+z)+y(z+x)+z(x+y)}{(x+y)(y+z)(z+x)}$$

$$=\cfrac{2(xy+yz+zx)}{(x+y)(y+z)(z+x)}=0$$

030 답 $\cfrac{2}{3}$

$(a+b):(b+c):(c+a)=5:6:7$이므로
$a+b=5k$, $b+c=6k$, $c+a=7k\,(k\ne0)$ ...... ㉠
로 놓고 세 식을 변끼리 더하면
$2(a+b+c)=18k$ $\therefore a+b+c=9k$ ...... ㉡
㉠, ㉡에 의하여 $a=3k$, $b=2k$, $c=4k$

$$\therefore \cfrac{ab}{a^2+2bc-c^2}=\cfrac{3k\times2k}{(3k)^2+2\times2k\times4k-(4k)^2}$$

$$=\cfrac{6k^2}{9k^2}=\cfrac{2}{3}$$

031 답 ③

$x:y:z=2:3:1$이므로
$x=2k$, $y=3k$, $z=k\,(k\ne0)$로 놓으면

$$\cfrac{x^3+y^3+z^3}{3xyz}=\cfrac{(2k)^3+(3k)^3+k^3}{3\times2k\times3k\times k}=\cfrac{36k^3}{18k^3}=2$$

032 답 -2

$\cfrac{x+y}{3}=\cfrac{y+z}{6}=\cfrac{z+x}{5}=k\,(k\ne0)$로 놓으면

$x+y=3k$, $y+z=6k$, $z+x=5k$ ...... ㉠
이므로 세 식을 변끼리 더하면
$2(x+y+z)=14k$ $\therefore x+y+z=7k$ ...... ㉡
㉠, ㉡에 의하여 $x=k$, $y=2k$, $z=4k$

$$\therefore \cfrac{xy+yz-zx}{x^2-y^2}=\cfrac{k\times2k+2k\times4k-4k\times k}{k^2-(2k)^2}$$

$$=\cfrac{6k^2}{-3k^2}=-2$$

033 답 **1**

$3b+c=2ak$, $c+2a=3bk$, $2a+3b=ck$이므로 세 식을 변끼리 더하면
$4a+6b+2c=(2a+3b+c)k$
$\therefore 2(2a+3b+c)=(2a+3b+c)k$

(i) $2a+3b+c\ne0$일 때, $k=2$
(ii) $2a+3b+c=0$일 때
$3b+c=-2a$, $c+2a=-3b$, $2a+3b=-c$를 주어진 식에 대입하면
$$\cfrac{-2a}{2a}=\cfrac{-3b}{3b}=\cfrac{-c}{c}=k \quad \therefore k=-1$$

(i), (ii)에 의하여 모든 상수 k의 값의 합은 $2+(-1)=1$

034 답 ③

작년에 판매한 두 제품 A, B의 상반기 판매량을 각각 k, $3k\,(k\neq0)$로 놓고, 하반기 판매량을 각각 $5l$, $3l\,(l\neq0)$로 놓으면 한 해 동안의 총 판매량은 각각 $k+5l$, $3k+3l$이다.

이때 $(k+5l):(3k+3l)=3:5$이므로

$3(3k+3l)=5(k+5l)$, $9k+9l=5k+25l$

$4k=16l$ $\therefore k=4l$

작년에 판매한 두 제품 A, B의 한 해 동안의 총 판매량은

$(k+5l)+(3k+3l)=4k+8l=4\times4l+8l=24l$

이고, 두 제품 A, B의 하반기 판매량은 $5l+3l=8l$이므로 구하는 비율은

$\dfrac{8l}{24l}=\dfrac{1}{3}$

035 답 $\dfrac{11}{5}$

$x-y+2z=0$ ……㉠

$2x+y-z=0$ ……㉡

㉠+㉡을 하면

$3x+z=0$ $\therefore z=-3x$

㉠에 $z=-3x$를 대입하면

$x-y+2\times(-3x)=0$ $\therefore y=-5x$

$\therefore \dfrac{x^3-y^3+z^3}{3xyz}=\dfrac{x^3-(-5x)^3+(-3x)^3}{3x\times(-5x)\times(-3x)}=\dfrac{99x^3}{45x^3}=\dfrac{11}{5}$

036 답 -2

$x-\dfrac{3}{z}=1$에서 $\dfrac{3}{z}=x-1$, $\dfrac{z}{3}=\dfrac{1}{x-1}$ $\therefore z=\dfrac{3}{x-1}$

$\dfrac{1}{x}-y=1$에서 $y=\dfrac{1}{x}-1=\dfrac{1-x}{x}$

$\therefore xyz=x\times\dfrac{1-x}{x}\times\dfrac{3}{x-1}=-3$

$\therefore \dfrac{6}{xyz}=\dfrac{6}{-3}=-2$

037 답 ⑤

$\dfrac{x^2-xy+2y^2}{x^2-2xy-y^2}=2$에서 $x^2-xy+2y^2=2x^2-4xy-2y^2$

$x^2-3xy-4y^2=0$, $(x+y)(x-4y)=0$

$\therefore x=-y$ 또는 $x=4y$

그런데 $xy<0$이므로 $x=-y$

$\therefore \dfrac{3x-y}{2x+y}=\dfrac{3\times(-y)-y}{2\times(-y)+y}=\dfrac{-4y}{-y}=4$

038 답 3

$y=\dfrac{2}{x}$의 그래프를 x축의 방향으로 2만큼, y축의 방향으로 -3만큼 평행이동한 그래프의 식은

$y=\dfrac{2}{x-2}-3=\dfrac{-3x+8}{x-2}$

이 함수의 그래프가 $y=\dfrac{ax+b}{x+c}$의 그래프와 일치하므로

$a=-3$, $b=8$, $c=-2$ $\therefore a+b+c=3$

039 답 ⑤

$y=\dfrac{3x-1}{x-1}=\dfrac{3(x-1)+2}{x-1}=\dfrac{2}{x-1}+3$이므로 주어진 함수의 그래프는 $y=\dfrac{2}{x}$의 그래프를 x축의 방향으로 1만큼, y축의 방향으로 3만큼 평행이동한 것이다.

따라서 $2\leq x\leq3$에서 $y=\dfrac{3x-1}{x-1}$의 그래프는 오른쪽 그림과 같으므로 치역은 $\{y\mid4\leq y\leq5\}$

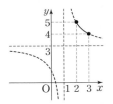

040 답 ③

$y=\dfrac{2x-5}{x-3}=\dfrac{2(x-3)+1}{x-3}=\dfrac{1}{x-3}+2$이므로 점근선의 방정식은 $x=3$, $y=2$

따라서 $a=3$, $b=2$이므로 $a+b=5$

041 답 제2사분면

$y=-\dfrac{4x-5}{2x-3}=-\dfrac{2(2x-3)+1}{2x-3}=-\dfrac{1}{2x-3}-2$이므로 주어진 함수의 그래프는 $y=-\dfrac{1}{2x}$의 그래프를 x축의 방향으로 $\dfrac{3}{2}$만큼, y축의 방향으로 -2만큼 평행이동한 것이다.

따라서 $y=-\dfrac{4x-5}{2x-3}$의 그래프는 오른쪽 그림과 같으므로 그래프가 지나지 않는 사분면은 제2사분면이다.

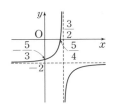

042 답 ⑤

$y=\dfrac{ax+4}{x-1}=\dfrac{a(x-1)+a+4}{x-1}=\dfrac{a+4}{x-1}+a$이므로 점근선의 방정식은 $x=1$, $y=a$

따라서 주어진 함수의 그래프는 점 $(1,\,a)$에 대하여 대칭이므로

$a=3$, $b=1$ $\therefore a+b=4$

043 답 ⑤

$y=\dfrac{3x-1}{x+2}=\dfrac{3(x+2)-7}{x+2}=-\dfrac{7}{x+2}+3$

이므로 그래프는 오른쪽 그림과 같다.

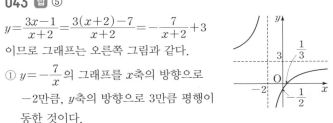

① $y=-\dfrac{7}{x}$의 그래프를 x축의 방향으로 -2만큼, y축의 방향으로 3만큼 평행이동한 것이다.

④ $y=\dfrac{3x-1}{x+2}$에 $y=0$을 대입하면 $x=\dfrac{1}{3}$이므로 x축과 점 $\left(\dfrac{1}{3},\,0\right)$에서 만난다.

⑤ 모든 사분면을 지난다.

따라서 보기 중 옳지 않은 것은 ⑤이다.

044 답 **4**

점근선의 방정식이 $x=-1$, $y=4$이므로 함수의 식을

$y=\dfrac{k}{x+1}+4\,(k<0)$라 하자.

이 함수의 그래프가 점 $(0,\,-1)$을 지나므로

$-1=\dfrac{k}{0+1}+4$ $\quad\therefore k=-5$

따라서 $y=\dfrac{-5}{x+1}+4=\dfrac{4(x+1)-5}{x+1}=\dfrac{4x-1}{x+1}$이므로

$a=4$, $b=-1$, $c=1$ $\quad\therefore a+b+c=4$

045 답 $\dfrac{1}{4}$

$y=\dfrac{-x+1}{x-2}=\dfrac{-(x-2)-1}{x-2}=-\dfrac{1}{x-2}-1$이므로 주어진 함수의

그래프는 $y=-\dfrac{1}{x}$의 그래프를 x축의 방향으로 2만큼, y축의 방향

으로 -1만큼 평행이동한 것이다.

$-2\leq x\leq\dfrac{3}{2}$에서 $y=\dfrac{-x+1}{x-2}$의 그래프는

오른쪽 그림과 같으므로 $x=\dfrac{3}{2}$일 때 최댓

값은 1, $x=-2$일 때 최솟값은 $-\dfrac{3}{4}$이다.

따라서 최댓값과 최솟값의 합은

$1+\left(-\dfrac{3}{4}\right)=\dfrac{1}{4}$

046 답 ④

$y=\dfrac{x-1}{x+1}$의 그래프와 직선 $y=mx+1$이 한 점에서 만나므로

$\dfrac{x-1}{x+1}=mx+1$에서 $x-1=(mx+1)(x+1)$

$\therefore mx^2+mx+2=0$

이 이차방정식의 판별식을 D라 하면 $D=0$이어야 하므로

$D=m^2-8m=0$

$m(m-8)=0$ $\quad\therefore m=8\,(\because m>0)$

047 답 **14**

$y=\dfrac{4}{x}\,(x>0)$의 그래프를 x축의 방향으로 1만큼, y축의 방향으로

2만큼 평행이동한 그래프의 식은

$y=\dfrac{4}{x-1}+2\,(x>1)$

점 P의 좌표를 $\left(k,\,\dfrac{4}{k-1}+2\right)(k>1)$라

하면 직사각형 ROQP의 둘레의 길이는

$2\left(k+\dfrac{4}{k-1}+2\right)=2\left(k-1+\dfrac{4}{k-1}+3\right)$

이때 $k-1>0$, $\dfrac{4}{k-1}>0$이므로 산술평

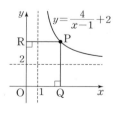

균과 기하평균의 관계에 의하여

$k-1+\dfrac{4}{k-1}+3\geq2\sqrt{(k-1)\times\dfrac{4}{k-1}}+3$

$\qquad\qquad\qquad\quad=4+3=7\,(단, 등호는 k=3일 때 성립)$

따라서 직사각형 ROQP의 둘레의 길이의 최솟값은

$2\times7=14$

048 답 ⑤

$f^2(x)=(f\circ f)(x)=f(f(x))$

$\qquad=\dfrac{\dfrac{x-1}{x}-1}{\dfrac{x-1}{x}}=\dfrac{\dfrac{x-1-x}{x}}{\dfrac{x-1}{x}}=\dfrac{-1}{x-1}$

$f^3(x)=(f\circ f^2)(x)=f(f^2(x))$

$\qquad=\dfrac{\dfrac{-1}{x-1}-1}{\dfrac{-1}{x-1}}=\dfrac{\dfrac{-1-x+1}{x-1}}{\dfrac{-1}{x-1}}=x$

$\qquad\vdots$

따라서 $f^3(x)=f^6(x)=f^9(x)=\cdots=f^{3n}(x)=x\,(n$은 자연수$)$이

므로

$f^{150}(5)=f^{3\times50}(5)=5$

049 답 ③

$y=\dfrac{ax}{2x-3}$라 하면 $y(2x-3)=ax$

$(2y-a)x=3y$ $\quad\therefore x=\dfrac{3y}{2y-a}$

x와 y를 서로 바꾸면

$y=\dfrac{3x}{2x-a}$ $\quad\therefore f^{-1}(x)=\dfrac{3x}{2x-a}$

$f=f^{-1}$이므로 $\dfrac{ax}{2x-3}=\dfrac{3x}{2x-a}$

$\therefore a=3$

다른 풀이 $f=f^{-1}$이므로 $(f\circ f)(x)=x$

$f(f(x))=\dfrac{af(x)}{2f(x)-3}=\dfrac{a\times\dfrac{ax}{2x-3}}{2\times\dfrac{ax}{2x-3}-3}$

$\qquad=\dfrac{\dfrac{a^2x}{2x-3}}{\dfrac{2ax-3(2x-3)}{2x-3}}=\dfrac{a^2x}{2(a-3)x+9}=x$

$\therefore a^2x=2(a-3)x^2+9x$

이 식이 x에 대한 항등식이므로

$0=a-3$, $a^2=9$ $\quad\therefore a=3$

050 답 ④

$(f^{-1}\circ f\circ f^{-1})(9)=f^{-1}(9)$

$f^{-1}(9)=k$라 하면 $f(k)=9$

$\dfrac{2k+1}{k-3}=9$, $2k+1=9(k-3)$

$\therefore k=4$

$\therefore (f^{-1}\circ f\circ f^{-1})(9)=4$

051 답 **2**

$y=\dfrac{6-x}{x-3}=\dfrac{-(x-3)+3}{x-3}=\dfrac{3}{x-3}-1$이므로 $y=\dfrac{6-x}{x-3}$의 그래프

는 $y=\dfrac{3}{x}$의 그래프를 x축의 방향으로 3만큼, y축의 방향으로 -1

만큼 평행이동한 것이다.

따라서 $a=3$, $b=-1$이므로 $a+b=2$

052 답 ㄱ, ㄴ

ㄱ. $y=\dfrac{2}{x-2}-3$의 그래프는 $y=\dfrac{2}{x}$의 그래프를 x축의 방향으로 2만큼, y축의 방향으로 -3만큼 평행이동한 것이다.

ㄴ. $y=\dfrac{x+1}{x-1}=\dfrac{(x-1)+2}{x-1}=\dfrac{2}{x-1}+1$이므로 $y=\dfrac{x+1}{x-1}$의 그래프는 $y=\dfrac{2}{x}$의 그래프를 x축의 방향으로 1만큼, y축의 방향으로 1만큼 평행이동한 것이다.

ㄷ. $y=\dfrac{2x-5}{2-x}=\dfrac{5-2x}{x-2}=\dfrac{-2(x-2)+1}{x-2}=\dfrac{1}{x-2}-2$이므로 $y=\dfrac{2x-5}{2-x}$의 그래프는 $y=\dfrac{1}{x}$의 그래프를 x축의 방향으로 2만큼, y축의 방향으로 -2만큼 평행이동한 것이다.

ㄹ. $y=\dfrac{4x+1}{1-2x}=\dfrac{-4x-1}{2x-1}=\dfrac{-2(2x-1)-3}{2x-1}=-\dfrac{3}{2x-1}-2$이므로 $y=\dfrac{4x+1}{1-2x}$의 그래프는 $y=-\dfrac{3}{2x}$의 그래프를 x축의 방향으로 $\dfrac{1}{2}$만큼, y축의 방향으로 -2만큼 평행이동한 것이다.

따라서 보기의 함수 중 그 그래프가 평행이동에 의하여 함수 $y=\dfrac{2}{x}$의 그래프와 겹쳐지는 것은 ㄱ, ㄴ이다.

053 답 -2

$y=-\dfrac{1}{x}$의 그래프를 x축의 방향으로 1만큼, y축의 방향으로 -3만큼 평행이동한 그래프의 식은

$y=-\dfrac{1}{x-1}-3=\dfrac{-3(x-1)-1}{x-1}=\dfrac{-3x+2}{x-1}$

이 함수의 그래프가 $y=\dfrac{ax+2}{x-b}$의 그래프와 일치하므로

$a=-3$, $b=1$ $\quad \therefore a+b=-2$

054 답 2

$y=\dfrac{k}{x}$의 그래프를 x축의 방향으로 2만큼, y축의 방향으로 -1만큼 평행이동한 그래프의 식은 $y=\dfrac{k}{x-2}-1$

이 함수의 그래프가 점 $(3,\ 1)$을 지나므로

$1=\dfrac{k}{3-2}-1$ $\quad \therefore k=2$

055 답 ②

$y=\dfrac{1-3x}{x-2}=\dfrac{-3(x-2)-5}{x-2}=-\dfrac{5}{x-2}-3$이므로 주어진 함수의 그래프는 $y=-\dfrac{5}{x}$의 그래프를 x축의 방향으로 2만큼, y축의 방향으로 -3만큼 평행이동한 것이다.

따라서 $-3\le x\le 1$에서 $y=\dfrac{1-3x}{x-2}$의 그래프는 오른쪽 그림과 같으므로 치역은 $\{y\,|-2\le y\le 2\}$

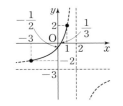

056 답 6

$y=\dfrac{mx+3}{x+2n}=\dfrac{m(x+2n)-2mn+3}{x+2n}=\dfrac{-2mn+3}{x+2n}+m$이므로 정의역은 $\{x\,|\,x\neq -2n$인 실수$\}$이고, 치역은 $\{y\,|\,y\neq m$인 실수$\}$이다.

따라서 $-2n=6$, $m=-2$이므로 $m=-2$, $n=-3$

$\therefore mn=6$

057 답 ④

$y=\dfrac{4x-3}{x-a}=\dfrac{4(x-a)+4a-3}{x-a}=\dfrac{4a-3}{x-a}+4$이므로 점근선의 방정식은 $x=a$, $y=4$

따라서 $a=2$, $b=4$이므로 $ab=8$

058 답 -2

㈎에서 점근선의 방정식이 $x=1$, $y=2$이므로 함수의 식을

$y=\dfrac{k}{x-1}+2\ (k\neq 0)$라 하면 ㈏에서 이 그래프가 점 $(2,\ -1)$을 지나므로

$-1=\dfrac{k}{2-1}+2$ $\quad \therefore k=-3$

$\therefore y=\dfrac{-3}{x-1}+2=\dfrac{-3+2(x-1)}{x-1}=\dfrac{2x-5}{x-1}$

따라서 $a=2$, $b=-5$, $c=-1$이므로

$a+b-c=-2$

059 답 3

$y=\dfrac{-3x+1}{x+k}=\dfrac{-3(x+k)+3k+1}{x+k}=\dfrac{3k+1}{x+k}-3$이므로 점근선의 방정식은 $x=-k$, $y=-3$

$y=\dfrac{kx+1}{x-2}=\dfrac{k(x-2)+2k+1}{x-2}=\dfrac{2k+1}{x-2}+k$이므로 점근선의 방정식은 $x=2$, $y=k$

따라서 두 함수의 그래프의 점근선은 오른쪽 그림과 같고, 색칠한 부분의 넓이가 30이므로

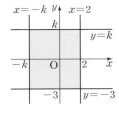

$(k+2)(k+3)=30$, $k^2+5k-24=0$

$(k-3)(k+8)=0$

$\therefore k=3\ (\because k>0)$

060 답 ④

$y=\dfrac{2x+1}{x+1}=\dfrac{2(x+1)-1}{x+1}=-\dfrac{1}{x+1}+2$이므로 주어진 함수의 그래프는 $y=-\dfrac{1}{x}$의 그래프를 x축의 방향으로 -1만큼, y축의 방향으로 2만큼 평행이동한 것이다.

따라서 $y=\dfrac{2x+1}{x+1}$의 그래프는 오른쪽 그림과 같으므로 그래프가 지나지 않는 사분면은 제4사분면이다.

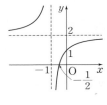

061 답 ①

$y=\dfrac{3x+8}{x+2}=\dfrac{3(x+2)+2}{x+2}=\dfrac{2}{x+2}+3$이므로 주어진 함수의 그래프는 $y=\dfrac{2}{x}$의 그래프를 x축의 방향으로 -2만큼, y축의 방향으로 3만큼 평행이동한 것이다.

따라서 함수 $y=\dfrac{3x+8}{x+2}$의 그래프는 ①이다.

062 답 $0\leq a<2$ 또는 $a>2$

$y=\dfrac{-2x+a}{x-1}=\dfrac{-2(x-1)+a-2}{x-1}=\dfrac{a-2}{x-1}-2$이므로 점근선의 방정식은 $x=1$, $y=-2$이고, 점 $(0, -a)$를 지난다.

(i) $a-2>0$일 때

그래프가 제2사분면을 지나지 않으므로 $a>2$

(ii) $a-2<0$일 때

$x=0$일 때 $y\leq0$이어야 하므로

$-a\leq0$ $\therefore a\geq0$

그런데 $a-2<0$에서 $a<2$이므로 $0\leq a<2$

(i), (ii)에 의하여 구하는 상수 a의 값의 범위는

$0\leq a<2$ 또는 $a>2$

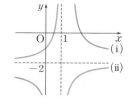

063 답 ①

$y=\dfrac{3x+2}{x+a}=\dfrac{3(x+a)-3a+2}{x+a}=\dfrac{-3a-2}{x+a}+3$이므로 점근선의 방정식은 $x=-a$, $y=3$

따라서 주어진 함수의 그래프는 점 $(-a, 3)$에 대하여 대칭이므로

$a=-1$, $b=3$ $\therefore ab=-3$

064 답 ④

$y=\dfrac{2x-3}{x+2}=\dfrac{2(x+2)-7}{x+2}=-\dfrac{7}{x+2}+2$이므로 점근선의 방정식은 $x=-2$, $y=2$

따라서 주어진 함수의 그래프는 점 $(-2, 2)$에 대하여 대칭이므로

$a=-2$, $b=2$

또 점 $(-2, 2)$는 직선 $y=x+c$ 위의 점이므로

$2=-2+c$ $\therefore c=4$

$\therefore a+b+c=-2+2+4=4$

065 답 4

$y=\dfrac{ax+1}{x-b}=\dfrac{a(x-b)+ab+1}{x-b}=\dfrac{ab+1}{x-b}+a$이므로 점근선의 방정식은 $x=b$, $y=a$

이때 점 (b, a)가 두 직선 $y=x+3$, $y=-x+5$의 교점이므로

$a=b+3$, $a=-b+5$

두 식을 연립하여 풀면 $a=4$, $b=1$

$\therefore ab=4$

066 답 ⑤

$y=\dfrac{ax+b}{x+c}=\dfrac{a(x+c)-ac+b}{x+c}=\dfrac{b-ac}{x+c}+a$이므로 점근선의 방정식은

$x=-c$, $y=a$

주어진 함수의 그래프가 점 $(2, 1)$에 대하여 대칭이므로

$c=-2$, $a=1$

따라서 $y=\dfrac{x+b}{x-2}$의 그래프가 점 $(1, 0)$을 지나므로

$0=\dfrac{1+b}{1-2}$ $\therefore b=-1$

$\therefore abc=1\times(-1)\times(-2)=2$

067 답 ④

$y=\dfrac{2x+1}{x-1}=\dfrac{2(x-1)+3}{x-1}=\dfrac{3}{x-1}+2$이므로 그래프는 오른쪽 그림과 같다.

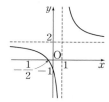

④ $y=\dfrac{3}{x}$의 그래프를 x축의 방향으로 1만큼, y축의 방향으로 2만큼 평행이동한 것이다.

⑤ 두 점근선의 교점 $(1, 2)$를 지나고 기울기가 -1인 직선 $y=-x+3$에 대하여 대칭이다.

따라서 옳지 않은 것은 ④이다.

068 답 ㄱ, ㄴ

$y=\dfrac{k}{x-1}+1$의 그래프는 두 직선 $x=1$, $y=1$을 점근선으로 하고, 점 $(1, 1)$에 대하여 대칭이다.

ㄴ. 점 $(1, 1)$을 지나고 기울기가 1인 직선 $y=x$에 대하여 대칭이다.

ㄷ. $f(x)=\dfrac{k}{x-1}+1(k>0)$이라 하면

(i) $f(0)>0$일 때

$f(0)=-k+1>0$, 즉 $0<k<1$이면 그래프는 제3사분면을 지나지 않는다.

(ii) $f(0)<0$일 때

$f(0)=-k+1<0$, 즉 $k>1$이면 그래프는 모든 사분면을 지난다.

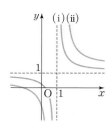

따라서 보기 중 옳은 것은 ㄱ, ㄴ이다.

069 답 ⑤

점근선의 방정식이 $x=1$, $y=-2$이므로 함수의 식을 $y=\dfrac{k}{x-1}-2(k>0)$라 하자.

이 함수의 그래프가 점 $(0, -4)$를 지나므로

$-4=\dfrac{k}{0-1}-2$ $\therefore k=2$

따라서 $y=\dfrac{2}{x-1}-2=\dfrac{-2(x-1)+2}{x-1}=\dfrac{-2x+4}{x-1}$이므로

$a=-2$, $b=4$, $c=-1$

$\therefore abc=8$

070 답 5

점근선의 방정식이 $x=3$, $y=1$이므로 $a=3$, $b=1$

즉, $y=\dfrac{k}{x-3}+1$의 그래프가 점 $(2, 0)$을 지나므로

$0=\dfrac{k}{2-3}+1$　　$\therefore k=1$

$\therefore a+b+k=3+1+1=5$

071 답 ②

점근선의 방정식이 $x=2$, $y=2$이므로 함수의 식을

$y=\dfrac{k}{x-2}+2\,(k<0)$라 하자.

이 함수의 그래프가 점 $(0, 3)$을 지나므로

$3=\dfrac{k}{0-2}+2$　　$\therefore k=-2$

따라서 $y=-\dfrac{2}{x-2}+2$이므로 평행이동에 의하여 이 함수의 그래
프와 겹쳐지는 것은 ㄷ이다.

072 답 27

$y=\dfrac{2x+1}{x-3}=\dfrac{2(x-3)+7}{x-3}=\dfrac{7}{x-3}+2$이므로 주어진 함수의 그래

프는 $y=\dfrac{7}{x}$의 그래프를 x축의 방향으로 3만큼, y축의 방향으로 2
만큼 평행이동한 것이다.

$4\leq x\leq 10$에서 $y=\dfrac{2x+1}{x-3}$의 그래프는 오른
쪽 그림과 같으므로 $x=4$일 때 최댓값은 9,
$x=10$일 때 최솟값은 3이다.
따라서 최댓값과 최솟값의 곱은
$9\times 3=27$

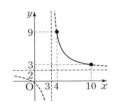

073 답 -2

$y=\dfrac{kx+2k+5}{x+2}=\dfrac{k(x+2)+5}{x+2}=\dfrac{5}{x+2}+k$이므로 주어진 함수의

그래프는 $y=\dfrac{5}{x}$의 그래프를 x축의 방향으로 -2만큼, y축의 방향
으로 k만큼 평행이동한 것이다.

$-1\leq x\leq 3$에서 $y=\dfrac{kx+2k+5}{x+2}$의 그래프
는 오른쪽 그림과 같고, $x=3$일 때 최솟값
은 -1이므로

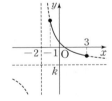

$\dfrac{3k+2k+5}{3+2}=-1$

$\therefore k=-2$

074 답 ①

$y=\dfrac{4x+3}{x-1}=\dfrac{4(x-1)+7}{x-1}=\dfrac{7}{x-1}+4$이므로 주어진 함수의 그래

프는 $y=\dfrac{7}{x}$의 그래프를 x축의 방향으로 1만큼, y축의 방향으로 4
만큼 평행이동한 것이다.

$2\leq x\leq a$에서 $y=\dfrac{4x+3}{x-1}$의 그래프는 오른
쪽 그림과 같으므로 $x=2$일 때 최댓값은 11,
$x=a$일 때 최솟값은 $\dfrac{4a+3}{a-1}$이다.

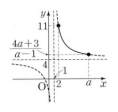

따라서 $\dfrac{4a+3}{a-1}=5$, $b=11$이므로

$a=8$, $b=11$　　$\therefore a-b=-3$

075 답 0

$y=\dfrac{k}{x+a}+b$의 그래프의 점근선의 방정식은 $x=-a$, $y=b$

이때 두 점근선의 교점 $(-a, b)$가 두 직선 $y=-x+1$, $y=x-3$
의 교점이므로 $b=a+1$, $b=-a-3$

두 식을 연립하여 풀면 $a=-2$, $b=-1$

즉, $y=\dfrac{k}{x-2}-1$의 그래프는 $y=\dfrac{k}{x}$의 그래프를 x축의 방향으로
2만큼, y축의 방향으로 -1만큼 평행이동한 것이다.

$-1\leq x\leq 1$에서 $y=\dfrac{k}{x-2}-1$의 그래프는
오른쪽 그림과 같고, $x=-1$일 때 최댓값
은 -2이므로

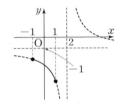

$-2=\dfrac{k}{-1-2}-1$　　$\therefore k=3$

$\therefore a+b+k=-2+(-1)+3=0$

076 답 ②

$y=\dfrac{-x+2}{x-1}$의 그래프와 직선 $y=mx-1$이 한 점에서 만나므로

$\dfrac{-x+2}{x-1}=mx-1$에서 $-x+2=(mx-1)(x-1)$

$\therefore mx^2-mx-1=0$

이 이차방정식의 판별식을 D라 하면 $D=0$이어야 하므로

$D=(-m)^2-(-4m)=0$, $m^2+4m=0$

$m(m+4)=0$　　$\therefore m=-4\,(\because m<0)$

077 답 ④

$y=\dfrac{2x-1}{x+4}=\dfrac{2(x+4)-9}{x+4}$

$\quad =-\dfrac{9}{x+4}+2$

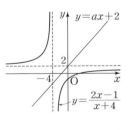

이므로 $y=\dfrac{2x-1}{x+4}$의 그래프는 오른쪽

그림과 같고, 직선 $y=ax+2$는 a의 값
에 관계없이 항상 점 $(0, 2)$를 지난다.

(ⅰ) $a=0$일 때

　　직선 $y=2$는 점근선이므로 두 그래프는 만나지 않는다.

(ⅱ) $a\neq 0$일 때

　　$y=\dfrac{2x-1}{x+4}$의 그래프와 직선 $y=ax+2$가 만나지 않으므로

　　$\dfrac{2x-1}{x+4}=ax+2$에서 $2x-1=(ax+2)(x+4)$

　　$\therefore ax^2+4ax+9=0$

이 이차방정식의 판별식을 D라 하면 $D<0$이어야 하므로
$$\frac{D}{4}=(2a)^2-9a<0$$
$$a(4a-9)<0 \qquad \therefore 0<a<\frac{9}{4}$$

(i), (ii)에 의하여 $0\le a<\dfrac{9}{4}$이므로 정수 a의 최댓값은 2이다.

078 답 $\dfrac{10}{3}$

$$y=\frac{x+1}{x-2}=\frac{(x-2)+3}{x-2}=\frac{3}{x-2}+1$$

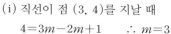

이므로 $3\le x\le 5$에서 $y=\dfrac{x+1}{x-2}$의 그래프는 오른쪽 그림과 같고, $y=mx-2m+1=m(x-2)+1$이므로 직선 $y=mx-2m+1$은 m의 값에 관계없이 항상 점 $(2,1)$을 지난다.

(i) 직선이 점 $(3,4)$를 지날 때
$$4=3m-2m+1 \qquad \therefore m=3$$
(ii) 직선이 점 $(5,2)$를 지날 때
$$2=5m-2m+1 \qquad \therefore m=\frac{1}{3}$$

(i), (ii)에 의하여 $\dfrac{1}{3}\le m\le 3$

따라서 m의 최댓값은 3, 최솟값은 $\dfrac{1}{3}$이므로 구하는 합은
$$3+\frac{1}{3}=\frac{10}{3}$$

079 답 $\dfrac{2}{3}$

$y=\dfrac{x+1}{x-1}$이라 하면
$$y=\frac{x+1}{x-1}=\frac{(x-1)+2}{x-1}$$
$$=\frac{2}{x-1}+1$$

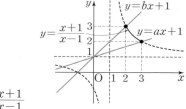

이므로 $2\le x\le 3$에서 $y=\dfrac{x+1}{x-1}$
의 그래프는 위의 그림과 같고, 두 직선 $y=ax+1$, $y=bx+1$은 a, b의 값에 관계없이 항상 점 $(0,1)$을 지난다.

이때 $2\le x\le 3$에서 $ax+1\le\dfrac{x+1}{x-1}\le bx+1$이 항상 성립하려면 기울기 a의 값은 직선 $y=ax+1$이 점 $(3,2)$를 지날 때보다 작거나 같고, 기울기 b의 값은 직선 $y=bx+1$이 점 $(2,3)$을 지날 때보다 크거나 같아야 한다.

직선 $y=ax+1$이 점 $(3,2)$를 지날 때의 a의 값은 $\dfrac{1}{3}$이고, 직선 $y=bx+1$이 점 $(2,3)$을 지날 때의 b의 값은 1이므로
$$a\le\frac{1}{3}, \quad b\ge 1$$

따라서 $b-a$의 값이 최소이려면 b의 값은 최소이고 a의 값은 최대이어야 하므로
$$1-\frac{1}{3}=\frac{2}{3}$$

080 답 $11+6\sqrt{2}$

$y=\dfrac{9}{x}(x>0)$의 그래프를 x축의 방향으로 2만큼, y축의 방향으로 1만큼 평행이동한 그래프의 식은
$$y=\frac{9}{x-2}+1 \ (x>2)$$

점 P의 좌표를 $\left(k, \dfrac{9}{k-2}+1\right)(k>2)$이라 하면 직사각형 ROQP의 넓이는

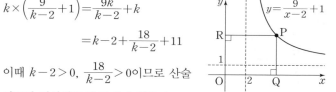

$$k\times\left(\frac{9}{k-2}+1\right)=\frac{9k}{k-2}+k$$
$$=k-2+\frac{18}{k-2}+11$$

이때 $k-2>0$, $\dfrac{18}{k-2}>0$이므로 산술평균과 기하평균의 관계에 의하여
$$k-2+\frac{18}{k-2}+11\ge 2\sqrt{(k-2)\times\frac{18}{k-2}}+11$$
$$=11+6\sqrt{2} \text{ (단, 등호는 } k=2+3\sqrt{2}\text{일 때 성립)}$$
따라서 직사각형 ROQP의 넓이의 최솟값은 $11+6\sqrt{2}$이다.

081 답 6

점 P의 좌표를 $\left(k, \dfrac{1}{k-1}+3\right)(k>1)$이라 하면 점 Q의 좌표는 $(k, -k)$이므로

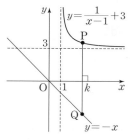

$$\overline{PQ}=\frac{1}{k-1}+3+k=k-1+\frac{1}{k-1}+4$$

이때 $k-1>0$, $\dfrac{1}{k-1}>0$이므로 산술평균과 기하평균의 관계에 의하여
$$k-1+\frac{1}{k-1}+4\ge 2\sqrt{(k-1)\times\frac{1}{k-1}}+4$$
$$=2+4=6 \text{ (단, 등호는 } k=2\text{일 때 성립)}$$
따라서 선분 PQ의 길이의 최솟값은 6이다.

082 답 $2\sqrt{2}$

$$y=\frac{x-3}{x+1}=\frac{(x+1)-4}{x+1}=-\frac{4}{x+1}+1$$
이므로 점근선의 방정식은 $x=-1$, $y=1$이다.

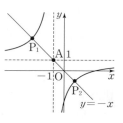

즉, 점 $A(-1,1)$은 두 점근선의 교점이므로 두 점 A, P 사이의 거리가 최소일 때의 점 P는 오른쪽 그림과 같이 P_1, P_2의 두 개가 존재한다.

이때 점 P_1, P_2는 점 A를 지나고 기울기가 -1인 직선 $y=-x$를 지나므로
$$\frac{x-3}{x+1}=-x \text{에서 } x-3=-x(x+1)$$
$$x^2+2x-3=0, \ (x+3)(x-1)=0 \qquad \therefore x=-3 \text{ 또는 } x=1$$
따라서 두 점 P_1, P_2의 좌표는 각각 $(-3,3)$, $(1,-1)$이고
$\overline{AP_1}=\overline{AP_2}$이므로 구하는 거리의 최솟값은
$$\overline{AP_1}=\sqrt{(-1+3)^2+(1-3)^2}=2\sqrt{2}$$

083 답 **5**

$$f^2(x)=(f\circ f)(x)=f(f(x))$$

$$=\frac{\dfrac{x+1}{x-1}+1}{\dfrac{x+1}{x-1}-1}=\frac{\dfrac{x+1+x-1}{x-1}}{\dfrac{x+1-(x-1)}{x-1}}=x$$

$$f^3(x)=(f\circ f^2)(x)=f(f^2(x))=\frac{x+1}{x-1}$$

$$\vdots$$

$$\therefore f(x)=\begin{cases}\dfrac{x+1}{x-1} & (n\text{은 홀수})\\[2mm] x & (n\text{은 짝수})\end{cases}$$

$$\therefore f^{2021}(3)+f^{2022}(3)=2+3=5$$

084 답 **⑤**

$$(f\circ f)(x)=f(f(x))=\frac{1}{\dfrac{1}{x-1}-1}=\frac{1}{\dfrac{1-(x-1)}{x-1}}=\frac{x-1}{2-x}$$

$(f\circ f)(k)=-2$에서 $\dfrac{k-1}{2-k}=-2$

$k-1=-2(2-k)$ $\therefore k=3$

085 답 $\dfrac{10}{1001}$

$$f^2(x)=(f\circ f)(x)=f(f(x))$$

$$=\frac{\dfrac{x}{x+1}}{\dfrac{x}{x+1}+1}=\frac{\dfrac{x}{x+1}}{\dfrac{x+x+1}{x+1}}=\frac{x}{2x+1}$$

$$f^3(x)=(f\circ f\circ f)(x)=f(f^2(x))$$

$$=\frac{\dfrac{x}{2x+1}}{\dfrac{x}{2x+1}+1}=\frac{\dfrac{x}{2x+1}}{\dfrac{x+2x+1}{2x+1}}=\frac{x}{3x+1}$$

$$\vdots$$

따라서 $f^n(x)=\dfrac{x}{nx+1}$ (n은 자연수)이므로

$$f^{100}(x)=\frac{x}{100x+1}$$

$$\therefore f^{100}(10)=\frac{10}{100\times10+1}=\frac{10}{1001}$$

086 답 ㄱ, ㄴ, ㄷ

$$f^2(x)=(f\circ f)(x)=f(f(x))$$

$$=-\frac{-\dfrac{x+1}{x}+1}{-\dfrac{x+1}{x}}=-\frac{\dfrac{-x-1+x}{x}}{\dfrac{-x-1}{x}}=-\frac{1}{x+1}$$

$$f^3(x)=(f\circ f^2)(x)=f(f^2(x))$$

$$=-\frac{-\dfrac{1}{x+1}+1}{-\dfrac{1}{x+1}}=-\frac{\dfrac{-1+x+1}{x+1}}{\dfrac{-1}{x+1}}=x$$

$$\vdots$$

ㄱ. $f^2(x)=-\dfrac{1}{x+1}$의 그래프는 제2, 3, 4사분면을 지난다.

ㄴ. 자연수 n에 대하여 $f^n(x)$는 $-\dfrac{x+1}{x}$, $-\dfrac{1}{x+1}$, x의 순서로 반복된다.

$8=3\times2+2$이므로 $f^8(x)=f^2(x)=-\dfrac{1}{x+1}$

따라서 $a=0$, $b=-1$, $c=1$이므로 $a+b+c=0$

ㄷ. $f^3(x)=f^6(x)=f^9(x)=\cdots=f^{3k}(x)=x$ (k는 자연수)이므로
$f^{21}(x)=f^{3\times7}(x)=x$

즉, $f^{21}(x)$는 항등함수이다.

따라서 보기 중 옳은 것은 ㄱ, ㄴ, ㄷ이다.

087 답 **①**

$y=\dfrac{2x-1}{x+a}$이라 하면 $y(x+a)=2x-1$

$(y-2)x=-ay-1$ $\therefore x=\dfrac{-ay-1}{y-2}$

x와 y를 서로 바꾸면 $y=\dfrac{-ax-1}{x-2}$

$\therefore f^{-1}(x)=\dfrac{-ax-1}{x-2}$

$f=f^{-1}$이므로 $\dfrac{2x-1}{x+a}=\dfrac{-ax-1}{x-2}$

$\therefore a=-2$

088 답 **1**

$f(x)=\dfrac{2}{x}+1=\dfrac{x+2}{x}$에서 $y=\dfrac{x+2}{x}$라 하면

$xy=x+2$, $(y-1)x=2$ $\therefore x=\dfrac{2}{y-1}$

x와 y를 서로 바꾸면 $y=\dfrac{2}{x-1}$

$\therefore f^{-1}(x)=\dfrac{2}{x-1}$

따라서 $a=2$, $b=-1$이므로 $a+b=1$

089 답 **②**

$f(x)=\dfrac{2x+b}{x-a}$의 그래프가 점 $(-1,2)$를 지나므로

$2=\dfrac{-2+b}{-1-a}$ $\therefore 2a+b=0$ $\cdots\cdots$ ㉠

또 $f(x)=\dfrac{2x+b}{x-a}$의 역함수의 그래프가 점 $(-1,2)$를 지나므로

$f(x)=\dfrac{2x+b}{x-a}$의 그래프는 점 $(2,-1)$을 지난다.

즉, $-1=\dfrac{4+b}{2-a}$이므로 $a-b=6$ $\cdots\cdots$ ㉡

㉠, ㉡을 연립하여 풀면 $a=2$, $b=-4$

$\therefore a+b=-2$

090 답 **−4**

두 직선 $y=x+4$와 $y=-x+2$의 교점의 x좌표는

$x+4=-x+2$ $\therefore x=-1$

$\therefore y=3$

즉, $y=f^{-1}(x)$의 그래프가 점 $(-1, 3)$에 대하여 대칭이므로 그 역함수 $y=f(x)$의 그래프는 점 $(3, -1)$에 대하여 대칭이다.

따라서 $f(x)=\dfrac{ax+1}{x+b}=\dfrac{a(x+b)+1-ab}{x+b}=\dfrac{1-ab}{x+b}+a$이고, 점 $(3, -1)$은 $y=f(x)$의 그래프의 두 점근선의 교점이므로

$-b=3$, $a=-1$ $\quad\therefore a=-1$, $b=-3$

$\therefore a+b=-4$

091 답 $\dfrac{6}{5}$

$(f \circ f^{-1} \circ f^{-1})(4)=f^{-1}(4)$

$f^{-1}(4)=k$라 하면 $f(k)=4$

$\dfrac{-k+2}{k-1}=4$, $-k+2=4(k-1)$ $\quad\therefore k=\dfrac{6}{5}$

$\therefore (f \circ f^{-1} \circ f^{-1})(4)=\dfrac{6}{5}$

092 답 $\dfrac{1}{2}$

$(f \circ (f^{-1} \circ g)^{-1} \circ f^{-1})(3)=(f \circ g^{-1} \circ f \circ f^{-1})(3)$
$\qquad\qquad\qquad\qquad\qquad =(f \circ g^{-1})(3)=f(g^{-1}(3))$

$g^{-1}(3)=k$라 하면 $g(k)=3$

$\dfrac{2k+1}{k}=3$, $2k+1=3k$ $\quad\therefore k=1$

$\therefore g^{-1}(3)=1$

$\therefore (f \circ (f^{-1} \circ g)^{-1} \circ f^{-1})(3)=f(g^{-1}(3))$
$\qquad\qquad\qquad\qquad\qquad\quad =f(1)=\dfrac{1}{1+1}=\dfrac{1}{2}$

093 답 -9

$f(x)=\dfrac{ax-5}{2x+b}$의 그래프가 점 $(1, 2)$를 지나므로

$2=\dfrac{a-5}{2+b}$ $\quad\therefore a-2b=9$ $\qquad\cdots\cdots$ ㉠

또 $y=\dfrac{ax-5}{2x+b}$라 하면 $y(2x+b)=ax-5$

$(2y-a)x=-by-5$ $\quad\therefore x=\dfrac{-by-5}{2y-a}$

x와 y를 서로 바꾸면 $y=\dfrac{-bx-5}{2x-a}$

$\therefore f^{-1}(x)=\dfrac{-bx-5}{2x-a}$

$(f \circ f)(x)=x$에서 $f=f^{-1}$이므로

$\dfrac{ax-5}{2x+b}=\dfrac{-bx-5}{2x-a}$ $\quad\therefore a=-b$ $\qquad\cdots\cdots$ ㉡

㉠, ㉡을 연립하여 풀면 $a=3$, $b=-3$

$\therefore ab=-9$

094 답 ②

$y=\dfrac{a}{x-1}$라 하면 $y(x-1)=a$

$yx=y+a$ $\quad\therefore x=\dfrac{y+a}{y}$

x와 y를 서로 바꾸면 $y=\dfrac{x+a}{x}$

$\therefore f^{-1}(x)=\dfrac{x+a}{x}$

$(f^{-1} \circ f^{-1})(x)=f^{-1}(f^{-1}(x))=\dfrac{\dfrac{x+a}{x}+a}{\dfrac{x+a}{x}}$

$\qquad\qquad =\dfrac{\dfrac{x+a+ax}{x}}{\dfrac{x+a}{x}}=\dfrac{(a+1)x+a}{x+a}$

$f(x)=(f^{-1} \circ f^{-1})(x)$이므로

$\dfrac{a}{x-1}=\dfrac{(a+1)x+a}{x+a}$

이 식이 x에 대한 항등식이므로 $a=-1$

095 답 ④

$\left(1+\dfrac{1}{x+1}\right) \div \left(1-\dfrac{4}{x^2-x-2}\right)-\dfrac{4}{x^2-2x-3}$

$=\dfrac{x+2}{x+1} \div \dfrac{x^2-x-6}{x^2-x-2}-\dfrac{4}{x^2-2x-3}$

$=\dfrac{x+2}{x+1} \times \dfrac{(x+1)(x-2)}{(x+2)(x-3)}-\dfrac{4}{(x+1)(x-3)}$

$=\dfrac{(x+1)(x-2)-4}{(x+1)(x-3)}$

$=\dfrac{x^2-x-6}{(x+1)(x-3)}$

$=\dfrac{(x+2)(x-3)}{(x+1)(x-3)}$

$=\dfrac{x+2}{x+1}$

096 답 ③

주어진 식의 양변에 $(x+2)(x-4)$를 곱하면

$a(x-4)+b(x+2)=4x-10$

$\therefore (a+b)x-4a+2b=4x-10$

이 식이 x에 대한 항등식이므로

$a+b=4$, $-4a+2b=-10$

두 식을 연립하여 풀면 $a=3$, $b=1$

$\therefore a-b=2$

097 답 16

$\dfrac{x+2}{x+1}-\dfrac{x+4}{x+3}-\dfrac{x+6}{x+5}+\dfrac{x+8}{x+7}$

$=\dfrac{(x+1)+1}{x+1}-\dfrac{(x+3)+1}{x+3}-\dfrac{(x+5)+1}{x+5}+\dfrac{(x+7)+1}{x+7}$

$=\left(1+\dfrac{1}{x+1}\right)-\left(1+\dfrac{1}{x+3}\right)-\left(1+\dfrac{1}{x+5}\right)+\left(1+\dfrac{1}{x+7}\right)$

$=\dfrac{1}{x+1}-\dfrac{1}{x+3}-\left(\dfrac{1}{x+5}-\dfrac{1}{x+7}\right)$

$=\dfrac{2}{(x+1)(x+3)}-\dfrac{2}{(x+5)(x+7)}$

$=\dfrac{2(x^2+12x+35)-2(x^2+4x+3)}{(x+1)(x+3)(x+5)(x+7)}$

$=\dfrac{16x+64}{(x+1)(x+3)(x+5)(x+7)}$

따라서 $f(x)=16x+64$이므로

$f(-3)=-48+64=16$

098 답 $\dfrac{1}{900}$

$f(90)=\dfrac{1}{90\times 91}+\dfrac{1}{91\times 92}+\dfrac{1}{92\times 93}+\cdots+\dfrac{1}{99\times 100}$

$\qquad=\left(\dfrac{1}{90}-\dfrac{1}{91}\right)+\left(\dfrac{1}{91}-\dfrac{1}{92}\right)+\left(\dfrac{1}{92}-\dfrac{1}{93}\right)+\cdots+\left(\dfrac{1}{99}-\dfrac{1}{100}\right)$

$\qquad=\dfrac{1}{90}-\dfrac{1}{100}=\dfrac{1}{900}$

099 답 ①

$1-\dfrac{4}{3-\dfrac{2}{1-x}}=1-\dfrac{4}{\dfrac{3-3x-2}{1-x}}=1-\dfrac{4}{\dfrac{1-3x}{1-x}}=1-\dfrac{4-4x}{1-3x}$

$\qquad=\dfrac{1-3x-(4-4x)}{1-3x}=\dfrac{x-3}{1-3x}=\dfrac{-x+3}{3x-1}$

따라서 $a=-1$, $b=3$, $c=-1$이므로 $a+b+c=1$

100 답 -3

$a+2b+3c=0$에서 $a+2b=-3c$, $2b+3c=-a$, $a+3c=-2b$이
므로

$a\left(\dfrac{1}{2b}+\dfrac{1}{3c}\right)+2b\left(\dfrac{1}{3c}+\dfrac{1}{a}\right)+3c\left(\dfrac{1}{a}+\dfrac{1}{2b}\right)$

$=\dfrac{a}{2b}+\dfrac{a}{3c}+\dfrac{2b}{3c}+\dfrac{2b}{a}+\dfrac{3c}{a}+\dfrac{3c}{2b}$

$=\dfrac{2b+3c}{a}+\dfrac{a+3c}{2b}+\dfrac{a+2b}{3c}$

$=\dfrac{-a}{a}+\dfrac{-2b}{2b}+\dfrac{-3c}{3c}=-3$

101 답 ⑤

$\dfrac{a+2b}{3}=\dfrac{2b+c}{2}=\dfrac{2c+a}{4}=t\ (t\neq 0)$로 놓으면

$a+2b=3t$ $\qquad\cdots\cdots$ ㉠

$2b+c=2t$ $\qquad\cdots\cdots$ ㉡

$2c+a=4t$ $\qquad\cdots\cdots$ ㉢

㉠+㉡+㉢×2를 하면

$3a+4b+5c=13t$ $\qquad\cdots\cdots$ ㉣

주어진 식에서 $\dfrac{3a+4b+5c}{k}=t$이고, 이 식에 ㉣을 대입하면

$\dfrac{13t}{k}=t$ $\qquad\therefore k=13$

102 답 ②

$x+y-z=0$ $\qquad\cdots\cdots$ ㉠

$x+3y+z=0$ $\qquad\cdots\cdots$ ㉡

㉠+㉡을 하면 $2x+4y=0$ $\qquad\therefore x=-2y$

㉠에 $x=-2y$를 대입하면

$-2y+y-z=0$ $\qquad\therefore z=-y$

$\therefore \dfrac{x^2+y^2+z^2}{xy+yz+zx}=\dfrac{(-2y)^2+y^2+(-y)^2}{-2y\times y+y\times(-y)+(-y)\times(-2y)}$

$\qquad\qquad\qquad\qquad=\dfrac{6y^2}{-y^2}=-6$

103 답 ⑤

$y=\dfrac{4x-3}{x-2}=\dfrac{4(x-2)+5}{x-2}=\dfrac{5}{x-2}+4$의 그래프를 x축의 방향으로 p만큼, y축의 방향으로 q만큼 평행이동한 그래프의 식은

$y=\dfrac{5}{x-p-2}+4+q$

이 함수의 그래프가 $y=\dfrac{3x-10}{x-5}=\dfrac{3(x-5)+5}{x-5}=\dfrac{5}{x-5}+3$의 그래프와 일치하므로

$-p-2=-5,\ 4+q=3$

$\therefore p=3,\ q=-1$ $\qquad\therefore p+q=2$

104 답 -1

$y=\dfrac{-2x+3}{x+1}=\dfrac{-2(x+1)+5}{x+1}=\dfrac{5}{x+1}-2$이므로 주어진 함수의

그래프는 $y=\dfrac{5}{x}$의 그래프를 x축의 방향으로 -1만큼, y축의 방향으로 -2만큼 평행이동한 것이다.

$y\geq 3$에서 $y=\dfrac{-2x+3}{x+1}$의 그래프는 오른쪽

그림과 같으므로 정의역은

$\{x\,|\,-1<x\leq 0\}$

따라서 $\alpha=-1$, $\beta=0$이므로

$\alpha+\beta=-1$

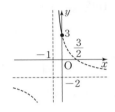

105 답 3

$y=-\dfrac{6x+1}{3x+2}=\dfrac{-2(3x+2)+3}{3x+2}=\dfrac{3}{3x+2}-2=\dfrac{3}{3\left(x+\frac{2}{3}\right)}-2$이

므로 점근선의 방정식은 $x=-\dfrac{2}{3}$, $y=-2$

따라서 $a=-\dfrac{2}{3}$, $b=-2$이므로 $\dfrac{b}{a}=\dfrac{-2}{-\frac{2}{3}}=3$

106 답 ④

$y=\dfrac{6x+5}{x+2}=\dfrac{6(x+2)-7}{x+2}=-\dfrac{7}{x+2}+6$이므로 주어진 함수의 그래프는 $y=-\dfrac{7}{x}$의 그래프를 x축의 방향으로 -2만큼, y축의 방향으로 6만큼 평행이동한 것이다.

따라서 $y=\dfrac{6x+5}{x+2}$의 그래프는 오른쪽 그림과 같으므로 그래프가 지나지 않는 사분면은 제4사분면이다.

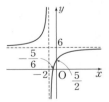

107 답 ①

$y=\dfrac{4x-5}{x-2}=\dfrac{4(x-2)+3}{x-2}=\dfrac{3}{x-2}+4$이므로 점근선의 방정식은

$x=2,\ y=4$

따라서 주어진 함수의 그래프는 점 $(2, 4)$에 대하여 대칭이고, 이 점은 직선 $x+y+k=0$ 위의 점이므로

$2+4+k=0$ $\qquad\therefore k=-6$

정답과 풀이

108 답 ⑤

$y = \dfrac{3x+5}{x+1} = \dfrac{3(x+1)+2}{x+1} = \dfrac{2}{x+1} + 3$이므

로 그래프는 오른쪽 그림과 같다.

⑤ $y = \dfrac{2}{x}$의 그래프를 x축의 방향으로 -1

만큼, y축의 방향으로 3만큼 평행이동한

것이다.

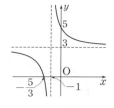

109 답 ②

점근선의 방정식이 $x = 2$, $y = -1$이므로 함수의 식을

$y = \dfrac{k}{x-2} - 1\,(k < 0)$이라 하자.

이 함수의 그래프가 점 $(-1, 0)$을 지나므로

$0 = \dfrac{k}{-1-2} - 1 \qquad \therefore k = -3$

따라서 $y = \dfrac{-3}{x-2} - 1 = \dfrac{-(x-2)-3}{x-2} = \dfrac{-x-1}{x-2}$이므로

$a = -1$, $b = -1$, $c = -2 \qquad \therefore a+b+c = -4$

110 답 ②

$y = \dfrac{4x-3}{2x+1} = \dfrac{2(2x+1)-5}{2x+1} = -\dfrac{5}{2x+1} + 2$이므로 주어진 함수의

그래프는 $y = -\dfrac{5}{2x}$의 그래프를 x축의 방향으로 $-\dfrac{1}{2}$만큼, y축의

방향으로 2만큼 평행이동한 것이다.

$0 \le x \le 2$에서 $y = \dfrac{4x-3}{2x+1}$의 그래프는 오른

쪽 그림과 같으므로 $x = 2$일 때 최댓값은 1,

$x = 0$일 때 최솟값은 -3이다.

따라서 최댓값과 최솟값의 합은

$1 + (-3) = -2$

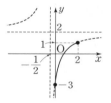

111 답 ④

$y = \dfrac{-2x+5}{x-2} = \dfrac{-2(x-2)+1}{x-2}$

$= \dfrac{1}{x-2} - 2$

의 그래프는 오른쪽 그림과 같고, 직선

$y = mx - 2$는 m의 값에 관계없이 항상

점 $(0, -2)$를 지난다.

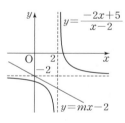

(i) $m = 0$일 때

직선 $y = -2$는 점근선이므로 두 그래프는 만나지 않는다.

(ii) $m \ne 0$일 때

$y = \dfrac{-2x+5}{x-2}$의 그래프와 직선 $y = mx-2$가 만나지 않으므로

$\dfrac{-2x+5}{x-2} = mx-2$에서 $-2x+5 = (mx-2)(x-2)$

$\therefore mx^2 - 2mx - 1 = 0$

이 이차방정식의 판별식을 D라 하면 $D < 0$이어야 하므로

$\dfrac{D}{4} = (-m)^2 - (-m) < 0$

$m(m+1) < 0 \qquad \therefore -1 < m < 0$

(i), (ii)에 의하여 구하는 실수 m의 값의 범위는 $-1 < m \le 0$

112 답 9

점 P의 좌표를 $\left(a, \dfrac{k}{a-3} + 2\right)(a > 3)$라 하면

$\overline{PA} = \dfrac{k}{a-3} + 2 - 2 = \dfrac{k}{a-3}$, $\overline{PB} = a-3$이므로

$\overline{PA} + \overline{PB} = \dfrac{k}{a-3} + a-3$

이때 $a-3 > 0$, $\dfrac{k}{a-3} > 0$이므로 산술평균과 기하평균의 관계에 의

하여

$a-3 + \dfrac{k}{a-3} \ge 2\sqrt{(a-3) \times \dfrac{k}{a-3}} = 2\sqrt{k}$

$\left(\text{단, 등호는 } a-3 = \dfrac{k}{a-3}\text{일 때 성립}\right)$

이때 $\overline{PA} + \overline{PB}$의 최솟값이 6이므로

$2\sqrt{k} = 6 \qquad \therefore k = 9$

113 답 ⑤

$f^2(x) = (f \circ f)(x) = f(f(x))$

$= -\dfrac{1}{-\dfrac{1}{x+1}+1} = -\dfrac{1}{\dfrac{-1+x+1}{x+1}} = -\dfrac{x+1}{x}$

$f^3(x) = (f \circ f^2)(x) = f(f^2(x))$

$= -\dfrac{1}{-\dfrac{x+1}{x}+1} = \dfrac{-1}{\dfrac{-x-1+x}{x}} = x$

$\vdots$

따라서 $f^3(x) = f^6(x) = f^9(x) = \cdots = f^{3n}(x) = x\,(n$은 자연수$)$이

므로

$f^{30}(2) = f^{3 \times 10}(2) = 2$

114 답 12

$f(x) = -\dfrac{k}{x-1} + 3 = \dfrac{-k+3(x-1)}{x-1} = \dfrac{3x-k-3}{x-1}$에서

$y = \dfrac{3x-k-3}{x-1}$이라 하면 $y(x-1) = 3x-k-3$

$(y-3)x = y-k-3 \qquad \therefore x = \dfrac{y-k-3}{y-3}$

x와 y를 서로 바꾸면 $y = \dfrac{x-k-3}{x-3}$

$\therefore f^{-1}(x) = \dfrac{x-k-3}{x-3}$

따라서 $\dfrac{x-k-3}{x-3} = \dfrac{ax+1}{x+b}$이므로

$a = 1$, $b = -3$, $k = -4 \qquad \therefore abk = 12$

115 답 $-\dfrac{1}{2}$

$f(-4) = \dfrac{4-2}{-4+3} = -2$이므로

$(g^{-1} \circ f)(-4) = g^{-1}(f(-4)) = g^{-1}(-2)$

$g^{-1}(-2) = k$라 하면 $g(k) = -2$

$\dfrac{2k+4}{k-1} = -2$, $2k+4 = -2(k-1) \qquad \therefore k = -\dfrac{1}{2}$

$\therefore (g^{-1} \circ f)(-4) = g^{-1}(-2) = -\dfrac{1}{2}$

001 답 $1 \le x < 2$

$x-1 \ge 0$에서 $x \ge 1$

$2-x > 0$에서 $x < 2$

$\therefore 1 \le x < 2$

002 답 ⑤

$-2 < a < 3$에서 $a+2 > 0$, $a-3 < 0$이므로

$$\sqrt{a^2+4a+4}+\sqrt{a^2-6a+9}=\sqrt{(a+2)^2}+\sqrt{(a-3)^2}$$
$$=|a+2|+|a-3|$$
$$=(a+2)-(a-3)=5$$

003 답 ③

$$\frac{1}{\sqrt{2x}+\sqrt{y}}-\frac{1}{\sqrt{2x}-\sqrt{y}}=\frac{\sqrt{2x}-\sqrt{y}-(\sqrt{2x}+\sqrt{y})}{(\sqrt{2x}+\sqrt{y})(\sqrt{2x}-\sqrt{y})}$$
$$=-\frac{2\sqrt{y}}{2x-y}$$

004 답 $\dfrac{\sqrt{5}-1}{2}$

$$\frac{\sqrt{x+2}-\sqrt{x-2}}{\sqrt{x+2}+\sqrt{x-2}}=\frac{(\sqrt{x+2}-\sqrt{x-2})^2}{(\sqrt{x+2}+\sqrt{x-2})(\sqrt{x+2}-\sqrt{x-2})}$$
$$=\frac{x+2+x-2-2\sqrt{x^2-4}}{x+2-(x-2)}$$
$$=\frac{x-\sqrt{x^2-4}}{2}$$
$$=\frac{\sqrt{5}-\sqrt{5-4}}{2}=\frac{\sqrt{5}-1}{2}$$

005 답 ④

$x+y=2\sqrt{5}$, $xy=2$이므로

$$\frac{\sqrt{y}}{\sqrt{x}}+\frac{\sqrt{x}}{\sqrt{y}}=\frac{x+y}{\sqrt{xy}}=\frac{2\sqrt{5}}{\sqrt{2}}=\sqrt{10}$$

006 답 ②

$y=\sqrt{-2x+10}-4=\sqrt{-2(x-5)}-4$이므로 $y=\sqrt{-2x+10}-4$의 그래프는 $y=\sqrt{-2x}$의 그래프를 x축의 방향으로 5만큼, y축의 방향으로 -4만큼 평행이동한 것이다.

따라서 $a=-2$, $p=5$, $q=-4$이므로

$a+p+q=-1$

007 답 6

$5x-10 \ge 0$에서 $x \ge 2$이므로 정의역은 $\{x|x \ge 2\}$

$\therefore a=2$

또 치역은 $\{y|y \le 3\}$이므로 $b=3$

$\therefore ab=2 \times 3=6$

008 답 제1, 2사분면

$y=\sqrt{2x+5}+1=\sqrt{2\left(x+\dfrac{5}{2}\right)}+1$이므로 주어진 함수의 그래프는 $y=\sqrt{2x}$의 그래프를 x축의 방향으로 $-\dfrac{5}{2}$만큼, y축의 방향으로 1만큼 평행이동한 것이다.

따라서 $y=\sqrt{2x+5}+1$의 그래프는 오른쪽 그림과 같으므로 제1, 2사분면을 지난다.

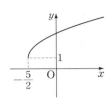

009 답 ㄷ

$y=\sqrt{3x-9}-2=\sqrt{3(x-3)}-2$

ㄱ. 정의역은 $\{x|x \ge 3\}$, 치역은 $\{y|y \ge -2\}$이다.

ㄴ. $y=\sqrt{3x-9}-2$의 그래프는 $y=\sqrt{3x}$의 그래프를 x축의 방향으로 3만큼, y축의 방향으로 -2만큼 평행이동한 것이므로 오른쪽 그림과 같다.

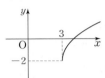

즉, 제2사분면을 지나지 않는다.

ㄷ. $y=\sqrt{3x-9}-2$의 그래프를 x축의 방향으로 -3만큼, y축의 방향으로 2만큼 평행이동한 후 x축에 대하여 대칭이동하면 $y=-\sqrt{3x}$의 그래프와 겹쳐진다.

따라서 보기 중 옳은 것은 ㄷ이다.

010 답 4

주어진 그래프는 $y=\sqrt{ax}$ $(a>0)$의 그래프를 x축의 방향으로 -2만큼, y축의 방향으로 -2만큼 평행이동한 것이므로

$y=\sqrt{a(x+2)}-2$ ...... ㉠

㉠의 그래프가 점 $(0, 0)$을 지나므로

$0=\sqrt{2a}-2$, $\sqrt{2a}=2$

양변을 제곱하면 $2a=4$ $\therefore a=2$

㉠에 $a=2$를 대입하면

$y=\sqrt{2(x+2)}-2=\sqrt{2x+4}-2$

따라서 $a=2$, $b=4$, $c=-2$이므로 $a+b+c=4$

011 답 ⑤

$y=\sqrt{2x+k}+3=\sqrt{2\left(x+\dfrac{k}{2}\right)}+3$이므로 주어진 함수의 그래프는 $y=\sqrt{2x}$의 그래프를 x축의 방향으로 $-\dfrac{k}{2}$만큼, y축의 방향으로 3만큼 평행이동한 것이다.

$3 \le x \le 15$에서 $y=\sqrt{2x+k}+3$의 그래프는 오른쪽 그림과 같고, $x=15$일 때 최댓값이 8이므로

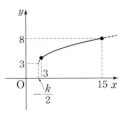

$\sqrt{30+k}+3=8$, $\sqrt{30+k}=5$

양변을 제곱하면

$30+k=25$ $\therefore k=-5$

따라서 $y=\sqrt{2x-5}+3$의 최솟값은 $x=3$일 때

$\sqrt{6-5}+3=4$

012 답 $2\leq k<\dfrac{9}{4}$

$y=\sqrt{-x+2}=\sqrt{-(x-2)}$이므로
$y=\sqrt{-x+2}$의 그래프는 $y=\sqrt{-x}$의
그래프를 x축의 방향으로 2만큼 평행
이동한 것이고, 직선 $y=-x+k$는 기
울기가 -1이고 y절편이 k이다.

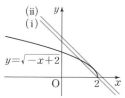

(i) 직선 $y=-x+k$가 점 $(2, 0)$을 지날 때
$\quad 0=-2+k$ $\quad\therefore k=2$

(ii) $y=\sqrt{-x+2}$의 그래프와 직선 $y=-x+k$가 접할 때
$\quad \sqrt{-x+2}=-x+k$의 양변을 제곱하면
$\quad -x+2=x^2-2kx+k^2$ $\quad\therefore x^2-(2k-1)x+k^2-2=0$
이 이차방정식의 판별식을 D라 하면 $D=0$이어야 하므로
$\quad D=\{-(2k-1)\}^2-4(k^2-2)=0$
$\quad -4k+9=0$ $\quad\therefore k=\dfrac{9}{4}$

(i), (ii)에 의하여 구하는 실수 k의 값의 범위는 $2\leq k<\dfrac{9}{4}$

013 답 $\dfrac{3}{2}$

두 점 $P(a, b)$, $Q(c, d)$가 $y=3\sqrt{x}$의 그래프 위의 점이므로
$b=3\sqrt{a}$, $d=3\sqrt{c}$
$b+d=6$이므로 $3\sqrt{a}+3\sqrt{c}=6$ $\quad\therefore \sqrt{a}+\sqrt{c}=2$
따라서 직선 PQ의 기울기는
$\dfrac{d-b}{c-a}=\dfrac{3\sqrt{c}-3\sqrt{a}}{c-a}=\dfrac{3(\sqrt{c}-\sqrt{a})}{(\sqrt{c}+\sqrt{a})(\sqrt{c}-\sqrt{a})}=\dfrac{3}{\sqrt{a}+\sqrt{c}}=\dfrac{3}{2}$

014 답 $f^{-1}(x)=\dfrac{1}{2}x^2-4x+\dfrac{17}{2}\ (x\geq 4)$

함수 $y=f(x)$의 치역이 $\{y|y\geq 4\}$이므로 그 역함수 $y=f^{-1}(x)$의
정의역은 $\{x|x\geq 4\}$이다.
$y=\sqrt{2x-1}+4$라 하면 $y-4=\sqrt{2x-1}$
양변을 제곱하면 $y^2-8y+16=2x-1$
$\therefore x=\dfrac{1}{2}y^2-4y+\dfrac{17}{2}$
x와 y를 서로 바꾸면 $y=\dfrac{1}{2}x^2-4x+\dfrac{17}{2}$
$\therefore f^{-1}(x)=\dfrac{1}{2}x^2-4x+\dfrac{17}{2}\ (x\geq 4)$

015 답 ④

$(g\circ f^{-1})^{-1}(4)=(f\circ g^{-1})(4)=f(g^{-1}(4))$
$g^{-1}(4)=k$라 하면 $g(k)=4$에서 $\sqrt{3k+1}=4$
양변을 제곱하면 $3k+1=16$ $\quad\therefore k=5$
$\therefore (g\circ f^{-1})^{-1}(4)=f(g^{-1}(4))=f(5)=\dfrac{5+5}{5-1}=\dfrac{5}{2}$

016 답 ③

$x+4\geq 0$에서 $x\geq -4$
$3-x>0$에서 $x<3$
$\therefore -4\leq x<3$
따라서 정수 x는 -4, -3, -2, $\cdots$, 2의 7개이다.

017 답 ⑤

$-2x^2+11x-14\geq 0$에서 $2x^2-11x+14\leq 0$
$(x-2)(2x-7)\leq 0$ $\quad\therefore 2\leq x\leq\dfrac{7}{2}$

018 답 ③

$11-2x\geq 0$에서 $x\leq\dfrac{11}{2}$
그런데 $x\neq 3$이므로 자연수 x는 1, 2, 4, 5이다.
따라서 구하는 합은 $1+2+4+5=12$

019 답 $x+7$

$-3<x<1$에서 $x-1<0$, $x+3>0$이므로
$\sqrt{x^2-2x+1}+\sqrt{4x^2+24x+36}=\sqrt{(x-1)^2}+\sqrt{4(x+3)^2}$
$\qquad\qquad\qquad\qquad\qquad\qquad =|x-1|+2|x+3|$
$\qquad\qquad\qquad\qquad\qquad\qquad =-x+1+2(x+3)$
$\qquad\qquad\qquad\qquad\qquad\qquad =x+7$

020 답 ③

$\dfrac{\sqrt{b}}{\sqrt{a}}=-\sqrt{\dfrac{b}{a}}$에서 $a<0$, $b>0$
따라서 $a-b<0$, $-a>0$이므로
$\sqrt{(a-b)^2}+|-a|=|a-b|+|-a|$
$\qquad\qquad\qquad\quad =-a+b+(-a)$
$\qquad\qquad\qquad\quad =-2a+b$

021 답 7

$\sqrt{x-2}\sqrt{1-x}=-\sqrt{(x-2)(1-x)}$에서
$x-2\leq 0$, $1-x\leq 0$ $\quad\therefore 1\leq x\leq 2$
따라서 $x-3<0$, $x+4>0$이므로
$\sqrt{(x-3)^2}+\sqrt{(x+4)^2}=|x-3|+|x+4|$
$\qquad\qquad\qquad\qquad\quad =-x+3+(x+4)$
$\qquad\qquad\qquad\qquad\quad =7$

022 답 ⑤

$k-2=-5+2\sqrt{2}<0$, $k+2=-1+2\sqrt{2}>0$이므로
$\sqrt{k^2-4k+4}-\sqrt{k^2+4k+4}=\sqrt{(k-2)^2}-\sqrt{(k+2)^2}$
$\qquad\qquad\qquad\qquad\qquad\qquad =|k-2|-|k+2|$
$\qquad\qquad\qquad\qquad\qquad\qquad =-k+2-(k+2)$
$\qquad\qquad\qquad\qquad\qquad\qquad =-2k$
$\qquad\qquad\qquad\qquad\qquad\qquad =-2(-3+2\sqrt{2})$
$\qquad\qquad\qquad\qquad\qquad\qquad =6-4\sqrt{2}$

023 답 ④

$\dfrac{1}{1+\sqrt{x+1}}-\dfrac{1}{1-\sqrt{x+1}}=\dfrac{1-\sqrt{x+1}-(1+\sqrt{x+1})}{(1+\sqrt{x+1})(1-\sqrt{x+1})}$
$\qquad\qquad\qquad\qquad\qquad\qquad =\dfrac{-2\sqrt{x+1}}{1-(x+1)}$
$\qquad\qquad\qquad\qquad\qquad\qquad =\dfrac{2\sqrt{x+1}}{x}$

024 답 ④

$$\frac{\sqrt{x}+\sqrt{x-2}}{\sqrt{x}-\sqrt{x-2}}=\frac{(\sqrt{x}+\sqrt{x-2})^2}{(\sqrt{x}-\sqrt{x-2})(\sqrt{x}+\sqrt{x-2})}$$
$$=\frac{x+x-2+2\sqrt{x^2-2x}}{x-(x-2)}$$
$$=x-1+\sqrt{x^2-2x}$$

025 답 **10**

$$\frac{4}{\sqrt{3}-\sqrt{2}+1}=\frac{4\{\sqrt{3}+(\sqrt{2}-1)\}}{\{\sqrt{3}-(\sqrt{2}-1)\}\{\sqrt{3}+(\sqrt{2}-1)\}}$$
$$=\frac{4(\sqrt{3}+\sqrt{2}-1)}{3-(\sqrt{2}-1)^2}$$
$$=\frac{4(\sqrt{3}+\sqrt{2}-1)}{2\sqrt{2}}$$
$$=\sqrt{6}-\sqrt{2}+2$$

따라서 $a=6$, $b=2$, $c=2$이므로
$a+b+c=10$

026 답 $\sqrt{21}-1$

$$f(x)=\frac{1}{\sqrt{x+1}+\sqrt{x}}=\frac{\sqrt{x+1}-\sqrt{x}}{(\sqrt{x+1}+\sqrt{x})(\sqrt{x+1}-\sqrt{x})}$$
$$=\frac{\sqrt{x+1}-\sqrt{x}}{x+1-x}=\sqrt{x+1}-\sqrt{x}$$
$$\therefore f(1)+f(2)+f(3)+\cdots+f(20)$$
$$=(\sqrt{2}-\sqrt{1})+(\sqrt{3}-\sqrt{2})+(\sqrt{4}-\sqrt{3})+\cdots+(\sqrt{21}-\sqrt{20})$$
$$=\sqrt{21}-1$$

027 답 $2\sqrt{2}-\sqrt{7}$

$$\frac{\sqrt{2x+1}-\sqrt{2x-1}}{\sqrt{2x+1}+\sqrt{2x-1}}=\frac{(\sqrt{2x+1}-\sqrt{2x-1})^2}{(\sqrt{2x+1}+\sqrt{2x-1})(\sqrt{2x+1}-\sqrt{2x-1})}$$
$$=\frac{2x+1+2x-1-2\sqrt{4x^2-1}}{2x+1-(2x-1)}$$
$$=2x-\sqrt{4x^2-1}$$
$$=2\sqrt{2}-\sqrt{4\times2-1}$$
$$=2\sqrt{2}-\sqrt{7}$$

028 답 ①

$$\frac{\sqrt{x-1}}{\sqrt{x+1}}-\frac{\sqrt{x+1}}{\sqrt{x-1}}=\frac{x-1-(x+1)}{\sqrt{x+1}\sqrt{x-1}}=\frac{-2}{\sqrt{x^2-1}}$$
$$=-\frac{2}{\sqrt{\frac{5}{4}-1}}=-\frac{2}{\frac{1}{2}}=-4$$

029 답 **1**

$\sqrt{6-x}=2$의 양변을 제곱하면
$6-x=4$ ∴ $x=2$
$$\therefore \frac{1}{\sqrt{x}-\frac{1}{\sqrt{x}+1}}=\frac{1}{\sqrt{2}-\frac{1}{\sqrt{2}+1}}=\frac{1}{\sqrt{2}-\frac{\sqrt{2}-1}{(\sqrt{2}+1)(\sqrt{2}-1)}}$$
$$=\frac{1}{\sqrt{2}-\frac{\sqrt{2}-1}{2-1}}=\frac{1}{\sqrt{2}-(\sqrt{2}-1)}=1$$

030 답 $-\sqrt{2}$

$y-x=-2\sqrt{2}$, $xy=4$이므로
$$\frac{\sqrt{y}}{\sqrt{x}}-\frac{\sqrt{x}}{\sqrt{y}}=\frac{y-x}{\sqrt{xy}}=\frac{-2\sqrt{2}}{2}=-\sqrt{2}$$

031 답 ②

$$x=\frac{2}{\sqrt{2}+1}=\frac{2(\sqrt{2}-1)}{(\sqrt{2}+1)(\sqrt{2}-1)}=2\sqrt{2}-2,$$
$$y=\frac{2}{\sqrt{2}-1}=\frac{2(\sqrt{2}+1)}{(\sqrt{2}-1)(\sqrt{2}+1)}=2\sqrt{2}+2$$
이므로 $x+y=4\sqrt{2}$, $x-y=-4$
$$\therefore x^3+x^2y-xy^2-y^3=x^2(x+y)-y^2(x+y)$$
$$=(x^2-y^2)(x+y)=(x+y)^2(x-y)$$
$$=(4\sqrt{2})^2\times(-4)=-128$$

032 답 $2\sqrt{2}$

$$x=\frac{\sqrt{3}+\sqrt{2}}{\sqrt{3}-\sqrt{2}}=\frac{(\sqrt{3}+\sqrt{2})^2}{(\sqrt{3}-\sqrt{2})(\sqrt{3}+\sqrt{2})}=5+2\sqrt{6},$$
$$y=\frac{\sqrt{3}-\sqrt{2}}{\sqrt{3}+\sqrt{2}}=\frac{(\sqrt{3}-\sqrt{2})^2}{(\sqrt{3}+\sqrt{2})(\sqrt{3}-\sqrt{2})}=5-2\sqrt{6}$$
이므로 $x+y=10$, $xy=1$
$$\therefore (\sqrt{x}-\sqrt{y})^2=x+y-2\sqrt{xy}=10-2\times1=8$$
이때 $x>y>0$에서 $\sqrt{x}>\sqrt{y}$이므로
$\sqrt{x}-\sqrt{y}>0$ ∴ $\sqrt{x}-\sqrt{y}=2\sqrt{2}$

033 답 **4**

$x=-\sqrt{2}+1$에서 $x-1=-\sqrt{2}$
양변을 제곱하면 $x^2-2x+1=2$ ∴ $x^2-2x-1=0$
$$\therefore -2x^3+4x^2+x+5=-2x(x^2-2x-1)-x+5$$
$$=-2x\times0-(-\sqrt{2}+1)+5$$
$$=4+\sqrt{2}$$
따라서 $a=4$, $b=1$이므로 $ab=4$

034 답 ④

$x=\frac{\sqrt{3}-1}{2}$에서 $2x+1=\sqrt{3}$
양변을 제곱하면 $4x^2+4x+1=3$
$2x^2+2x-1=0$ ∴ $x^2+x=\frac{1}{2}$
$$\therefore \frac{6x^3+2x^2-7x+8}{x^2+x}=\frac{6x(x^2+x)-4(x^2+x)-3x+8}{x^2+x}$$
$$=\frac{6x\times\frac{1}{2}-4\times\frac{1}{2}-3x+8}{\frac{1}{2}}=\frac{6}{\frac{1}{2}}=12$$

035 답 **44**

$y=\sqrt{2x-4}+11=\sqrt{2(x-2)}+11$이므로 $y=\sqrt{2x-4}+11$의 그래프는 $y=\sqrt{2x}$의 그래프를 x축의 방향으로 2만큼, y축의 방향으로 11만큼 평행이동한 것이다.
따라서 $a=2$, $p=2$, $q=11$이므로 $apq=44$

036 답 2

$y=\sqrt{ax}$의 그래프를 x축의 방향으로 -3만큼, y축의 방향으로 4
만큼 평행이동한 그래프의 식은
$y=\sqrt{a(x+3)}+4$
이 그래프가 점 $(-1, 6)$을 지나므로
$6=\sqrt{2a}+4$, $\sqrt{2a}=2$
양변을 제곱하면 $2a=4$ $\therefore a=2$

037 답 ②

ㄱ. $y=\sqrt{x}$의 그래프는 $y=-\sqrt{x}$의 그래프를 x축에 대하여 대칭이
    동한 것이다.
ㄷ. $y=\sqrt{-x-2}$의 그래프는 $y=-\sqrt{x}$의 그래프를 원점에 대하여
    대칭이동한 후 x축의 방향으로 -2만큼 평행이동한 것이다.
따라서 보기의 함수 중 그 그래프가 평행이동 또는 대칭이동에 의
하여 함수 $y=-\sqrt{x}$의 그래프와 겹쳐지는 것은 ㄱ, ㄷ이다.

038 답 $\left(\dfrac{8}{3}, 0\right)$

$y=-\sqrt{3x+2}$의 그래프를 x축에 대하여 대칭이동한 그래프의 식은
$y=\sqrt{3x+2}$
이 함수의 그래프를 x축의 방향으로 3만큼, y축의 방향으로 -1
만큼 평행이동한 그래프의 식은
$y=\sqrt{3(x-3)+2}-1$ $\therefore y=\sqrt{3x-7}-1$
이 식에 $y=0$을 대입하면 $0=\sqrt{3x-7}-1$, $\sqrt{3x-7}=1$
양변을 제곱하면 $3x-7=1$ $\therefore x=\dfrac{8}{3}$

따라서 구하는 점의 좌표는 $\left(\dfrac{8}{3}, 0\right)$이다.

039 답 ②

$-2x+6\geq0$에서 $x\leq3$이므로 정의역은 $\{x|x\leq3\}$
$\therefore a=3$
또 치역은 $\{y|y\geq1\}$이므로 $b=1$
$\therefore a+b=3+1=4$

040 답 ④

$3x-a\geq0$에서 $x\geq\dfrac{a}{3}$이므로 정의역은 $\left\{x\left|x\geq\dfrac{a}{3}\right.\right\}$
즉, $\dfrac{a}{3}=2$이므로 $a=6$
또 치역은 $\{y|y\geq b\}$이므로 $b=1$
따라서 함수 $y=\sqrt{3x-6}+1$의 그래프가 점 $(5, p)$를 지나므로
$p=\sqrt{3\times5-6}+1=4$

041 답 정의역: $\{x|x\leq1\}$, 치역: $\{y|y\geq-2\}$

$y=\dfrac{3x+10}{x+3}=\dfrac{3(x+3)+1}{x+3}=\dfrac{1}{x+3}+3$이므로 점근선의 방정식은
$x=-3$, $y=3$
$\therefore a=-3$, $b=3$

$f(x)=\sqrt{-3x+3}+c$에서 $f(1)=-2$이므로 $c=-2$
$\therefore f(x)=\sqrt{-3x+3}-2$
이때 $-3x+3\geq0$에서 $x\leq1$이므로 정의역은 $\{x|x\leq1\}$이고, 치역
은 $\{y|y\geq-2\}$이다.

042 답 ⑤

$y=\sqrt{-x+1}+2=\sqrt{-(x-1)}+2$이므로 주어진 함수의 그래프는
$y=\sqrt{-x}$의 그래프를 x축의 방향으로 1만큼, y축의 방향으로 2만
큼 평행이동한 것이다.
따라서 $y=\sqrt{-x+1}+2$의 그래프는 오른쪽 그
림과 같으므로 제3, 4사분면을 지나지 않는다.

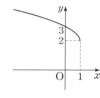

043 답 ②

$y=\sqrt{3x-6}+4=\sqrt{3(x-2)}+4$이므로 주어진 함수의 그래프는
$y=\sqrt{3x}$의 그래프를 x축의 방향으로 2만큼, y축의 방향으로 4만큼
평행이동한 것이다.
따라서 함수 $y=\sqrt{3x-6}+4$의 그래프는 ②이다.

044 답 2

$y=-\sqrt{-x+2}+k=-\sqrt{-(x-2)}+k$이므로 주어진 함수의 그래
프는 $y=-\sqrt{-x}$의 그래프를 x축의 방향으로 2만큼, y축의 방향
으로 k만큼 평행이동한 것이다.
$y=-\sqrt{-x+2}+k$의 그래프가 제4사분면을
지나지 않으려면 오른쪽 그림과 같이 $x=0$일
때 $y\geq0$이어야 하므로
$-\sqrt{2}+k\geq0$ $\therefore k\geq\sqrt{2}$
따라서 자연수 k의 최솟값은 2이다.

045 답 제1, 4사분면

점근선의 방정식이 $x=2$, $y=4$이므로 함수의 식을
$y=\dfrac{k}{x-2}+4\,(k>0)$라 하자.
이 함수의 그래프가 점 $(0, 2)$를 지나므로
$2=\dfrac{k}{0-2}+4$ $\therefore k=4$
$\therefore y=\dfrac{4}{x-2}+4=\dfrac{4(x-2)+4}{x-2}=\dfrac{4x-4}{x-2}$
이 함수가 $y=\dfrac{ax+b}{x+c}$와 일치하므로
$a=4$, $b=-4$, $c=-2$
$\therefore y=\sqrt{a(x+b)}+c=\sqrt{4(x-4)}-2$
이 함수의 그래프는 $y=\sqrt{4x}$의 그래프를 x축의 방향으로 4만큼, y
축의 방향으로 -2만큼 평행이동한 것이다.
따라서 $y=\sqrt{4(x-4)}-2$의 그래프는 오른쪽
그림과 같으므로 제1, 4사분면을 지난다.

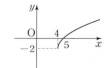

046 답 ㄱ, ㄴ, ㄹ

ㄱ. $-3x+5 \geq 0$에서 $x \leq \frac{5}{3}$이므로 정의역은 $\left\{x \middle| x \leq \frac{5}{3}\right\}$

　　치역은 $\{y | y \leq 1\}$

ㄴ. $y=-\sqrt{-3x+5}+1$에 $y=0$을 대입하면

　　$0=-\sqrt{-3x+5}+1$, $\sqrt{-3x+5}=1$

　　양변을 제곱하면 $-3x+5=1$

　　$-3x=-4$ ∴ $x=\frac{4}{3}$

　　즉, x축과 점 $\left(\frac{4}{3}, 0\right)$에서 만난다.

ㄷ. $y=-\sqrt{-3x+5}+1=-\sqrt{-3\left(x-\frac{5}{3}\right)}+1$의 그래프는

　　$y=-\sqrt{-3x}$의 그래프를 x축의 방향으로 $\frac{5}{3}$만큼, y축의 방향으로 1만큼 평행이동한 것이다.

ㄹ. $y=-\sqrt{-3x+5}+1$의 그래프는 오른쪽 그림과 같으므로 그래프는 제1, 3, 4사분면을 지난다.

따라서 보기 중 옳은 것은 ㄱ, ㄴ, ㄹ이다.

047 답 ②

$y=\sqrt{a(x-2)}-1 \, (a \neq 0)$의 그래프의 개형은 다음 그림과 같다.

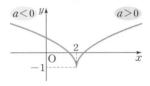

① $y=\sqrt{a(x-2)}-1$의 그래프와 x축에 대하여 대칭인 그래프의 식은 $y=-\sqrt{a(x-2)}+1$

② $a>0$일 때 정의역은 $\{x | x \geq 2\}$, 치역은 $\{y | y \geq -1\}$이다.

③ $a<0$일 때 정의역은 $\{x | x \leq 2\}$, 치역은 $\{y | y \geq -1\}$이다.

④ $a<0$이고 $x=0$에서 $y \leq 0$일 때 제1사분면을 지나지 않는다.

⑤ $a=-\frac{1}{2}$일 때만 원점을 지난다.

따라서 항상 옳은 것은 ②이다.

048 답 ⑤

주어진 그래프는 $y=-\sqrt{ax} \, (a>0)$의 그래프를 x축의 방향으로 -5만큼, y축의 방향으로 2만큼 평행이동한 것이므로

$y=-\sqrt{a(x+5)}+2$ ……… ㉠

㉠의 그래프가 점 $(-1, -2)$를 지나므로

$-2=-\sqrt{a(-1+5)}+2$, $2\sqrt{a}=4$, $\sqrt{a}=2$

양변을 제곱하면 $a=4$

㉠에 $a=4$를 대입하면

$y=-\sqrt{4(x+5)}+2=-\sqrt{4x+20}+2$

따라서 $a=4$, $b=20$, $c=2$이므로 $a+b+c=26$

049 답 $a>0$, $b>0$, $c<0$

주어진 그래프는 $y=\sqrt{ax} \, (a>0)$의 그래프를 x축의 방향으로 p만큼, y축의 방향으로 q만큼 평행이동한 것이므로

$y=\sqrt{a(x-p)}+q=\sqrt{ax-ap}+q$

이 함수가 $y=\sqrt{ax+b}+c$와 같으므로

$b=-ap$, $c=q$

이때 주어진 그래프에서 $a>0$, $p<0$, $q<0$이므로

$a>0$, $b>0$, $c<0$

050 답 ⑤

$y=\sqrt{-x+k}+4=\sqrt{-(x-k)}+4$이므로 주어진 함수의 그래프는 $y=\sqrt{-x}$의 그래프를 x축의 방향으로 k만큼, y축의 방향으로 4만큼 평행이동한 것이다.

$-3 \leq x \leq 2$에서 $y=\sqrt{-x+k}+4$의 그래프는 오른쪽 그림과 같고, $x=-3$일 때 최댓값이 7이므로

$\sqrt{3+k}+4=7$, $\sqrt{3+k}=3$

양변을 제곱하면 $3+k=9$ ∴ $k=6$

따라서 $y=\sqrt{-x+6}+4$의 최솟값은 $x=2$일 때

$\sqrt{-2+6}+4=6$

051 답 ④

$y=-\sqrt{x+1}-1$의 그래프는 $y=-\sqrt{x}$의 그래프를 x축의 방향으로 -1만큼, y축의 방향으로 -1만큼 평행이동한 것이다.

$3 \leq x \leq 8$에서 $y=-\sqrt{x+1}-1$의 그래프는 오른쪽 그림과 같으므로

$x=3$일 때 최댓값은

$-\sqrt{3+1}-1=-3$

$x=8$일 때 최솟값은

$-\sqrt{8+1}-1=-4$

따라서 최댓값과 최솟값의 곱은

$-3 \times (-4)=12$

052 답 ①

$y=\sqrt{-2x+b}-3=\sqrt{-2\left(x-\frac{b}{2}\right)}-3$이므로 주어진 함수의 그래프는 $y=\sqrt{-2x}$의 그래프를 x축의 방향으로 $\frac{b}{2}$만큼, y축의 방향으로 -3만큼 평행이동한 것이다.

$-4 \leq x \leq a$에서 $y=\sqrt{-2x+b}-3$의 그래프는 오른쪽 그림과 같다.

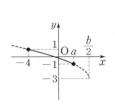

즉, $x=-4$일 때 최댓값은 1, $x=a$일 때 최솟값은 -1이므로

$\sqrt{8+b}-3=1$, $\sqrt{-2a+b}-3=-1$

$\sqrt{8+b}=4$, $\sqrt{-2a+b}=2$

각각 양변을 제곱하면

$8+b=16$, $-2a+b=4$ ∴ $a=2$, $b=8$

∴ $a-b=-6$

053 답 ①

$y=\sqrt{x+a}-2$의 그래프는 $y=\sqrt{x}$의 그래프를 x축의 방향으로 $-a$
만큼, y축의 방향으로 -2만큼 평행이동한 것이다.

$y=\sqrt{x+a}-2$의 그래프가 제2사분면을 지나
려면 $a>0$이어야 하고, 오른쪽 그림과 같이
$x=0$일 때 $y>0$이어야 하므로

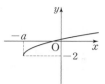

$\sqrt{a}-2>0$ $\therefore a>4$ $\therefore k=5$

$y=\sqrt{x+k}+4$에 $k=5$를 대입하면

$y=\sqrt{x+5}+4$

$k-1\leq x\leq k+6$, 즉 $4\leq x\leq 11$에서
$y=\sqrt{x+5}+4$의 그래프는 오른쪽 그림과
같으므로

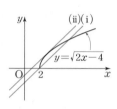

$x=11$일 때 최댓값은 $\sqrt{11+5}+4=8$,

$x=4$일 때 최솟값은 $\sqrt{4+5}+4=7$

따라서 최댓값과 최솟값의 합은 $8+7=15$

054 답 $-2\leq k<-\dfrac{3}{2}$

$y=\sqrt{2x-4}=\sqrt{2(x-2)}$이므로 주어진 함
수의 그래프는 $y=\sqrt{2x}$의 그래프를 x축의
방향으로 2만큼 평행이동한 것이고,
$y=x+k$는 기울기가 1이고 y절편이 k인
직선이다.

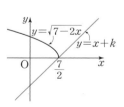

(i) 직선 $y=x+k$가 점 $(2, 0)$을 지날 때
$0=2+k$ $\therefore k=-2$

(ii) $y=\sqrt{2x-4}$의 그래프와 직선 $y=x+k$가 접할 때
$\sqrt{2x-4}=x+k$의 양변을 제곱하면
$2x-4=x^2+2kx+k^2$
$\therefore x^2+2(k-1)x+k^2+4=0$
이 이차방정식의 판별식을 D라 하면 $D=0$이어야 하므로
$\dfrac{D}{4}=(k-1)^2-(k^2+4)=0$
$-2k-3=0$ $\therefore k=-\dfrac{3}{2}$

(i), (ii)에 의하여 구하는 실수 k의 값의 범위는 $-2\leq k<-\dfrac{3}{2}$

055 답 ①

$y=\sqrt{7-2x}=\sqrt{-2\left(x-\dfrac{7}{2}\right)}$이므로 주어
진 함수의 그래프는 $y=\sqrt{-2x}$의 그래프
를 x축의 방향으로 $\dfrac{7}{2}$만큼 평행이동한
것이고, $y=x+k$는 기울기가 1이고 y절
편이 k인 직선이다.

직선 $y=x+k$가 점 $\left(\dfrac{7}{2}, 0\right)$을 지날 때

$0=\dfrac{7}{2}+k$ $\therefore k=-\dfrac{7}{2}$

따라서 $y=\sqrt{7-2x}$의 그래프와 직선 $y=x+k$가 만나지 않으려면

$k<-\dfrac{7}{2}$이어야 하므로 실수 k의 값이 될 수 있는 것은 ①이다.

056 답 $k<\dfrac{1}{2}$ 또는 $k=1$

$n(A\cap B)=1$이려면 $y=\sqrt{-x+1}$의 그래프와 직선 $y=-\dfrac{1}{2}x+k$
가 한 점에서 만나야 한다.

$y=\sqrt{-x+1}=\sqrt{-(x-1)}$이므로
$y=\sqrt{-x+1}$의 그래프는 $y=\sqrt{-x}$의 그
래프를 x축의 방향으로 1만큼 평행이
동한 것이고, 직선 $y=-\dfrac{1}{2}x+k$는 기

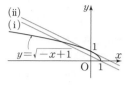

울기가 $-\dfrac{1}{2}$이고 y절편이 k이다.

(i) 직선 $y=-\dfrac{1}{2}x+k$가 점 $(1, 0)$을 지날 때

$0=-\dfrac{1}{2}+k$ $\therefore k=\dfrac{1}{2}$

(ii) $y=\sqrt{-x+1}$의 그래프와 직선 $y=-\dfrac{1}{2}x+k$가 접할 때

$\sqrt{-x+1}=-\dfrac{1}{2}x+k$의 양변을 제곱하면

$-x+1=\dfrac{1}{4}x^2-kx+k^2$

$\therefore x^2-4(k-1)x+4k^2-4=0$

이 이차방정식의 판별식을 D라 하면 $D=0$이어야 하므로

$\dfrac{D}{4}=\{-2(k-1)\}^2-(4k^2-4)=0$

$-8k+8=0$ $\therefore k=1$

(i), (ii)에 의하여 구하는 실수 k의 값의 범위는

$k<\dfrac{1}{2}$ 또는 $k=1$

057 답 4

$y=\sqrt{8-4x}=\sqrt{-4(x-2)}$이므로
$y=\sqrt{8-4x}$의 그래프는 $y=\sqrt{-4x}$의 그
래프를 x축의 방향으로 2만큼 평행이동
한 것이고, 직선 $y=-x+k$는 기울기가
-1이고 y절편이 k이다.

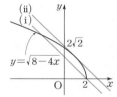

(i) 직선 $y=-x+k$가 점 $(2, 0)$을 지날 때
$0=-2+k$ $\therefore k=2$

(ii) $y=\sqrt{8-4x}$의 그래프와 직선 $y=-x+k$가 접할 때
$\sqrt{8-4x}=-x+k$의 양변을 제곱하면
$8-4x=x^2-2kx+k^2$
$\therefore x^2-2(k-2)x+k^2-8=0$
이 이차방정식의 판별식을 D라 하면 $D=0$이어야 하므로
$\dfrac{D}{4}=\{-(k-2)\}^2-(k^2-8)=0$
$-4k+12=0$ $\therefore k=3$

(i), (ii)에 의하여

$f(k)=\begin{cases} 0 & (k>3) \\ 1 & (k=3 \text{ 또는 } k<2) \\ 2 & (2\leq k<3) \end{cases}$

$\therefore f\left(\dfrac{1}{2}\right)+f(2)+f(3)+f\left(\dfrac{7}{2}\right)=1+2+1+0=4$

058 답 $\dfrac{1}{2}$

직선 OA와 평행하고 $y=\sqrt{2x}$의 그래프에 접하는 직선의 접점이 P일 때 삼각형 OAP의 넓이는 최대이다.

직선 OA의 방정식은 $y=x$이므로 직선 OA와 평행한 접선의 방정식을 $y=x+k$ (k는 실수)라 하면

$\sqrt{2x}=x+k$

양변을 제곱하면 $2x=x^2+2kx+k^2$

$\therefore x^2+2(k-1)x+k^2=0$

이 이차방정식의 판별식을 D라 하면 $D=0$이어야 하므로

$\dfrac{D}{4}=(k-1)^2-k^2=0,\ -2k+1=0$　　$\therefore k=\dfrac{1}{2}$

두 직선 $y=x$, $y=x+\dfrac{1}{2}$ 사이의 거리는 직선 $y=x$ 위의 점 $(0,\ 0)$
과 직선 $2x-2y+1=0$ 사이의 거리와 같으므로

$\dfrac{|1|}{\sqrt{2^2+(-2)^2}}=\dfrac{1}{2\sqrt{2}}=\dfrac{\sqrt{2}}{4}$

이때 $\overline{\mathrm{OA}}=\sqrt{2^2+2^2}=2\sqrt{2}$이므로 삼각형 OAP의 넓이의 최댓값은

$\dfrac{1}{2}\times2\sqrt{2}\times\dfrac{\sqrt{2}}{4}=\dfrac{1}{2}$

059 답 $\dfrac{1}{4}$

두 점 $\mathrm{P}(a,\ b)$, $\mathrm{Q}(c,\ d)$가 $y=\sqrt{x}$의 그래프 위의 점이므로

$b=\sqrt{a}$, $d=\sqrt{c}$

$\dfrac{b+d}{2}=2$이므로 $\dfrac{\sqrt{a}+\sqrt{c}}{2}=2$　　$\therefore \sqrt{a}+\sqrt{c}=4$

따라서 직선 PQ의 기울기는

$\dfrac{d-b}{c-a}=\dfrac{\sqrt{c}-\sqrt{a}}{c-a}=\dfrac{\sqrt{c}-\sqrt{a}}{(\sqrt{c}+\sqrt{a})(\sqrt{c}-\sqrt{a})}=\dfrac{1}{\sqrt{a}+\sqrt{c}}=\dfrac{1}{4}$

060 답 ①

$y=\dfrac{x+3}{x-1}=\dfrac{(x-1)+4}{x-1}=\dfrac{4}{x-1}+1$이므로 $y=\dfrac{x+3}{x-1}$의 그래프는

$y=\dfrac{4}{x}$의 그래프를 x축의 방향으로 1만큼, y축의 방향으로 1만큼
평행이동한 것이다.

$2\leq x\leq5$에서 $y=\dfrac{x+3}{x-1}$의 그래프는 오른쪽 그림과 같으므로 $y=\sqrt{2x}+k$의 그래프가 점 $(2,\ 5)$를 지날 때 k의 값은 최대이다.

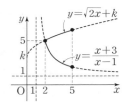

따라서 k의 최댓값은

$5=\sqrt{2\times2}+k$　　$\therefore k=3$

061 답 4

두 함수 $y=\sqrt{x+1}$, $y=\sqrt{x}$의 그래프가 직선 $x=k$와 만나는 점은
각각 $\mathrm{P}_k(k,\ \sqrt{k+1})$, $\mathrm{Q}_k(k,\ \sqrt{k})$

$\therefore \overline{\mathrm{P}_k\mathrm{Q}_k}=\sqrt{k+1}-\sqrt{k}$

$\therefore \overline{\mathrm{P}_1\mathrm{Q}_1}+\overline{\mathrm{P}_2\mathrm{Q}_2}+\overline{\mathrm{P}_3\mathrm{Q}_3}+\cdots+\overline{\mathrm{P}_{49}\mathrm{Q}_{49}}$

$\quad=(\sqrt{2}-1)+(\sqrt{3}-\sqrt{2})+(\sqrt{4}-\sqrt{3})$

$\qquad\qquad\qquad+\cdots+(\sqrt{49}-\sqrt{48})+(\sqrt{50}-\sqrt{49})$

$\quad=-1+\sqrt{50}=-1+5\sqrt{2}$

따라서 $a=-1$, $b=5$이므로 $a+b=4$

062 답 $f^{-1}(x)=x^2+2x+4\ (x\geq-1)$

함수 $y=f(x)$의 치역이 $\{y\,|\,y\geq-1\}$이므로 그 역함수 $y=f^{-1}(x)$
의 정의역은 $\{x\,|\,x\geq-1\}$이다.

$y=\sqrt{x-3}-1$이라 하면 $y+1=\sqrt{x-3}$

양변을 제곱하면 $y^2+2y+1=x-3$

$\therefore x=y^2+2y+4$

x와 y를 서로 바꾸면 $y=x^2+2x+4$

$\therefore f^{-1}(x)=x^2+2x+4\ (x\geq-1)$

063 답 ⑤

$f(x)=\sqrt{ax+b}$의 그래프가 점 $(2,\ 3)$을 지나므로

$3=\sqrt{2a+b}$

$\therefore 2a+b=9$　　$\cdots\cdots$ ㉠

또 역함수의 그래프가 점 $(2,\ 3)$을 지나므로 $f(x)=\sqrt{ax+b}$의 그래프는 점 $(3,\ 2)$를 지난다.

즉, $2=\sqrt{3a+b}$이므로

$3a+b=4$　　$\cdots\cdots$ ㉡

㉠, ㉡을 연립하여 풀면 $a=-5$, $b=19$

$\therefore a+b=14$

064 답 ①

함수 $y=f(x)$의 그래프와 그 역함수의 그래프는 직선 $y=x$에 대하여 대칭이므로 두 그래프의 교점은 $y=\sqrt{x-2}+2$의 그래프와 직선 $y=x$의 교점과 같다.

$\sqrt{x-2}+2=x$에서 $\sqrt{x-2}=x-2$

양변을 제곱하면 $x-2=x^2-4x+4$

$x^2-5x+6=0,\ (x-2)(x-3)=0$

$\therefore x=2$ 또는 $x=3$

따라서 두 교점의 좌표는 $(2,\ 2)$, $(3,\ 3)$이므로 두 점 사이의 거리는

$\sqrt{(3-2)^2+(3-2)^2}=\sqrt{2}$

065 답 ④

함수 $f(x)=\sqrt{x}+2$의 그래프와 그 역함수의 그래프는 직선 $y=x$에 대하여 대칭이므로 두 그래프의 교점은 $y=\sqrt{x}+2$의 그래프와 직선 $y=x$의 교점과 같다.

$\sqrt{x}+2=x$에서 $\sqrt{x}=x-2$

양변을 제곱하면 $x=x^2-4x+4$

$x^2-5x+4=0,\ (x-1)(x-4)=0$

$\therefore x=1$ 또는 $x=4$

그런데 역함수의 정의역이 $\{x\,|\,x\geq2\}$이므로 $x=4$

따라서 $\mathrm{P}(4,\ 4)$이므로 $\triangle\mathrm{PAB}$는 오른쪽 그림과 같다.

점 P에서 y축에 내린 수선의 발을 C라 하면

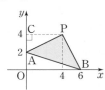

$\triangle\mathrm{PAB}=\square\mathrm{COBP}-\triangle\mathrm{PCA}-\triangle\mathrm{AOB}$

$\quad=\left\{\dfrac{1}{2}\times(4+6)\times4\right\}-\left(\dfrac{1}{2}\times4\times2\right)-\left(\dfrac{1}{2}\times6\times2\right)$

$\quad=20-4-6=10$

066 답 4

함수 $y=f(x)$의 치역이 $\{y|y\geq0\}$이므
로 그 역함수 $y=g(x)$의 정의역은
$\{x|x\geq0\}$이다.

함수 $y=f(x)$의 그래프와 그 역함수
$y=g(x)$의 그래프는 오른쪽 그림과 같
이 직선 $y=x$에 대하여 대칭이므로 두

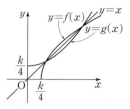

함수 $y=f(x)$, $y=g(x)$의 그래프의 교점은 $y=f(x)$의 그래프와
직선 $y=x$의 교점과 같다.

$\sqrt{4x-k}=x$에서 양변을 제곱하여 정리하면

$x^2-4x+k=0$ ...... ㉠

두 그래프가 서로 다른 두 점에서 만나려면 이차방정식 ㉠이 음이
아닌 서로 다른 두 실근을 가져야 하므로 이 이차방정식의 판별식
을 D라 하면

$k\geq0$, $\dfrac{D}{4}=(-2)^2-k>0$

$\therefore 0\leq k<4$

따라서 정수 k는 0, 1, 2, 3의 4개이다.

067 답 $\dfrac{13}{2}$

$(f\circ(g\circ f)^{-1}\circ f)(3)=(f\circ f^{-1}\circ g^{-1}\circ f)(3)$
$\qquad\qquad\qquad\qquad\quad=(g^{-1}\circ f)(3)=g^{-1}(f(3))$

이때 $f(3)=\dfrac{3+1}{3-2}=4$이므로 $g^{-1}(f(3))=g^{-1}(4)$

$g^{-1}(4)=k$라 하면 $g(k)=4$이므로 $\sqrt{2k+3}=4$

양변을 제곱하면 $2k+3=16$ $\therefore k=\dfrac{13}{2}$

$\therefore (f\circ(g\circ f)^{-1}\circ f)(3)=\dfrac{13}{2}$

068 답 $\dfrac{1}{2}$

$(f\circ g)(x)=x$이므로 $g(x)$는 $f(x)$의 역함수이다.

$g(3)=k$라 하면 $f(k)=3$이므로 $\sqrt{-2k+17}=3$

양변을 제곱하면 $-2k+17=9$ $\therefore k=4$

$g(4)=l$이라 하면 $f(l)=4$이므로 $\sqrt{-2l+17}=4$

양변을 제곱하면 $-2l+17=16$ $\therefore l=\dfrac{1}{2}$

$\therefore (g\circ g)(3)=g(g(3))=g(4)=\dfrac{1}{2}$

069 답 ⑤

$(g\circ f)(a)=g(f(a))=g\Big(\dfrac{a}{a+1}\Big)=\sqrt{\dfrac{a}{a+1}}$이므로 $\sqrt{\dfrac{a}{a+1}}=\dfrac{1}{2}$

양변을 제곱하면 $\dfrac{a}{a+1}=\dfrac{1}{4}$, $4a=a+1$ $\therefore a=\dfrac{1}{3}$

$(f\circ g)^{-1}\Big(\dfrac{2}{3}\Big)=k$라 하면 $(f\circ g)(k)=\dfrac{2}{3}$이므로

$(f\circ g)(k)=f(g(k))=f(\sqrt{k})=\dfrac{\sqrt{k}}{\sqrt{k}+1}=\dfrac{2}{3}$

$\dfrac{\sqrt{k}}{\sqrt{k}+1}=\dfrac{2}{3}$에서 $3\sqrt{k}=2\sqrt{k}+2$, $\sqrt{k}=2$ $\therefore k=4$

$\therefore (f\circ g)^{-1}(2a)=(f\circ g)^{-1}\Big(\dfrac{2}{3}\Big)=4$

070 답 ⑤

$(f^{-1}\circ f^{-1}\circ f^{-1})(a)=f^{-1}(f^{-1}(f^{-1}(a)))=-6$에서

$f(f(f(-6)))=a$

$-6<0$이므로 $f(-6)=\sqrt{4-2\times(-6)}=4$

$4\geq0$이므로 $f(4)=2-\sqrt{4}=0$

$0\geq0$이므로 $f(0)=2-\sqrt{0}=2$

$\therefore a=f(f(f(-6)))=f(f(4))=f(0)=2$

071 답 ①

$-2x^2-7x+4\geq0$에서 $2x^2+7x-4\leq0$

$(x+4)(2x-1)\leq0$ $\therefore -4\leq x\leq\dfrac{1}{2}$ ...... ㉠

$4-x^2>0$에서 $x^2-4<0$

$(x+2)(x-2)<0$ $\therefore -2<x<2$ ...... ㉡

㉠, ㉡에 의하여 x의 값의 범위는

$-2<x\leq\dfrac{1}{2}$

따라서 정수 x는 -1, 0의 2개이다.

072 답 ③

$\sqrt{\{x(x-3)\}^2}=-x(x-3)$에서

$x(x-3)\leq0$ $\therefore 0\leq x\leq3$

따라서 $x-4<0$, $x+1>0$이므로

$\sqrt{(x-4)^2}+\sqrt{(x+1)^2}=|x-4|+|x+1|$
$\qquad\qquad\qquad\qquad\qquad=-(x-4)+x+1$
$\qquad\qquad\qquad\qquad\qquad=5$

073 답 $2x+2$

$\dfrac{\sqrt{x+2}+\sqrt{x}}{\sqrt{x+2}-\sqrt{x}}+\dfrac{\sqrt{x+2}-\sqrt{x}}{\sqrt{x+2}+\sqrt{x}}$

$=\dfrac{(\sqrt{x+2}+\sqrt{x})^2+(\sqrt{x+2}-\sqrt{x})^2}{(\sqrt{x+2}-\sqrt{x})(\sqrt{x+2}+\sqrt{x})}$

$=\dfrac{(2x+2+2\sqrt{x^2+2x})+(2x+2-2\sqrt{x^2+2x})}{x+2-x}$

$=\dfrac{4x+4}{2}=2x+2$

074 답 ②

$\dfrac{\sqrt{1-x}}{\sqrt{1+x}}-\dfrac{\sqrt{1+x}}{\sqrt{1-x}}=\dfrac{1-x-(1+x)}{\sqrt{1-x^2}}=\dfrac{-2x}{\sqrt{1-x^2}}$

$=\dfrac{-2\times\dfrac{2\sqrt{2}}{3}}{\sqrt{1-\dfrac{8}{9}}}=\dfrac{-\dfrac{4\sqrt{2}}{3}}{\dfrac{1}{3}}=-4\sqrt{2}$

075 답 ⑤

$x+y=2\sqrt{5}$, $x-y=2\sqrt{3}$, $xy=2$이므로

$x^3-y^3+2x^2y-2xy^2=(x-y)(x^2+xy+y^2)+2xy(x-y)$
$\qquad\qquad\qquad\qquad\qquad=(x-y)(x^2+3xy+y^2)$
$\qquad\qquad\qquad\qquad\qquad=(x-y)\{(x+y)^2+xy\}$
$\qquad\qquad\qquad\qquad\qquad=2\sqrt{3}\times\{(2\sqrt{5})^2+2\}$
$\qquad\qquad\qquad\qquad\qquad=44\sqrt{3}$

076 답 ③

$x=2-\sqrt{3}$에서 $x-2=-\sqrt{3}$

양변을 제곱하면 $x^2-4x+4=3$ $\quad\therefore x^2-4x+1=0$

$$\therefore \frac{2x+1}{x^3-3x^2-3x+2}=\frac{2x+1}{x(x^2-4x+1)+(x^2-4x+1)+1}$$
$$=2x+1$$
$$=2(2-\sqrt{3})+1$$
$$=5-2\sqrt{3}$$

077 답 -24

$y=\sqrt{3x-5}+2$의 그래프를 x축의 방향으로 -1만큼, y축의 방향으로 2만큼 평행이동한 그래프의 식은

$y=\sqrt{3(x+1)-5}+2+2=\sqrt{3x-2}+4$

이 함수의 그래프를 다시 원점에 대하여 대칭이동한 그래프의 식은

$-y=\sqrt{-3x-2}+4$ $\quad\therefore y=-\sqrt{-3x-2}-4$

따라서 $a=-3$, $b=-2$, $c=-4$이므로 $abc=-24$

078 답 -1

$f(2)=4$이므로

$4=\sqrt{8+k}+2$, $\sqrt{8+k}=2$

$8+k=4$ $\quad\therefore k=-4$

$\therefore f(x)=\sqrt{4x-4}+2=\sqrt{4(x-1)}+2$

따라서 정의역은 $\{x|x\geq 1\}$이고, 치역은 $\{y|y\geq 2\}$이므로

$a=1$, $b=2$

$\therefore k+a+b=-4+1+2=-1$

079 답 ①

주어진 그래프의 모양에서 $a>0$

$y=\dfrac{a}{x+b}+c$의 그래프의 점근선의 방정식은 $x=-b$, $y=c$이므로

$-b>0$, $c<0$ $\quad\therefore b<0$, $c<0$

$y=\sqrt{ax+b}+c=\sqrt{a\left(x+\dfrac{b}{a}\right)}+c$이므로 $y=\sqrt{ax+b}+c$의 그래프는 $y=\sqrt{ax}$의 그래프를 x축의 방향으로 $-\dfrac{b}{a}$만큼, y축의 방향으로 c만큼 평행이동한 것이다.

이때 $a>0$, $-\dfrac{b}{a}>0$, $c<0$이므로 $y=\sqrt{ax+b}+c$의 그래프의 개형은 ①이다.

080 답 ③

$y=\sqrt{-x+1}+k=\sqrt{-(x-1)}+k$이므로 주어진 함수의 그래프는 $y=\sqrt{-x}$의 그래프를 x축의 방향으로 1만큼, y축의 방향으로 k만큼 평행이동한 것이다.

$y=\sqrt{-x+1}+k$의 그래프가 제3사분면을 지나지 않으려면 오른쪽 그림과 같이 $x=0$일 때 $y\geq 0$이어야 하므로

$1+k\geq 0$ $\quad\therefore k\geq -1$

따라서 정수 k의 최솟값은 -1이다.

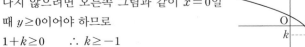

081 답 ⑤

① $-3x+3\geq 0$에서 $x\leq 1$이므로 정의역은 $\{x|x\leq 1\}$이다.

② 치역은 $\{y|y\geq -2\}$이다.

③ $y=\sqrt{-3x+3}-2=\sqrt{-3(x-1)}-2$이므로 이 함수의 그래프는 오른쪽 그림과 같다.

따라서 제1사분면을 지나지 않는다.

④ $y=\sqrt{-3x+3}-2$의 그래프는 $y=\sqrt{-3x}$의 그래프를 x축의 방향으로 1만큼, y축의 방향으로 -2만큼 평행이동한 것이다.

⑤ $y=-\sqrt{-3x+3}+2$의 그래프와 x축에 대하여 대칭이다.

따라서 옳지 않은 것은 ⑤이다.

082 답 ②

주어진 그래프는 $y=\sqrt{ax}\,(a<0)$의 그래프를 x축의 방향으로 1만큼, y축의 방향으로 -2만큼 평행이동한 것이므로

$y=\sqrt{a(x-1)}-2$ $\quad\cdots\cdots$ ㉠

㉠의 그래프가 점 $(-3,\ 0)$을 지나므로

$0=\sqrt{-4a}-2$, $\sqrt{-4a}=2$

양변을 제곱하면 $-4a=4$ $\quad\therefore a=-1$

㉠에 $a=-1$을 대입하면

$y=\sqrt{-(x-1)}-2=\sqrt{-x+1}-2$

따라서 $a=-1$, $b=1$, $c=-2$이므로

$a+b+c=-2$

083 답 4

$y=2\sqrt{x+2}+k$의 그래프는 $y=2\sqrt{x}$의 그래프를 x축의 방향으로 -2만큼, y축의 방향으로 k만큼 평행이동한 것이다.

$2\leq x\leq 7$에서 $y=2\sqrt{x+2}+k$의 그래프는 오른쪽 그림과 같고, $x=7$일 때 최댓값 $M=6+k$, $x=2$일 때 최솟값 $m=4+k$이다.

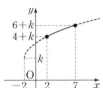

이때 $M+m=18$이므로

$(6+k)+(4+k)=18$, $10+2k=18$

$2k=8$ $\quad\therefore k=4$

084 답 ③

$y=\sqrt{-x+2k}+2=\sqrt{-(x-2k)}+2$이므로 주어진 함수의 그래프는 $y=\sqrt{-x}$의 그래프를 x축의 방향으로 $2k$만큼, y축의 방향으로 2만큼 평행이동한 것이다.

$k-7\leq x\leq k+2$에서 $y=\sqrt{-x+2k}+2$의 그래프는 오른쪽 그림과 같고, $x=k+2$일 때 최솟값이 6이므로

$\sqrt{-(k+2)+2k}+2=6$, $\sqrt{k-2}=4$

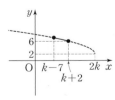

양변을 제곱하면

$k-2=16$ $\quad\therefore k=18$

따라서 $k-7\leq x\leq k+2$, 즉 $11\leq x\leq 20$에서 함수 $y=\sqrt{-x+36}+2$의 최댓값은 $x=11$일 때 $\sqrt{-11+36}+2=7$

085 답 $\dfrac{3}{2}$

$n(A \cap B) = 2$이려면 $y = \sqrt{2x-3}$의 그래프와 직선 $y = x + k$가 두 점에서 만나야 한다.

$y = \sqrt{2x-3} = \sqrt{2\left(x - \dfrac{3}{2}\right)}$이므로

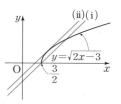

$y = \sqrt{2x-3}$의 그래프는 $y = \sqrt{2x}$의 그래프를 x축의 방향으로 $\dfrac{3}{2}$만큼 평행이동한 것이고, 직선 $y = x + k$는 기울기가 1이고 y절편이 k이다.

(i) 직선 $y = x + k$가 점 $\left(\dfrac{3}{2}, 0\right)$을 지날 때

$\quad 0 = \dfrac{3}{2} + k \qquad \therefore k = -\dfrac{3}{2}$

(ii) $y = \sqrt{2x-3}$의 그래프와 직선 $y = x + k$가 접할 때

$\quad \sqrt{2x-3} = x + k$의 양변을 제곱하면

$\quad 2x - 3 = x^2 + 2kx + k^2$

$\quad \therefore x^2 + 2(k-1)x + k^2 + 3 = 0$

이 이차방정식의 판별식을 D라 하면 $D = 0$이어야 하므로

$\quad \dfrac{D}{4} = (k-1)^2 - (k^2+3) = 0$

$\quad -2k - 2 = 0 \qquad \therefore k = -1$

(i), (ii)에 의하여 구하는 실수 k의 값의 범위는

$-\dfrac{3}{2} \le k < -1$

따라서 $\alpha = -\dfrac{3}{2}$, $\beta = -1$이므로 $\alpha\beta = \dfrac{3}{2}$

086 답 $\dfrac{13}{2}$

점 A의 좌표를 (a, b)라 하면 직사각형 OBAC의 둘레의 길이는

$2(a+b)$

또 점 A는 $y = \sqrt{3-x}$의 그래프 위의 점이므로

$b = \sqrt{3-a}$

양변을 제곱하면 $b^2 = 3 - a$

$\therefore a = 3 - b^2$

이때 점 A는 제1사분면 위의 점이므로 $0 < b < \sqrt{3}$

$\therefore a + b = (3 - b^2) + b$

$\qquad\quad = -b^2 + b + 3$

$\qquad\quad = -\left(b - \dfrac{1}{2}\right)^2 + \dfrac{13}{4}$

즉, $b = \dfrac{1}{2}$일 때, $a+b$의 최댓값은 $\dfrac{13}{4}$이다.

따라서 직사각형 OBAC의 둘레의 길이의 최댓값은

$2 \times \dfrac{13}{4} = \dfrac{13}{2}$

087 답 ①

$f(x) = \sqrt{ax+b}$의 그래프가 점 $(1, 4)$를 지나므로

$4 = \sqrt{a+b} \qquad \therefore a + b = 16 \qquad \cdots\cdots$ ㉠

또 역함수의 그래프가 점 $(1, 4)$를 지나므로 $f(x) = \sqrt{ax+b}$의 그래프는 점 $(4, 1)$을 지난다.

즉, $1 = \sqrt{4a+b}$이므로

$4a + b = 1 \qquad\qquad \cdots\cdots$ ㉡

㉠, ㉡을 연립하여 풀면 $a = -5$, $b = 21$

$\therefore a - b = -26$

088 답 5

$y = 2\sqrt{x} + 4$의 그래프를 x축의 방향으로 p만큼 평행이동한 그래프의 식은

$y = 2\sqrt{x-p} + 4$

함수 $y = f(x)$의 그래프와 그 역함수 $y = f^{-1}(x)$의 그래프는 직선 $y = x$에 대하여 대칭이므로 $y = f(x)$의 그래프와 $y = f^{-1}(x)$의 그래프가 접하면 $y = f(x)$의 그래프와 직선 $y = x$도 접한다.

$2\sqrt{x-p} + 4 = x$에서 $2\sqrt{x-p} = x - 4$

양변을 제곱하면

$4(x-p) = x^2 - 8x + 16$

$\therefore x^2 - 12x + 4p + 16 = 0$

이 이차방정식의 판별식을 D라 하면 $D = 0$이어야 하므로

$\dfrac{D}{4} = (-6)^2 - (4p+16) = 0$

$-4p + 20 = 0 \qquad \therefore p = 5$

089 답 ③

함수 $y = f(x)$의 그래프와 그 역함수 $y = f^{-1}(x)$의 그래프는 오른쪽 그림과 같이 직선 $y = x$에 대하여 대칭이므로 두 함수 $y = f(x)$, $y = f^{-1}(x)$의 그래프의 교점은 $y = \sqrt{2x+3}$의 그래프와 직선 $y = x$의 교점과 같다.

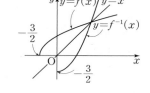

$\sqrt{2x+3} = x$의 양변을 제곱하면

$2x + 3 = x^2$, $x^2 - 2x - 3 = 0$

$(x+1)(x-3) = 0$

$\therefore x = -1$ 또는 $x = 3$

그런데 역함수 $y = f^{-1}(x)$의 정의역이 $\{x \,|\, x \ge 0\}$이므로 $x = 3$

따라서 교점의 좌표는 $(3, 3)$이므로 $a = 3$, $b = 3$

$\therefore a + b = 6$

090 답 $\dfrac{5}{2}$

$f(5) = \dfrac{5+3}{5-1} = 2$이므로

$(g^{-1} \circ f)(5) = g^{-1}(f(5)) = g^{-1}(2)$

$g^{-1}(2) = k$라 하면 $g(k) = 2$에서

$\sqrt{2k-1} = 2$

양변을 제곱하면

$2k - 1 = 4 \qquad \therefore k = \dfrac{5}{2}$

$\therefore (g^{-1} \circ f)(5) = g^{-1}(2) = \dfrac{5}{2}$

001 답 ⑤

두 주사위에서 나오는 눈의 수를 순서쌍으로 나타내면

(i) 눈의 수의 차가 3이 되는 경우는

　　$(1, 4)$, $(2, 5)$, $(3, 6)$, $(4, 1)$, $(5, 2)$, $(6, 3)$의 6가지

(ii) 눈의 수의 차가 4가 되는 경우는

　　$(1, 5)$, $(2, 6)$, $(5, 1)$, $(6, 2)$의 4가지

(i), (ii)에 의하여 구하는 경우의 수는 $6+4=10$

002 답 ③

(i) $x=1$일 때, $2y+z=12$이므로 순서쌍 (y, z)는

　　$(1, 10)$, $(2, 8)$, $(3, 6)$, $(4, 4)$, $(5, 2)$의 5개

(ii) $x=2$일 때, $2y+z=9$이므로 순서쌍 (y, z)는

　　$(1, 7)$, $(2, 5)$, $(3, 3)$, $(4, 1)$의 4개

(iii) $x=3$일 때, $2y+z=6$이므로 순서쌍 (y, z)는

　　$(1, 4)$, $(2, 2)$의 2개

(iv) $x=4$일 때, $2y+z=3$이므로 순서쌍 (y, z)는

　　$(1, 1)$의 1개

(i)~(iv)에 의하여 구하는 순서쌍 (x, y, z)의 개수는

$5+4+2+1=12$

003 답 ②

십의 자리의 숫자가 될 수 있는 것은 2, 4, 6, 8의 4개

일의 자리의 숫자가 될 수 있는 것은 1, 3, 5, 7, 9의 5개

따라서 구하는 자연수의 개수는 $4\times5=20$

004 답 14

$63=3^2\times7$이므로 63의 양의 약수의 개수는

$(2+1)(1+1)=6$　　∴ $a=6$

$135=3^3\times5$이므로 135의 양의 약수의 개수는

$(3+1)(1+1)=8$　　∴ $b=8$

∴ $a+b=14$

005 답 18

(i) A → B → C로 가는 방법의 수는 $3\times4=12$

(ii) A → D → C로 가는 방법의 수는 $2\times3=6$

(i), (ii)에 의하여 구하는 방법의 수는 $12+6=18$

006 답 540

A에 칠할 수 있는 색은 5가지, B에 칠할 수 있는 색은 A에 칠한 색을 제외한 4가지, C에 칠할 수 있는 색은 A와 B에 칠한 색을 제외한 3가지, D에 칠할 수 있는 색은 A와 C에 칠한 색을 제외한 3가지, E에 칠할 수 있는 색은 A와 D에 칠한 색을 제외한 3가지 이므로 구하는 방법의 수는

$5\times4\times3\times3\times3=540$

007 답 49

(i) 지불할 수 있는 방법의 수

　100원짜리 동전으로 지불할 수 있는 방법은

　0개, 1개의 2가지

　50원짜리 동전으로 지불할 수 있는 방법은

　0개, 1개, 2개, 3개, 4개의 5가지

　10원짜리 동전으로 지불할 수 있는 방법은

　0개, 1개, 2개의 3가지

　이때 0원을 지불하는 경우를 제외해야 하므로 지불할 수 있는 방법의 수는

　$2\times5\times3-1=29$

　∴ $a=29$

(ii) 지불할 수 있는 금액의 수

　50원짜리 동전 2개로 지불할 수 있는 금액과 100원짜리 동전 1개로 지불할 수 있는 금액이 같으므로 100원짜리 동전 1개를 50원짜리 동전 2개로 바꾸면 지불할 수 있는 금액의 수는 50원짜리 동전 6개, 10원짜리 동전 2개로 지불할 수 있는 금액의 수와 같다.

　50원짜리 동전으로 지불할 수 있는 금액은

　0원, 50원, 100원, …, 300원의 7가지

　10원짜리 동전으로 지불할 수 있는 금액은

　0원, 10원, 20원의 3가지

　이때 0원을 지불하는 경우를 제외해야 하므로 지불할 수 있는 금액의 수는

　$7\times3-1=20$

　∴ $b=20$

(i), (ii)에 의하여 $a+b=49$

008 답 9

$a_k\neq k(k=1, 2, 3, 4)$를 만족시키는 경우를 수형도로 나타내면 오른쪽과 같다.

따라서 구하는 자연수의 개수는 9이다.

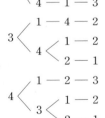

009 답 ②

두 주사위에서 나오는 눈의 수를 순서쌍으로 나타내면

(i) 눈의 수의 합이 5가 되는 경우는

　　$(1, 4)$, $(2, 3)$, $(3, 2)$, $(4, 1)$의 4가지

(ii) 눈의 수의 합이 10이 되는 경우는

　　$(4, 6)$, $(5, 5)$, $(6, 4)$의 3가지

(i), (ii)에 의하여 구하는 경우의 수는

$4+3=7$

010 답 7

(i) 뽑힌 카드에 적힌 수가 7의 배수인 경우는
  7, 14, 21, 28의 4가지
(ii) 뽑힌 카드에 적힌 수가 8의 배수인 경우는
  8, 16, 24의 3가지
(i), (ii)에 의하여 구하는 경우의 수는
$4+3=7$

011 답 9

꺼낸 공에 적힌 세 수를 순서쌍으로 나타내면
(i) 세 수의 곱이 4가 되는 경우는
  $(1, 1, 4), (1, 4, 1), (4, 1, 1), (1, 2, 2), (2, 1, 2), (2, 2, 1)$
  의 6가지
(ii) 세 수의 곱이 5가 되는 경우는
  $(1, 1, 5), (1, 5, 1), (5, 1, 1)$의 3가지
(i), (ii)에 의하여 구하는 경우의 수는
$6+3=9$

012 답 ④

1부터 100까지의 자연수 중에서
(i) 5로 나누어떨어지는 수, 즉 5의 배수는 20개
(ii) 7로 나누어떨어지는 수, 즉 7의 배수는 14개
(iii) 5와 7로 나누어떨어지는 수, 즉 35의 배수는 2개
(i), (ii), (iii)에 의하여 5 또는 7로 나누어떨어지는 자연수의 개수는
$20+14-2=32$
따라서 5와 7로 모두 나누어떨어지지 않는 자연수의 개수는
$100-32=68$

013 답 16

(i) $y=1$일 때, $x+z=8$이므로 순서쌍 (x, z)는
  $(1, 7), (2, 6), (3, 5), (4, 4), (5, 3), (6, 2), (7, 1)$의 7개
(ii) $y=2$일 때, $x+z=6$이므로 순서쌍 (x, z)는
  $(1, 5), (2, 4), (3, 3), (4, 2), (5, 1)$의 5개
(iii) $y=3$일 때, $x+z=4$이므로 순서쌍 (x, z)는
  $(1, 3), (2, 2), (3, 1)$의 3개
(iv) $y=4$일 때, $x+z=2$이므로 순서쌍 (x, z)는
  $(1, 1)$의 1개
(i)~(iv)에 의하여 구하는 순서쌍 (x, y, z)의 개수는
$7+5+3+1=16$

014 답 ②

x, y가 자연수이므로 $x+3y$가 될 수 있는 값은 4, 5, 6, 7이다.
(i) $x+3y=4$일 때, 순서쌍 (x, y)는 $(1, 1)$의 1개
(ii) $x+3y=5$일 때, 순서쌍 (x, y)는 $(2, 1)$의 1개
(iii) $x+3y=6$일 때, 순서쌍 (x, y)는 $(3, 1)$의 1개
(iv) $x+3y=7$일 때, 순서쌍 (x, y)는 $(4, 1), (1, 2)$의 2개
(i)~(iv)에 의하여 구하는 순서쌍 (x, y)의 개수는
$1+1+1+2=5$

다른 풀이 (i) $y=1$일 때
  $x+3 \leq 7$, 즉 $x \leq 4$이므로 순서쌍 (x, y)는
  $(1, 1), (2, 1), (3, 1), (4, 1)$의 4개
(ii) $y=2$일 때
  $x+6 \leq 7$, 즉 $x \leq 1$이므로 순서쌍 (x, y)는
  $(1, 2)$의 1개
(i), (ii)에 의하여 구하는 순서쌍 (x, y)의 개수는
$4+1=5$

015 답 10

200원, 500원, 1000원짜리 볼펜을 각각 x자루, y자루, z자루 산다
고 하면 그 금액의 합이 3000원이므로
$200x+500y+1000z=3000$
$\therefore 2x+5y+10z=30$ ...... ㉠
따라서 구하는 방법의 수는 방정식 ㉠을 만족시키는 음이 아닌 정
수 x, y, z의 순서쌍 (x, y, z)의 개수와 같다.
(i) $z=0$일 때, $2x+5y=30$이므로 순서쌍 (x, y)는
  $(15, 0), (10, 2), (5, 4), (0, 6)$의 4개
(ii) $z=1$일 때, $2x+5y=20$이므로 순서쌍 (x, y)는
  $(10, 0), (5, 2), (0, 4)$의 3개
(iii) $z=2$일 때, $2x+5y=10$이므로 순서쌍 (x, y)는
  $(5, 0), (0, 2)$의 2개
(iv) $z=3$일 때, $2x+5y=0$이므로 순서쌍 (x, y)는
  $(0, 0)$의 1개
(i)~(iv)에 의하여 구하는 방법의 수는
$4+3+2+1=10$

016 답 4

원 $(x-a)^2+(y-b)^2=1$의 중심의 좌표는 (a, b)이고 반지름의
길이는 1이므로 이 원과 직선 $3x+4y-8=0$이 만나려면
$\dfrac{|3a+4b-8|}{\sqrt{3^2+4^2}} \leq 1$, $\dfrac{|3a+4b-8|}{5} \leq 1$
$|3a+4b-8| \leq 5$, $-5 \leq 3a+4b-8 \leq 5$
$\therefore 3 \leq 3a+4b \leq 13$ ...... ㉠
이때 a, b가 6 이하의 자연수이므로
$1 \leq a \leq 6$, $1 \leq b \leq 6$
(i) $b=1$일 때
  ㉠에서 $3 \leq 3a+4 \leq 13$, $-1 \leq 3a \leq 9$
  $\therefore -\dfrac{1}{3} \leq a \leq 3$
  즉, 순서쌍 (a, b)는 $(1, 1), (2, 1), (3, 1)$의 3개
(ii) $b=2$일 때
  ㉠에서 $3 \leq 3a+8 \leq 13$, $-5 \leq 3a \leq 5$
  $\therefore -\dfrac{5}{3} \leq a \leq \dfrac{5}{3}$
  즉, 순서쌍 (a, b)는 $(1, 2)$의 1개
(i), (ii)에 의하여 구하는 순서쌍 (a, b)의 개수는
$3+1=4$

017 답 ⑤

백의 자리의 숫자가 될 수 있는 것은 2, 4, 6, 8의 4개

십의 자리의 숫자가 될 수 있는 것은 1, 3, 5, 7, 9의 5개

일의 자리의 숫자가 될 수 있는 것은 2, 3, 5, 7의 4개

따라서 구하는 자연수의 개수는 $4 \times 5 \times 4 = 80$

018 답 **15**

a의 값이 될 수 있는 것은 1, 2, 3의 3개

b의 값이 될 수 있는 것은 2, 4, 6, 8, 10의 5개

따라서 순서쌍 (a, b)의 개수는 $3 \times 5 = 15$이므로

$n(C) = 15$

019 답 ①

$(a+b)(x+y+z)$에서 a, b에 곱해지는 항이 각각 x, y, z의 3개

이므로 구하는 항의 개수는

$2 \times 3 = 6$

020 답 ③

눈의 수의 곱이 짝수인 경우의 수는 전체 경우의 수에서 눈의 수의

곱이 홀수인 경우의 수를 뺀 것과 같다.

서로 다른 세 개의 주사위를 동시에 던질 때 일어나는 경우의 수는

$6 \times 6 \times 6 = 216$

눈의 수의 곱이 홀수가 되는 경우의 수는 세 눈이 모두 홀수인 경

우의 수와 같으므로

$3 \times 3 \times 3 = 27$

따라서 구하는 경우의 수는 $216 - 27 = 189$

021 답 **4**

$60 = 2^2 \times 3 \times 5$이므로 60의 양의 약수의 개수는

$(2+1)(1+1)(1+1) = 12$　　∴ $a = 12$

$168 = 2^3 \times 3 \times 7$이므로 168의 양의 약수의 개수는

$(3+1)(1+1)(1+1) = 16$　　∴ $b = 16$

∴ $b - a = 4$

022 답 ③

① $2^3 \times 3$의 양의 약수의 개수는 $(3+1)(1+1) = 8$

② $2^3 \times 5$의 양의 약수의 개수는 $(3+1)(1+1) = 8$

③ $2^3 \times 6 = 2^4 \times 3$의 양의 약수의 개수는 $(4+1)(1+1) = 10$

④ $2^3 \times 7$의 양의 약수의 개수는 $(3+1)(1+1) = 8$

⑤ $2^3 \times 16 = 2^7$의 양의 약수의 개수는 $7+1 = 8$

023 답 **12**

$300 = 2^2 \times 3 \times 5^2$과 $360 = 2^3 \times 3^2 \times 5$의 최대공약수는 $2^2 \times 3 \times 5$

따라서 300과 360의 양의 공약수의 개수는 $2^2 \times 3 \times 5$의 양의 약수

의 개수와 같으므로

$(2+1)(1+1)(1+1) = 12$

024 답 ④

$700 = 2^2 \times 5^2 \times 7$

짝수는 2를 소인수로 가지므로 700의 양의 약수 중 짝수의 개수는

$2 \times 5^2 \times 7$의 양의 약수의 개수와 같다.

∴ $a = (1+1)(2+1)(1+1) = 12$

5의 배수는 5를 소인수로 가지므로 700의 양의 약수 중 5의 배수의

개수는 $2^2 \times 5 \times 7$의 양의 약수의 개수와 같다.

∴ $b = (2+1)(1+1)(1+1) = 12$

∴ $a + b = 24$

025 답 **10**

(i) A → B → C로 가는 방법의 수는 $3 \times 2 = 6$

(ii) A → C로 가는 방법의 수는 2

(iii) A → D → C로 가는 방법의 수는 $1 \times 2 = 2$

(i), (ii), (iii)에 의하여 구하는 방법의 수는

$6 + 2 + 2 = 10$

026 답 **48**

(i) 집 → 문구점 → 편의점 → 집으로 가는 방법의 수는

　　$4 \times 2 \times 3 = 24$

(ii) 집 → 편의점 → 문구점 → 집으로 가는 방법의 수는

　　$3 \times 2 \times 4 = 24$

(i), (ii)에 의하여 구하는 방법의 수는

$24 + 24 = 48$

027 답 **30**

(i) A → B → C로 가는 방법의 수는 $2 \times 3 = 6$

(ii) A → D → C로 가는 방법의 수는 $2 \times 2 = 4$

(iii) A → B → D → C로 가는 방법의 수는 $2 \times 2 \times 2 = 8$

(iv) A → D → B → C로 가는 방법의 수는 $2 \times 2 \times 3 = 12$

(i)~(iv)에 의하여 구하는 방법의 수는

$6 + 4 + 8 + 12 = 30$

028 답 **4**

B지점과 D지점을 연결하는 x개의 도로를 추가한다고 하면

(i) A → B → C로 가는 방법의 수는 $2 \times 1 = 2$

(ii) A → D → C로 가는 방법의 수는 $3 \times 2 = 6$

(iii) A → B → D → C로 가는 방법의 수는 $2 \times x \times 2 = 4x$

(iv) A → D → B → C로 가는 방법의 수는 $3 \times x \times 1 = 3x$

(i)~(iv)에 의하여 A지점에서 출발하여 C지점으로 가는 방법의

수는

$2 + 6 + 4x + 3x = 7x + 8$

$7x + 8 = 36$에서 $7x = 28$

∴ $x = 4$

따라서 추가해야 하는 도로의 개수는 4이다.

029 답 48

A에 칠할 수 있는 색은 4가지, B에 칠할 수 있는 색은 A에 칠한 색을 제외한 3가지, C에 칠할 수 있는 색은 A와 B에 칠한 색을 제외한 2가지, D에 칠할 수 있는 색은 A와 C에 칠한 색을 제외한 2가지이므로 구하는 방법의 수는

$4 \times 3 \times 2 \times 2 = 48$

030 답 ②

A에 칠할 수 있는 색은 4가지, B에 칠할 수 있는 색은 A에 칠한 색을 제외한 3가지, C에 칠할 수 있는 색은 A와 B에 칠한 색을 제외한 2가지이므로 구하는 방법의 수는

$4 \times 3 \times 2 = 24$

031 답 84

(i) A와 C에 같은 색을 칠하는 경우

A에 칠할 수 있는 색은 4가지, B에 칠할 수 있는 색은 A에 칠한 색을 제외한 3가지, C에 칠할 수 있는 색은 A에 칠한 색과 같은 색이므로 1가지, D에 칠할 수 있는 색은 A(C)에 칠한 색을 제외한 3가지이므로 칠하는 방법의 수는

$4 \times 3 \times 1 \times 3 = 36$

(ii) A와 C에 다른 색을 칠하는 경우

A에 칠할 수 있는 색은 4가지, B에 칠할 수 있는 색은 A에 칠한 색을 제외한 3가지, C에 칠할 수 있는 색은 A와 B에 칠한 색을 제외한 2가지, D에 칠할 수 있는 색은 A와 C에 칠한 색을 제외한 2가지이므로 칠하는 방법의 수는

$4 \times 3 \times 2 \times 2 = 48$

(i), (ii)에 의하여 구하는 방법의 수는 $36 + 48 = 84$

032 답 420

A, B, C, D, E의 순서로 칠할 때, A에 칠할 수 있는 색은 5가지, B에 칠할 수 있는 색은 A에 칠한 색을 제외한 4가지, C에 칠할 수 있는 색은 A와 B에 칠한 색을 제외한 3가지이다.

(i) B와 D에 같은 색을 칠하는 경우

D에 칠할 수 있는 색은 B에 칠한 색과 같은 색이므로 1가지, E에 칠할 수 있는 색은 A와 B(D)에 칠한 색을 제외한 3가지이므로 칠하는 방법의 수는

$5 \times 4 \times 3 \times 1 \times 3 = 180$

(ii) B와 D에 다른 색을 칠하는 경우

D에 칠할 수 있는 색은 A, B, C에 칠한 색을 제외한 2가지, E에 칠할 수 있는 색은 A, B, D에 칠한 색을 제외한 2가지이므로 칠하는 방법의 수는

$5 \times 4 \times 3 \times 2 \times 2 = 240$

(i), (ii)에 의하여 구하는 방법의 수는 $180 + 240 = 420$

033 답 98

(i) 지불할 수 있는 방법의 수

100원짜리 동전으로 지불할 수 있는 방법은
0개, 1개, 2개의 3가지

50원짜리 동전으로 지불할 수 있는 방법은
0개, 1개, 2개, 3개의 4가지

10원짜리 동전으로 지불할 수 있는 방법은
0개, 1개, 2개, 3개, 4개의 5가지

이때 0원을 지불하는 경우를 제외해야 하므로 지불할 수 있는 방법의 수는

$3 \times 4 \times 5 - 1 = 59$

∴ $a = 59$

(ii) 지불할 수 있는 금액의 수

50원짜리 동전 2개로 지불할 수 있는 금액과 100원짜리 동전 1개로 지불할 수 있는 금액이 같으므로 100원짜리 동전 1개를 50원짜리 동전 2개로 바꾸면 지불할 수 있는 금액의 수는 50원짜리 동전 7개, 10원짜리 동전 4개로 지불할 수 있는 금액의 수와 같다.

50원짜리 동전으로 지불할 수 있는 금액은
0원, 50원, 100원, …, 350원의 8가지

10원짜리 동전으로 지불할 수 있는 금액은
0원, 10원, 20원, 30원, 40원의 5가지

이때 0원을 지불하는 경우를 제외해야 하므로 지불할 수 있는 금액의 수는

$8 \times 5 - 1 = 39$

∴ $b = 39$

(i), (ii)에 의하여 $a + b = 98$

034 답 ⑤

500원짜리 동전으로 지불할 수 있는 방법은
0개, 1개, 2개, 3개의 4가지

100원짜리 동전으로 지불할 수 있는 방법은
0개, 1개, 2개의 3가지

50원짜리 동전으로 지불할 수 있는 방법은
0개, 1개, 2개, 3개의 4가지

10원짜리 동전으로 지불할 수 있는 방법은
0개, 1개의 2가지

이때 0원을 지불하는 경우를 제외해야 하므로 구하는 방법의 수는

$4 \times 3 \times 4 \times 2 - 1 = 95$

035 답 23

500원짜리 동전 2개로 지불할 수 있는 금액과 1000원짜리 지폐 1장으로 지불할 수 있는 금액이 같으므로 1000원짜리 지폐 1장을 500원짜리 동전 2개로 바꾸면 지불할 수 있는 금액의 수는 500원짜리 동전 5개, 100원짜리 동전 3개로 지불할 수 있는 금액의 수와 같다.

500원짜리 동전으로 지불할 수 있는 금액은
0원, 500원, 1000원, …, 2500원의 6가지

100원짜리 동전으로 지불할 수 있는 금액은
0원, 100원, 200원, 300원의 4가지

이때 0원을 지불하는 경우를 제외해야 하므로 구하는 금액의 수는

$6 \times 4 - 1 = 23$

036 답 ④

$a_1=2$, $a_k \neq k$ $(k=3, 4, 5)$를 만족시키는 경우를 수형도로 나타내면 오른쪽과 같다.
따라서 구하는 자연수의 개수는 11이다.

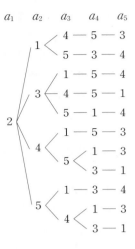

037 답 ⑤

4명의 학생을 A, B, C, D라 하고, 4명의 학생이 자기 자신의 보고서를 제외한 다른 학생의 보고서를 읽는 방법을 수형도로 나타내면 오른쪽과 같다.
따라서 구하는 방법의 수는 9이다.

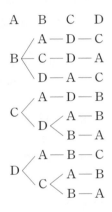

038 답 15

꼭짓점 A에서 출발하여 가장 먼저 꼭짓점 B를 거쳐 꼭짓점 E에 도착하는 방법을 수형도로 나타내면 오른쪽과 같다.
같은 방법으로 꼭짓점 A에서 출발하여 가장 먼저 꼭짓점 C 또는 D를 거쳐 꼭짓점 E에 도착하는 방법도 각각 5가지이므로 구하는 방법의 수는
$5 \times 3 = 15$

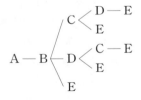

039 답 6

$2 \times {}_n P_2 + {}_{n+1} P_1 = 67$에서
$2n(n-1) + (n+1) = 67$
$2n^2 - n - 66 = 0$, $(2n+11)(n-6) = 0$
$\therefore n = -\dfrac{11}{2}$ 또는 $n = 6$
그런데 ${}_n P_2$에서 $n \geq 2$이므로 $n = 6$

040 답 ①

구하는 방법의 수는 9명의 학생 중에서 2명을 택하여 일렬로 세우는 방법의 수와 같으므로
${}_9 P_2 = 9 \times 8 = 72$

041 답 ②

찬호와 준형이를 한 사람으로 생각하여 3명을 일렬로 세우는 방법의 수는
$3! = 3 \times 2 \times 1 = 6$
찬호와 준형이가 자리를 바꾸는 방법의 수는
$2! = 2 \times 1 = 2$
따라서 구하는 방법의 수는 $6 \times 2 = 12$

042 답 ④

남자 3명을 일렬로 세우는 방법의 수는
$3! = 3 \times 2 \times 1 = 6$
남자들 사이사이와 양 끝의 4개의 자리에 여자 2명을 세우는 방법의 수는
${}_4 P_2 = 4 \times 3 = 12$
따라서 구하는 방법의 수는 $6 \times 12 = 72$

∨㉠∨㉡∨㉢∨

043 답 ⑤

선생님, 학생의 순서로 교대로 서는 방법의 수는
$2! \times 2! = 2 \times 2 = 4$
학생, 선생님의 순서로 교대로 서는 방법의 수는
$2! \times 2! = 2 \times 2 = 4$
따라서 구하는 방법의 수는 $4 + 4 = 8$

044 답 84

5개의 문자를 일렬로 나열하는 방법의 수는
$5! = 5 \times 4 \times 3 \times 2 \times 1 = 120$
자음은 r, t, h의 3개이므로 양 끝에 모두 자음이 오도록 나열하는 방법의 수는
${}_3 P_2 \times 3! = (3 \times 2) \times (3 \times 2 \times 1) = 36$
따라서 구하는 방법의 수는 $120 - 36 = 84$

045 답 ③

5의 배수이려면 일의 자리의 숫자가 0 또는 5이어야 한다.

(i) 일의 자리의 숫자가 0인 5의 배수의 개수
   0을 제외한 6개의 숫자 중에서 3개를 택하여 일렬로 나열하는 방법의 수와 같으므로
   ${}_6 P_3 = 6 \times 5 \times 4 = 120$

(ii) 일의 자리의 숫자가 5인 5의 배수의 개수
   천의 자리에 올 수 있는 숫자는 0과 5를 제외한 5개
   백의 자리와 십의 자리의 숫자를 택하는 방법의 수는 천의 자리와 일의 자리에 오는 숫자를 제외한 5개의 숫자 중에서 2개를 택하여 일렬로 나열하는 방법의 수와 같으므로
   ${}_5 P_2 = 5 \times 4 = 20$
   따라서 일의 자리의 숫자가 5인 5의 배수의 개수는
   $5 \times 20 = 100$

(i), (ii)에 의하여 구하는 5의 배수의 개수는
$120 + 100 = 220$

046 답 79번째

a로 시작하는 것의 개수는 $4!=4\times3\times2\times1=24$

m으로 시작하는 것의 개수는 $4!=4\times3\times2\times1=24$

r로 시작하는 것의 개수는 $4!=4\times3\times2\times1=24$

sa로 시작하는 것의 개수는 $3!=3\times2\times1=6$

그다음에 smart가 나타난다.

즉, smart까지의 개수는

$24+24+24+6+1=79$

따라서 smart는 79번째에 나타난다.

047 답 18

$f(a)\neq a$이므로 $f(a)$의 값이 될 수 있는 것은 $b,\ c,\ d$의 3개

그 각각에 대하여 $b,\ c,\ d$가 대응하는 경우의 수는

$3!=3\times2\times1=6$

따라서 구하는 함수 f의 개수는 $3\times6=18$

048 답 7

$_n\mathrm{P}_2+4\times{}_n\mathrm{P}_1=70$에서 $n(n-1)+4n=70$

$n^2+3n-70=0,\ (n+10)(n-7)=0$

$\therefore\ n=-10$ 또는 $n=7$

그런데 $_n\mathrm{P}_2$에서 $n\geq2$이므로 $n=7$

049 답 ②

$_6\mathrm{P}_r\times4!=2880$의 양변을 $4!=24$로 나누면

$_6\mathrm{P}_r=120=6\times5\times4$ $\therefore\ r=3$

050 답 11

$_n\mathrm{P}_3:{}_n\mathrm{P}_2=9:1$에서 $9\times{}_n\mathrm{P}_2={}_n\mathrm{P}_3$

$9n(n-1)=n(n-1)(n-2)$

$_n\mathrm{P}_3$에서 $n\geq3$이므로 양변을 $n(n-1)$로 나누면

$9=n-2$ $\therefore\ n=11$

051 답 ③

$_{2n}\mathrm{P}_3=60\times{}_n\mathrm{P}_2$에서

$2n(2n-1)(2n-2)=60n(n-1)$

$4n(n-1)(2n-1)=60n(n-1)$

$_n\mathrm{P}_2$에서 $n\geq2$이므로 양변을 $4n(n-1)$로 나누면

$2n-1=15$ $\therefore\ n=8$

052 답 (개) $(n-r)!$ (내) n (대) $n!$

$$_{n-1}\mathrm{P}_r+r\times{}_{n-1}\mathrm{P}_{r-1}=\frac{(n-1)!}{(n-1-r)!}+r\times\frac{(n-1)!}{\boxed{\text{(개) }(n-r)!}}$$

$$=\frac{(n-1)!(n-r)}{(n-r)!}+r\times\frac{(n-1)!}{(n-r)!}$$

$$=\frac{(n-1)!}{(n-r)!}\times\{(n-r)+r\}$$

$$=\frac{(n-1)!}{(n-r)!}\times\boxed{\text{(내) }n}=\frac{\boxed{\text{(대) }n!}}{(n-r)!}={}_n\mathrm{P}_r$$

053 답 ⑤

구하는 방법의 수는 10명의 회원 중에서 3명을 택하여 일렬로 세우는 방법의 수와 같으므로

$_{10}\mathrm{P}_3=720$

054 답 ⑤

구하는 방법의 수는 5명의 학생을 일렬로 세우는 방법의 수와 같으므로

$5!=120$

055 답 8

$_n\mathrm{P}_2=56$이므로

$n(n-1)=56=8\times7$ $\therefore\ n=8$

056 답 ③

F와 A를 한 문자로 생각하여 5개의 문자를 일렬로 나열하는 방법의 수는 $5!=120$

F와 A의 자리를 바꾸는 방법의 수는 $2!=2$

따라서 구하는 방법의 수는 $120\times2=240$

057 답 720

어린이 3명을 한 사람으로 생각하여 5명을 일렬로 세우는 방법의 수는 $5!=120$

어린이 3명이 자리를 바꾸는 방법의 수는 $3!=6$

따라서 구하는 방법의 수는 $120\times6=720$

058 답 ③

1반 학생 4명을 한 사람, 2반 학생 2명을 한 사람, 3반 학생 3명을 한 사람으로 생각하여 3명을 일렬로 세우는 방법의 수는 $3!=6$

1반 학생들끼리 자리를 바꾸는 방법의 수는 $4!=24$

2반 학생들끼리 자리를 바꾸는 방법의 수는 $2!=2$

3반 학생들끼리 자리를 바꾸는 방법의 수는 $3!=6$

따라서 구하는 방법의 수는 $6\times24\times2\times6=1728$

059 답 3

시집 3권을 한 권으로 생각하여 $(n+1)$권을 일렬로 꽂는 방법의 수는 $(n+1)!$

시집 3권의 자리를 바꾸는 방법의 수는 $3!=6$

이때 시집끼리 이웃하게 꽂는 방법의 수가 144이므로

$(n+1)!\times6=144,\ (n+1)!=24=4!$

따라서 $n+1=4$이므로 $n=3$

060 답 ④

남학생 4명을 일렬로 세우는 방법의 수는 $4!=24$

남학생 사이사이와 양 끝의 5개의 자리에 여학생 3명을 세우는 방법의 수는 $_5\mathrm{P}_3=60$

$\lor\,\boxed{남}\,\lor\,\boxed{남}\,\lor\,\boxed{남}\,\lor\,\boxed{남}\,\lor$

따라서 구하는 방법의 수는 $24\times60=1440$

061 답 **480**

자음인 b, s, k, t 4개를 일렬로 나열하는 방법의 수는 $4!=24$

자음 사이사이와 양 끝의 5개의 자리
에 모음인 a, e 2개를 나열하는 방법
의 수는 $_5P_2=20$

$\lor$ 자 $\lor$ 자 $\lor$ 자 $\lor$ 자 $\lor$

따라서 구하는 방법의 수는 $24 \times 20 = 480$

062 답 **144**

1과 2를 한 숫자로 생각하여 3개의 숫자를 일렬로 나열하는 방법
의 수는 $3!=6$

1과 2의 자리를 바꾸는 방법의 수는 $2!=2$

3개의 숫자 사이사이와 양 끝의 4개의
자리에 5, 6을 나열하는 방법의 수는

$\lor$ 1, 2 $\lor$ 3 $\lor$ 4 $\lor$

$_4P_2=12$

따라서 구하는 방법의 수는 $6 \times 2 \times 12 = 144$

063 답 ④

6개의 의자 중에서 의자 3개에만 학생이 앉으므로 빈 의자는 3개
이다.

빈 의자 사이사이와 양 끝의 4개의 자리에
학생이 앉은 의자 3개를 놓으면 되므로 구
하는 방법의 수는 $_4P_3=24$

$\lor$ 빈 $\lor$ 빈 $\lor$ 빈 $\lor$

064 답 ⑤

선생님, 유치원생의 순서로 교대로 서는 방법의 수는

$3! \times 3! = 6 \times 6 = 36$

유치원생, 선생님의 순서로 교대로 서는 방법의 수는

$3! \times 3! = 6 \times 6 = 36$

따라서 구하는 방법의 수는

$36 + 36 = 72$

065 답 ①

구하는 방법의 수는 준형이를 제외한 3명의 학생을 일렬로 세우는
방법의 수와 같으므로

$3! = 6$

066 답 ④

자음은 h, s, n, g의 4개이고 모음은 o, u, i의 3개이므로 자음 4
개를 일렬로 나열하고 그 사이사이에 모음 3개를 나열하면 된다.

따라서 구하는 방법의 수는

$4! \times 3! = 24 \times 6 = 144$

067 답 ②

승하, 선생님, 은서를 한 사람으로 생각하여 3명을 일렬로 세우는
방법의 수는 $3!=6$

승하와 은서가 자리를 바꾸는 방법의 수는 $2!=2$

따라서 구하는 방법의 수는

$6 \times 2 = 12$

068 답 **720**

여학생 3명 중 2명을 양 끝에 세우는 방법의 수는 $_3P_2=6$

양 끝의 여학생 2명을 제외한 5명을 일렬로 세우는 방법의 수는

$5! = 120$

따라서 구하는 방법의 수는

$6 \times 120 = 720$

069 답 ⑤

자음은 s, l의 2개이므로 1, 3, 5번째 자리 중 두 자리에 자음을
나열하는 방법의 수는 $_3P_2=6$

나머지 세 자리에 모음 3개를 나열하는 방법의 수는 $3!=6$

따라서 구하는 방법의 수는

$6 \times 6 = 36$

070 답 **720**

C와 G 사이에 7개의 문자에서 C와 G를 제외한 5개의 문자 중 3
개의 문자를 택하여 일렬로 나열하는 방법의 수는 $_5P_3=60$

C와 G의 자리를 바꾸는 방법의 수는 $2!=2$

C□□□G를 한 문자로 생각하여 문자 3개를 일렬로 나열하는 방
법의 수는 $3!=6$

따라서 구하는 방법의 수는

$60 \times 2 \times 6 = 720$

071 답 **432**

6개의 문자를 일렬로 나열하는 방법의 수는

$6! = 720$

자음은 f, r, n, d의 4개이므로 양 끝에 모두 자음이 오도록 나열
하는 방법의 수는

$_4P_2 \times 4! = 12 \times 24 = 288$

따라서 구하는 방법의 수는

$720 - 288 = 432$

072 답 ①

8명의 학생 중에서 대표 1명, 부대표 1명을 뽑는 방법의 수는

$_8P_2=56$

대표, 부대표 모두 남학생을 뽑는 방법의 수는

$_3P_2=6$

따라서 구하는 방법의 수는

$56 - 6 = 50$

073 답 ②

5개의 문자를 일렬로 나열하는 방법의 수는 $5!=120$

A, C, E 중에서 어느 2개도 이웃하지 않도록 나열하는 방법의 수
는 A, C, E를 일렬로 나열하고 그 사이사이에 B, D가 오도록 나
열하는 방법의 수와 같으므로

$3! \times 2! = 6 \times 2 = 12$

따라서 구하는 방법의 수는

$120 - 12 = 108$

074 답 3

7개의 알파벳을 일렬로 나열하는 방법의 수는 $7!=5040$

모음의 개수를 n이라 하면 양 끝에 모두 모음이 오도록 나열하는 방법의 수는

$_n\mathrm{P}_2\times5!=120\times{_n\mathrm{P}_2}$

이때 적어도 한쪽 끝에 자음이 오도록 나열하는 방법의 수가 3600 이므로

$5040-120\times{_n\mathrm{P}_2}=3600$, $120\times{_n\mathrm{P}_2}=1440$ $\therefore {_n\mathrm{P}_2}=12$

즉, $n(n-1)=12=4\times3$이므로 $n=4$

따라서 모음의 개수가 4이므로 자음의 개수는 $7-4=3$

075 답 156

짝수이려면 일의 자리의 숫자가 0 또는 2 또는 4이어야 한다.

(i) 일의 자리의 숫자가 0인 짝수의 개수

0을 제외한 5개의 숫자 중에서 3개를 택하여 일렬로 나열하는 방법의 수와 같으므로

$_5\mathrm{P}_3=60$

(ii) 일의 자리의 숫자가 2인 짝수의 개수

천의 자리에 올 수 있는 숫자는 0과 2를 제외한 4개

백의 자리와 십의 자리의 숫자를 택하는 방법의 수는 천의 자리와 일의 자리에 오는 숫자를 제외한 4개의 숫자 중에서 2개를 택하여 일렬로 나열하는 방법의 수와 같으므로

$_4\mathrm{P}_2=12$

따라서 일의 자리의 숫자가 2인 짝수의 개수는 $4\times12=48$

(iii) 일의 자리의 숫자가 4인 짝수의 개수

천의 자리에 올 수 있는 숫자는 0과 4를 제외한 4개

백의 자리와 십의 자리의 숫자를 택하는 방법의 수는 천의 자리와 일의 자리에 오는 숫자를 제외한 4개의 숫자 중에서 2개를 택하여 일렬로 나열하는 방법의 수와 같으므로

$_4\mathrm{P}_2=12$

따라서 일의 자리의 숫자가 4인 짝수의 개수는 $4\times12=48$

(i), (ii), (iii)에 의하여 구하는 짝수의 개수는

$60+48+48=156$

076 답 100

백의 자리에 올 수 있는 숫자는 0을 제외한 5개

십의 자리와 일의 자리의 숫자를 택하는 방법의 수는 백의 자리에 오는 숫자를 제외한 5개의 숫자 중에서 2개를 택하여 일렬로 나열하는 방법의 수와 같으므로 $_5\mathrm{P}_2=20$

따라서 구하는 자연수의 개수는 $5\times20=100$

077 답 ③

홀수이려면 일의 자리의 숫자가 1 또는 3이어야 한다.

(i) 일의 자리의 숫자가 1인 홀수의 개수

1을 제외한 3개의 숫자 중에서 2개를 택하여 일렬로 나열하는 방법의 수와 같으므로

$_3\mathrm{P}_2=6$

(ii) 일의 자리의 숫자가 3인 홀수의 개수

3을 제외한 3개의 숫자 중에서 2개를 택하여 일렬로 나열하는 방법의 수와 같으므로

$_3\mathrm{P}_2=6$

(i), (ii)에 의하여 구하는 홀수의 개수는

$6+6=12$

078 답 ②

3의 배수이려면 각 자리의 숫자의 합이 3의 배수이어야 하므로 4개의 숫자 1, 2, 3, 4에서 서로 다른 3개를 사용하여 3의 배수를 만드는 경우는

1, 2, 3 또는 2, 3, 4

이때 각 경우마다 만들 수 있는 세 자리 자연수의 개수는 $3!=6$

따라서 구하는 3의 배수의 개수는

$2\times6=12$

079 답 108번째

e로 시작하는 것의 개수는 $4!=24$

h로 시작하는 것의 개수는 $4!=24$

n으로 시작하는 것의 개수는 $4!=24$

o로 시작하는 것의 개수는 $4!=24$

pe로 시작하는 것의 개수는 $3!=6$

phe로 시작하는 것의 개수는 $2!=2$

phn으로 시작하는 것의 개수는 $2!=2$

pho로 시작하는 것은 순서대로

phoen, phone

즉, phone까지의 개수는

$24+24+24+24+6+2+2+2=108$

따라서 phone는 108번째에 나타난다.

080 답 ②

240보다 작은 세 자리 자연수는 1□□, 20□, 21□, 23□ 꼴이다.

1□□ 꼴인 자연수의 개수는 $_4\mathrm{P}_2=12$

20□ 꼴인 자연수의 개수는 3

21□ 꼴인 자연수의 개수는 3

23□ 꼴인 자연수의 개수는 3

따라서 구하는 자연수의 개수는

$12+3+3+3=21$

081 답 ③

a로 시작하는 것의 개수는 $5!=120$

g로 시작하는 것의 개수는 $5!=120$

ia로 시작하는 것의 개수는 $4!=24$

ig로 시작하는 것의 개수는 $4!=24$

ina로 시작하는 것의 개수는 $3!=6$

즉, a로 시작하는 것부터 ina로 시작하는 것까지의 개수는

$120+120+24+24+6=294$

따라서 295번째에 오는 것은 ingasv이다.

082 답 **4523**

6□□□ 꼴인 자연수의 개수는 $_5P_3=60$

5□□□ 꼴인 자연수의 개수는 $_5P_3=60$

46□□ 꼴인 자연수의 개수는 $_4P_2=12$

456□ 꼴인 자연수의 개수는 3

453□ 꼴인 자연수의 개수는 3

즉, 6543부터 4531까지의 자연수의 개수는

$60+60+12+3+3=138$

이때 4531보다 작은 수는 차례대로 4526, 4523, …이므로 구하는
수는 4523이다.

083 답 **96**

$f(a)\neq b$이므로 $f(a)$의 값이 될 수 있는 것은 a, c, d, e의 4개

그 각각에 대하여 b, c, d, e가 대응하는 경우의 수는 $4!=24$

따라서 구하는 함수 f의 개수는 $4\times24=96$

084 답 **②**

$f(1)=4$, $f(4)=1$이고 일대일대응인 함수 f의 개수는

$4!=24$

085 답 **①**

함수 f는 $f(x)\neq x$인 일대일대응
이므로 이를 만족시키도록 $f(a)$,
$f(b)$, $f(c)$, $f(d)$의 값을 정하는
방법을 수형도로 나타내면 오른쪽
과 같다.

따라서 구하는 함수 f의 개수는 9
이다.

$$f(a)\quad f(b)\quad f(c)\quad f(d)$$

$$b\begin{cases} a-d-c \\ c-d-a \\ d-a-c \end{cases}$$

$$c\begin{cases} a-d-b \\ d\begin{cases} a-b \\ b-a \end{cases} \end{cases}$$

$$d\begin{cases} a-b-c \\ c\begin{cases} a-b \\ b-a \end{cases} \end{cases}$$

086 답 **18**

$f(n+2)=f(n)+4$이므로 $f(n)=0$, $f(n+2)=4$

$n=0$일 때, $f(0)=0$, $f(2)=4$이고 일대일대응인 함수 f의 개수는
$3!=6$

$n=1$일 때, $f(1)=0$, $f(3)=4$이고 일대일대응인 함수 f의 개수는
$3!=6$

$n=2$일 때, $f(2)=0$, $f(4)=4$이고 일대일대응인 함수 f의 개수는
$3!=6$

따라서 구하는 함수 f의 개수는 $6+6+6=18$

087 답 **⑤**

30장의 카드 중에서 2의 배수가 적힌 카드는 15장, 3의 배수가 적
힌 카드는 10장, 2와 3의 최소공배수인 6의 배수가 적힌 카드는 5
장이므로 뽑힌 카드에 적힌 수가 2의 배수 또는 3의 배수인 경우의
수는

$15+10-5=20$

088 답 **②**

x, y, z가 자연수이므로 $x+2y+3z$가 될 수 있는 값은 10, 11, 12
이다.

(i) $x+2y+3z=10$일 때, 순서쌍 (x, y, z)는
  $(5, 1, 1)$, $(3, 2, 1)$, $(1, 3, 1)$, $(2, 1, 2)$의 4개

(ii) $x+2y+3z=11$일 때, 순서쌍 (x, y, z)는
  $(6, 1, 1)$, $(4, 2, 1)$, $(2, 3, 1)$, $(3, 1, 2)$, $(1, 2, 2)$의 5개

(iii) $x+2y+3z=12$일 때, 순서쌍 (x, y, z)는
  $(7, 1, 1)$, $(5, 2, 1)$, $(3, 3, 1)$, $(1, 4, 1)$, $(4, 1, 2)$,
  $(2, 2, 2)$, $(1, 1, 3)$의 7개

(i), (ii), (iii)에 의하여 구하는 순서쌍 (x, y, z)의 개수는

$4+5+7=16$

089 답 **60**

피자를 고를 수 있는 방법은 4가지, 샐러드를 고를 수 있는 방법은
3가지, 음료수를 고를 수 있는 방법은 5가지이므로 구하는 방법의
수는

$4\times3\times5=60$

090 답 **④**

$(a+b+c)(x+y)^2=(a+b+c)(x^2+2xy+y^2)$에서 a, b, c에 곱
해지는 항이 각각 x^2, $2xy$, y^2의 3개이므로 구하는 항의 개수는

$3\times3=9$

091 답 **③**

$1350=2\times3^3\times5^2$이고 홀수는 2를 소인수로 갖지 않으므로 1350의
양의 약수 중 홀수의 개수는 $3^3\times5^2$의 양의 약수의 개수와 같다.

따라서 구하는 홀수인 양의 약수의 개수는

$(3+1)(2+1)=12$

092 답 **③**

(i) $A\to B\to C\to A$로 가는 방법의 수는
  $3\times5\times2=30$

(ii) $A\to C\to B\to A$로 가는 방법의 수는
  $2\times5\times3=30$

(i), (ii)에 의하여 구하는 방법의 수는

$30+30=60$

093 답 **④**

A에 칠할 수 있는 색은 5가지, B에 칠할 수 있는 색은 A에 칠한
색을 제외한 4가지, C에 칠할 수 있는 색은 A와 B에 칠한 색을
제외한 3가지, D에 칠할 수 있는 색은 A와 C에 칠한 색을 제외한
3가지, E에 칠할 수 있는 색은 A와 D에 칠한 색을 제외한 3가지
이므로 구하는 방법의 수는

$5\times4\times3\times3\times3=540$

094 답 ①

ㄱ. 1000원짜리 지폐로 지불할 수 있는 방법은
0장, 1장의 2가지
500원짜리 동전으로 지불할 수 있는 방법은
0개, 1개, 2개, 3개, 4개, 5개의 6가지
100원짜리 동전으로 지불할 수 있는 방법은
0개, 1개, 2개, ⋯, 10개의 11가지
이때 0원을 지불하는 경우를 제외해야 하므로 지불할 수 있는
방법의 수는
$2 \times 6 \times 11 - 1 = 131$

ㄴ. 500원짜리 동전 2개로 지불할 수 있는 금액과 1000원짜리 지
폐 1장으로 지불할 수 있는 금액이 같고, 100원짜리 동전 5개
로 지불할 수 있는 금액과 500원짜리 동전 1개로 지불할 수 있
는 금액이 같으므로 1000원짜리 지폐 1장과 500원짜리 동전
5개를 모두 100원짜리 동전 35개로 바꾸면 지불할 수 있는 금
액의 수는 100원짜리 동전 45개로 지불할 수 있는 금액의 수와
같다.
100원짜리 동전으로 지불할 수 있는 금액은
0원, 100원, 200원, ⋯, 4500원의 46가지
이때 0원을 지불하는 경우를 제외해야 하므로 지불할 수 있는
금액의 수는
$46 - 1 = 45$

ㄷ. 1000원짜리 지폐 x장, 500원짜리 동전 y개, 100원짜리 동전 z
개로 지불한다고 하면 그 금액의 합이 2000원이므로
$1000x + 500y + 100z = 2000$
$\therefore 10x + 5y + z = 20$ ⋯⋯ ㉠
따라서 구하는 방법의 수는 방정식 ㉠을 만족시키는 음이 아
닌 정수 x, y, z의 순서쌍 (x, y, z)의 개수와 같다.
(단, $x \leq 1$, $y \leq 5$, $z \leq 10$)

(i) $x = 0$일 때, $5y + z = 20$이므로 순서쌍 (y, z)는
$(4, 0)$, $(3, 5)$, $(2, 10)$의 3개

(ii) $x = 1$일 때, $5y + z = 10$이므로 순서쌍 (y, z)는
$(2, 0)$, $(1, 5)$, $(0, 10)$의 3개

(i), (ii)에 의하여 구하는 방법의 수는
$3 + 3 = 6$

따라서 보기 중 옳은 것은 ㄱ이다.

095 답 9

$a_3 = 3$, $a_k \neq k (k = 1, 2, 4, 5)$를 만족
시키는 경우를 수형도로 나타내면 오
른쪽과 같다.
따라서 구하는 자연수의 개수는 9이
다.

| a_1 | a_2 | a_3 | a_4 | a_5 |

$1 - 3 - 5 - 4$
$2 \langle\ 4 - 3 - 5 - 1$
$5 - 3 - 1 - 4$

$4 \langle\ 1 - 3 - 5 - 2$
$5 - 3 \langle\ 1 - 2$
$\qquad 2 - 1$

$5 \langle\ 1 - 3 - 2 - 4$
$4 - 3 \langle\ 1 - 2$
$\qquad 2 - 1$

096 답 7

$_{n+1}P_3 - 6 \times {_nP_2} = 14 \times {_{n-1}P_1}$에서
$(n+1)n(n-1) - 6n(n-1) = 14(n-1)$
$_nP_2$에서 $n \geq 2$이므로 양변을 $n-1$로 나누면
$n(n+1) - 6n = 14$, $n^2 - 5n - 14 = 0$
$(n+2)(n-7) = 0$ $\therefore n = -2$ 또는 $n = 7$
그런데 $n \geq 2$이므로 $n = 7$

097 답 336

구하는 방법의 수는 8명의 학생 중에서 3명을 택하여 일렬로 세우
는 방법의 수와 같으므로
$_8P_3 = 336$

098 답 ⑤

모음인 u, i, o를 한 문자로 생각하여 4개의 문자를 일렬로 나열
하는 방법의 수는 $4! = 24$
모음 u, i, o끼리 자리를 바꾸는 방법의 수는 $3! = 6$
따라서 구하는 방법의 수는
$24 \times 6 = 144$

099 답 ④

팬 5명을 일렬로 세우는 방법의 수는 $5! = 120$
팬들 사이사이와 양 끝의 6개의 자리에 가수 2명을 세우는 방법의
수는 $_6P_2 = 30$
따라서 구하는 방법의 수는
$120 \times 30 = 3600$

100 답 1584

이웃하지 않는 특정한 남학생 3명을 제외한 남학생 1명과 여학생
3명이 일렬로 앉는 방법의 수는 $4! = 24$
남학생 1명과 여학생 3명의 사이사이와 양 끝의 5개의 자리에 특
정한 남학생 3명이 앉는 방법의 수는 $_5P_3 = 60$
$\therefore a = 24 \times 60 = 1440$
여학생과 남학생이 교대로 앉으려면 남학생은 4명이고 여학생은
3명이므로 남학생 4명이 일렬로 앉고 그 사이사이에 여학생 3명
이 앉으면 된다.
$\therefore b = 4! \times 3! = 24 \times 6 = 144$
$\therefore a + b = 1440 + 144 = 1584$

101 답 ①

구하는 방법의 수는 F를 제외한 나머지 5곡 중에서 3곡을 택하여
일렬로 나열하는 방법의 수와 같으므로
$_5P_3 = 60$

102 답 ②

현서와 현아를 제외한 나머지 가족 3명을 일렬로 세우는 방법의 수
는 $3! = 6$
현서와 현아가 양 끝에 서는 방법의 수는 $2! = 2$
따라서 구하는 방법의 수는 $6 \times 2 = 12$

103 답 288

T와 S 사이에 모음 U, E, A 중 2개를 택하여 일렬로 나열하는 방법의 수는 $_3P_2=6$

T와 S의 자리를 바꾸는 방법의 수는 $2!=2$

T□□S를 한 문자로 생각하여 문자 4개를 일렬로 나열하는 방법의 수는 $4!=24$

따라서 구하는 방법의 수는 $6\times2\times24=288$

104 답 84

5개의 인형을 일렬로 진열하는 방법의 수는 $5!=120$

양 끝에 B회사의 인형이 오도록 진열하는 방법의 수는

$_3P_2\times3!=6\times6=36$

따라서 구하는 방법의 수는 $120-36=84$

105 답 ⑤

짝수이려면 일의 자리의 숫자가 0 또는 2 또는 4이어야 한다.

(i) 일의 자리의 숫자가 0인 짝수의 개수

　0을 제외한 4개의 숫자 중에서 2개를 택하여 일렬로 나열하는 방법의 수와 같으므로

　$_4P_2=12$

(ii) 일의 자리의 숫자가 2인 짝수의 개수

　백의 자리에 올 수 있는 숫자는 0과 2를 제외한 3개, 십의 자리에 올 수 있는 숫자는 백의 자리에 오는 숫자와 2를 제외한 3개이므로 일의 자리의 숫자가 2인 짝수의 개수는

　$3\times3=9$

(iii) 일의 자리의 숫자가 4인 짝수의 개수

　(ii)와 같은 방법으로 9

(i), (ii), (iii)에 의하여 구하는 짝수의 개수는

$12+9+9=30$

106 답 ③

3200보다 큰 네 자리 자연수는 32□□, 34□□, 35□□, 4□□□, 5□□□ 꼴이다.

32□□ 꼴인 자연수의 개수는 $_3P_2=6$

34□□ 꼴인 자연수의 개수는 $_3P_2=6$

35□□ 꼴인 자연수의 개수는 $_3P_2=6$

4□□□ 꼴인 자연수의 개수는 $_4P_3=24$

5□□□ 꼴인 자연수의 개수는 $_4P_3=24$

따라서 구하는 자연수의 개수는

$6+6+6+24+24=66$

107 답 24

주어진 조건을 만족시키는 순서쌍 $(f(1),\ f(2))$는

$(6,\ 10),\ (7,\ 9),\ (9,\ 7),\ (10,\ 6)$의 4개

그 각각에 대하여 함수 f가 일대일대응이 되도록 3, 4, 5가 대응하는 경우의 수는 $3!=6$

따라서 구하는 함수 f의 개수는 $4\times6=24$

조합

001 답 3

$3\times_{n+1}C_3-4\times_nC_2=0$에서

$3\times\dfrac{(n+1)n(n-1)}{3\times2\times1}-4\times\dfrac{n(n-1)}{2\times1}=0$

$(n+1)n(n-1)-4n(n-1)=0$

$_nC_2$에서 $n\geq2$이므로 양변을 $n(n-1)$로 나누면

$n+1-4=0$　∴ $n=3$

002 답 18

장래희망이 프로그래머인 학생 4명 중에서 2명을 뽑는 방법의 수는

$_4C_2=\dfrac{4\times3}{2\times1}=6$

장래희망이 디자이너인 학생 3명 중에서 1명을 뽑는 방법의 수는

$_3C_1=3$

따라서 구하는 방법의 수는

$6\times3=18$

003 답 ③

구하는 방법의 수는 민서를 제외한 6명의 학생 중에서 3명을 뽑는 방법의 수와 같으므로

$_6C_3=\dfrac{6\times5\times4}{3\times2\times1}=20$

004 답 194

10권의 책 중에서 4권을 택하는 방법의 수는

$_{10}C_4=\dfrac{10\times9\times8\times7}{4\times3\times2\times1}=210$

소설책만 4권을 택하는 방법의 수는

$_6C_4=_6C_2=\dfrac{6\times5}{2\times1}=15$

수필집만 4권을 택하는 방법의 수는

$_4C_4=1$

따라서 구하는 방법의 수는

$210-(15+1)=194$

005 답 1440

홀수 1, 3, 5, 7, 9의 5개 중에서 2개를 택하는 방법의 수는

$_5C_2=\dfrac{5\times4}{2\times1}=10$

짝수 2, 4, 6, 8의 4개 중에서 2개를 택하는 방법의 수는

$_4C_2=\dfrac{4\times3}{2\times1}=6$

4개의 수를 일렬로 나열하는 방법의 수는 $4!=24$

따라서 구하는 비밀번호의 개수는 $10\times6\times24=1440$

006 답 ③

구하는 직선의 개수는 6개의 점 중에서 2개를 택하는 방법의 수와 같으므로

$_6C_2=\dfrac{6\times5}{2\times1}=15$

007 답 20

구하는 대각선의 개수는 8개의 꼭짓점 중에서 2개를 택하여 만들
수 있는 선분의 개수에서 팔각형의 변의 개수를 뺀 것과 같으므로

$$_8C_2 - 8 = \frac{8 \times 7}{2 \times 1} - 8 = 20$$

008 답 ④

8개의 점 중에서 3개를 택하는 방법의 수는

$$_8C_3 = \frac{8 \times 7 \times 6}{3 \times 2 \times 1} = 56$$

한 직선 위에 있는 5개의 점 중에서 3개를 택하는 방법의 수는

$$_5C_3 = _5C_2 = \frac{5 \times 4}{2 \times 1} = 10$$

그런데 한 직선 위에 있는 3개의 점으로는 삼각형을 만들 수 없으
므로 구하는 삼각형의 개수는

$$56 - 10 = 46$$

009 답 18

가로 방향의 평행한 직선 4개 중에서 2개, 세로 방향의 평행한 직
선 3개 중에서 2개를 택하면 한 개의 평행사변형이 결정되므로 구
하는 평행사변형의 개수는

$$_4C_2 \times _3C_2 = _4C_2 \times _3C_1 = \frac{4 \times 3}{2 \times 1} \times 3 = 18$$

010 답 15

집합 Y의 원소 6개 중에서 4개를 택하여 작은 수부터 순서대로
정의역의 원소 1, 2, 3, 4에 대응시키면 되므로 구하는 함수 f의
개수는

$$_6C_4 = _6C_2 = \frac{6 \times 5}{2 \times 1} = 15$$

011 답 ⑤

사탕 6개를 똑같은 상자 3개에 빈 상자가 없도록 나누어 담을 때,
각 상자에 담을 수 있는 사탕의 개수는

1, 1, 4 또는 1, 2, 3 또는 2, 2, 2

(i) 1개, 1개, 4개로 나누어 담는 방법의 수

$$_6C_1 \times _5C_1 \times _4C_4 \times \frac{1}{2!} = 6 \times 5 \times 1 \times \frac{1}{2} = 15$$

(ii) 1개, 2개, 3개로 나누어 담는 방법의 수

$$_6C_1 \times _5C_2 \times _3C_3 = 6 \times \frac{5 \times 4}{2 \times 1} \times 1 = 60$$

(iii) 2개, 2개, 2개로 나누어 담는 방법의 수

$$_6C_2 \times _4C_2 \times _2C_2 \times \frac{1}{3!} = \frac{6 \times 5}{2 \times 1} \times \frac{4 \times 3}{2 \times 1} \times 1 \times \frac{1}{6} = 15$$

(i), (ii), (iii)에 의하여 구하는 방법의 수는

$$15 + 60 + 15 = 90$$

012 답 90

6개의 학급을 3개, 3개의 두 조로 나누는 방법의 수는

$$_6C_3 \times _3C_3 \times \frac{1}{2!} = \frac{6 \times 5 \times 4}{3 \times 2 \times 1} \times 1 \times \frac{1}{2} = 10$$

각 조에서 부전승으로 올라갈 학급을 택하는 방법의 수는

$$_3C_1 \times _3C_1 = 3 \times 3 = 9$$

따라서 구하는 방법의 수는 $10 \times 9 = 90$

013 답 ②

$_nC_2 + _{n+1}C_2 = _{n+3}C_2$에서

$$\frac{n(n-1)}{2 \times 1} + \frac{(n+1)n}{2 \times 1} = \frac{(n+3)(n+2)}{2 \times 1}$$

$$n(n-1) + n(n+1) = (n+3)(n+2)$$

$$n^2 - 5n - 6 = 0, \ (n+1)(n-6) = 0$$

$$\therefore n = -1 \text{ 또는 } n = 6$$

그런데 $_nC_2$에서 $n \geq 2$이므로 $n = 6$

014 답 6

$_{10}C_r = _{10}C_{r-2}$에서

$$r = r - 2 \text{ 또는 } r + (r-2) = 10$$

(i) $r = r - 2$일 때, $0 \neq -2$이므로 r의 값은 존재하지 않는다.

(ii) $r + (r-2) = 10$일 때, $2r = 12$ $\therefore r = 6$

(i), (ii)에 의하여 $r = 6$

015 답 ④

$_nC_r = \dfrac{_nP_r}{r!}$이므로 $56 = \dfrac{336}{r!}$

$$r! = 6 = 3 \times 2 \times 1 \quad \therefore r = 3$$

또 $_nP_3 = 336 = 8 \times 7 \times 6$에서 $n = 8$

$$\therefore n + r = 11$$

016 답 −5

주어진 이차방정식에서 근과 계수의 관계에 의하여

$$\alpha + \beta = \frac{2 \times _nC_3}{_nC_2}, \ \alpha\beta = \frac{-2 \times _nC_4}{_nC_2}$$

이때 $\alpha + \beta = 4$이므로

$$\frac{2 \times _nC_3}{_nC_2} = 4, \ _nC_3 = 2 \times _nC_2$$

$$\frac{n(n-1)(n-2)}{3 \times 2 \times 1} = 2 \times \frac{n(n-1)}{2 \times 1}$$

$_nC_4$에서 $n \geq 4$이므로 양변을 $n(n-1)$로 나누면

$$n - 2 = 6 \quad \therefore n = 8$$

$$\therefore \alpha\beta = \frac{-2 \times _8C_4}{_8C_2} = \frac{-2 \times 70}{28} = -5$$

017 답 ㈎ $n-r-1$ ㈏ $n-r$ ㈐ $n!$

$$_{n-1}C_{r-1} + _{n-1}C_r$$

$$= \frac{(n-1)!}{(r-1)!\{(n-1)-(r-1)\}!} + \frac{(n-1)!}{r!\{(n-1)-r\}!}$$

$$= \frac{(n-1)!}{(r-1)!(n-r)!} + \frac{(n-1)!}{r!(\boxed{㈎ \ n-r-1})!}$$

$$= \frac{(n-1)! \times r}{r!(n-r)!} + \frac{(n-1)! \times (n-r)}{r!(n-r)!}$$

$$= \frac{(n-1)!\{r + (\boxed{㈏ \ n-r})\}}{r!(n-r)!}$$

$$= \frac{(n-1)! \times n}{r!(n-r)!}$$

$$= \frac{\boxed{㈐ \ n!}}{r!(n-r)!} = _nC_r$$

018 답 ④

1학년 학생 7명 중에서 3명을 뽑는 방법의 수는

$_7C_3 = 35$

2학년 학생 5명 중에서 2명을 뽑는 방법의 수는

$_5C_2 = 10$

따라서 구하는 방법의 수는

$35 \times 10 = 350$

019 답 **168**

연극반 학생 8명 중에서 주인공 1명을 뽑는 방법의 수는

$_8C_1 = 8$

나머지 학생 7명 중에서 주인공 외 출연자 2명을 뽑는 방법의 수는

$_7C_2 = 21$

따라서 구하는 방법의 수는

$8 \times 21 = 168$

020 답 ③

수학교육과 체험 희망자 5명 중에서 3명을 뽑는 방법의 수는

$_5C_3 = {}_5C_2 = 10$

통계학과 체험 희망자 4명 중에서 3명을 뽑는 방법의 수는

$_4C_3 = {}_4C_1 = 4$

따라서 구하는 경우의 수는

$10 + 4 = 14$

021 답 **12**

$_nC_2 = 66$이므로 $\dfrac{n(n-1)}{2 \times 1} = 66$

$n(n-1) = 132 = 12 \times 11$ $\therefore n = 12$

022 답 **231**

세 수의 합이 짝수가 되려면 세 수는

짝수, 짝수, 짝수 또는 짝수, 홀수, 홀수

(i) 세 수 모두 짝수인 경우의 수

2, 4, 6, …, 14가 적힌 7개의 공 중에서 3개를 꺼내는 방법의 수와 같으므로

$_7C_3 = 35$

(ii) 짝수가 1개, 홀수가 2개인 경우의 수

2, 4, 6, …, 14가 적힌 7개의 공 중에서 1개를 꺼내고, 1, 3, 5, …, 15가 적힌 8개의 공 중에서 2개를 꺼내는 방법의 수와 같으므로

$_7C_1 \times {}_8C_2 = 7 \times 28 = 196$

(i), (ii)에 의하여 구하는 경우의 수는

$35 + 196 = 231$

023 답 **700**

(나)에서 각 바구니에 검은 공은 0개 또는 1개 넣을 수 있으므로 서로 다른 5개의 바구니 중에서 검은 공 3개를 넣을 바구니 3개를 고르는 방법의 수는

$_5C_3 = {}_5C_2 = 10$

(가)에서 각 바구니에 공을 1개 이상 넣어야 하므로 검은 공을 넣지 않은 2개의 빈 바구니에 흰 공을 각각 1개씩 넣은 후 남은 4개의 흰 공을 서로 다른 5개의 바구니에 넣는 방법의 수는 다음과 같다.

(i) 1개의 바구니에 흰 공을 4개 넣는 경우

1개의 바구니를 택하는 방법의 수는 $_5C_1 = 5$

(ii) 2개의 바구니에 흰 공을 3개, 1개 넣는 경우

흰 공 3개와 흰 공 1개를 넣을 바구니 2개를 택하는 방법의 수는

$_5P_2 = 20$

(iii) 2개의 바구니에 흰 공을 2개, 2개 넣는 경우

2개의 바구니를 택하는 방법의 수는 $_5C_2 = 10$

(iv) 3개의 바구니에 흰 공을 2개, 1개, 1개 넣는 경우

흰 공 2개를 넣을 바구니 1개를 택한 후 남은 4개의 바구니 중에서 흰 공 1개를 넣을 바구니 2개를 택하는 방법의 수는

$_5C_1 \times {}_4C_2 = 5 \times 6 = 30$

(v) 4개의 바구니에 흰 공을 1개, 1개, 1개, 1개 넣는 경우

4개의 바구니를 택하는 방법의 수는

$_5C_4 = {}_5C_1 = 5$

(i)~(v)에 의하여 남은 4개의 흰 공을 넣는 방법의 수는

$5 + 20 + 10 + 30 + 5 = 70$

따라서 구하는 방법의 수는 $10 \times 70 = 700$

024 답 ①

구하는 방법의 수는 현수와 정선이를 제외한 6명의 회원 중에서 2명을 뽑는 방법의 수와 같으므로

$_6C_2 = 15$

025 답 **78**

구하는 방법의 수는 축구 특기자 2명을 제외한 13명의 학생 중에서 11명을 뽑는 방법의 수와 같으므로

$_{13}C_{11} = {}_{13}C_2 = 78$

026 답 ②

구하는 방법의 수는 빨간색, 주황색, 노란색을 제외한 4가지 색 중에서 2가지 색을 택하는 방법의 수와 같으므로

$_4C_2 = 6$

027 답 **100**

구하는 방법의 수는 특정한 1학년 학생 1명을 제외한 1학년 학생 5명 중에서 3명을 뽑고, 특정한 2학년 학생 2명을 제외한 2학년 학생 5명 중에서 2명을 뽑는 방법의 수와 같으므로

$_5C_3 \times {}_5C_2 = {}_5C_2 \times {}_5C_2 = 10 \times 10 = 100$

028 답 ③

구하는 부분집합의 개수는 1, 2를 제외한 8개의 자연수 중에서 4개를 택한 후 1 또는 2를 택하는 방법의 수와 같으므로

$_8C_4 \times {}_2C_1 = 70 \times 2 = 140$

029 답 ④

연희가 5가지 체험 프로그램 중에서 2가지를 택하는 방법의 수는

$_5C_2=10$

민아가 연희가 택한 2가지 체험 프로그램 중에서 하나를 택하고, 연희가 택하지 않은 3가지 체험 프로그램 중에서 하나를 택하는 방법의 수는

$_2C_1 \times _3C_1 = 2 \times 3 = 6$

따라서 구하는 경우의 수는 $10 \times 6 = 60$

다른 풀이 5가지 체험 프로그램 중에서 연희와 민아가 공통으로 체험하는 프로그램을 택하는 방법의 수는

$_5C_1 = 5$

남은 4가지 체험 프로그램 중에서 연희와 민아가 각각 체험할 프로그램을 하나씩 택하는 방법의 수는

$_4P_2 = 12$

따라서 구하는 경우의 수는 $5 \times 12 = 60$

030 답 ①

과자 5개와 아이스크림 4개 중에서 3개를 택하는 방법의 수는

$_9C_3 = 84$

과자만 3개를 택하는 방법의 수는

$_5C_3 = _5C_2 = 10$

아이스크림만 3개를 택하는 방법의 수는

$_4C_3 = _4C_1 = 4$

따라서 구하는 방법의 수는 $84 - (10+4) = 70$

031 답 205

10명 중에서 4명을 뽑는 방법의 수는

$_{10}C_4 = 210$

남자 5명 중에서 4명을 뽑는 방법의 수는

$_5C_4 = _5C_1 = 5$

따라서 구하는 방법의 수는 $210 - 5 = 205$

032 답 ③

11켤레의 신발 중에서 4켤레를 택하는 방법의 수는 $_{11}C_4 = 330$

(ⅰ) 구두를 1켤레도 포함하지 않고 택하는 방법의 수

운동화와 슬리퍼 중에서 4켤레를 택하는 방법의 수와 같으므로

$_6C_4 = _6C_2 = 15$

(ⅱ) 구두가 1켤레 포함되도록 택하는 방법의 수

구두 중에서 1켤레를 택하고 운동화와 슬리퍼 중에서 3켤레를 택하는 방법의 수와 같으므로

$_5C_1 \times _6C_3 = 5 \times 20 = 100$

(ⅰ), (ⅱ)에 의하여 구하는 방법의 수는

$330 - (15 + 100) = 215$

033 답 7명

12명의 학생 중에서 3명을 뽑는 방법의 수는 $_{12}C_3 = 220$

2학년 학생을 n명이라 하면 2학년 학생 중에서 3명을 뽑는 방법의 수는 $_nC_3$

이때 1학년 학생이 적어도 1명 포함되도록 뽑는 방법의 수가 210 이므로

$220 - _nC_3 = 210$, $_nC_3 = 10$

$\dfrac{n(n-1)(n-2)}{3 \times 2 \times 1} = 10$

$n(n-1)(n-2) = 60 = 5 \times 4 \times 3$ ∴ $n=5$

따라서 2학년 학생이 5명이므로 1학년 학생은

$12 - 5 = 7$(명)

034 답 ④

소설책 6권 중에서 2권을 택하는 방법의 수는 $_6C_2 = 15$

만화책 5권 중에서 2권을 택하는 방법의 수는 $_5C_2 = 10$

4권의 책을 일렬로 꽂는 방법의 수는 $4! = 24$

따라서 구하는 방법의 수는

$15 \times 10 \times 24 = 3600$

035 답 ②

a를 제외한 4개의 문자 중에서 2개를 택하는 방법의 수는 $_4C_2 = 6$

3개의 문자를 일렬로 나열하는 방법의 수는 $3! = 6$

따라서 구하는 방법의 수는

$6 \times 6 = 36$

036 답 120

연우와 찬호를 제외한 학생 5명 중에서 2명을 뽑는 방법의 수는

$_5C_2 = 10$

연우와 찬호를 한 사람으로 생각하여 3명을 일렬로 세우는 방법의 수는 $3! = 6$

연우와 찬호가 자리를 바꾸는 방법의 수는 $2! = 2$

따라서 구하는 방법의 수는

$10 \times 6 \times 2 = 120$

037 답 38880

물건 3개를 넣는 가로줄에 들어갈 물건 3개를 뽑아 보관함에 넣는 자리를 택하는 방법의 수는

$_6C_3 \times 3! = 20 \times 6 = 120$

남은 물건 3개 중에서 물건 2개를 넣는 가로줄에 들어갈 물건 2개를 뽑아 보관함에 넣는 자리를 택하는 방법의 수는

$_3C_2 \times _3P_2 = 3 \times 6 = 18$

남은 물건 1개를 보관함에 넣는 자리를 택하는 방법의 수는

$_3C_1 = 3$

이때 물건 3개, 2개, 1개를 넣는 가로줄을 택하는 방법의 수는

$3! = 6$

따라서 구하는 방법의 수는

$120 \times 18 \times 3 \times 6 = 38880$

038 답 ③

구하는 직선의 개수는 8개의 점 중에서 2개를 택하는 방법의 수와 같으므로

$_8C_2 = 28$

039 답 14

평행한 두 직선 위의 점을 하나씩 택하여 만들 수 있는 직선의 개수는

$_3C_1 \times _4C_1 = 3 \times 4 = 12$

이때 주어진 직선 2개를 포함하면 구하는 직선의 개수는

$12 + 2 = 14$

040 답 27

9개의 점 중에서 2개를 택하는 방법의 수는 $_9C_2 = 36$

한 직선 위에 있는 5개의 점 중에서 2개를 택하는 방법의 수는

$_5C_2 = 10$

이때 한 직선 위에 있는 점으로 만들 수 있는 직선은 1개뿐이므로 구하는 직선의 개수는

$36 - 10 + 1 = 27$

041 답 ①

구하는 대각선의 개수는 10개의 꼭짓점 중에서 2개를 택하여 만들 수 있는 선분의 개수에서 십각형의 변의 개수를 뺀 것과 같으므로

$_{10}C_2 - 10 = 45 - 10 = 35$

042 답 ②

n각형의 대각선의 개수가 65라 하면

$_nC_2 - n = 65$, $\dfrac{n(n-1)}{2 \times 1} - n = 65$

$n^2 - 3n - 130 = 0$, $(n+10)(n-13) = 0$

$\therefore n = -10$ 또는 $n = 13$

그런데 $n > 3$이므로 $n = 13$

따라서 구하는 다각형의 꼭짓점의 개수는 13이다.

043 답 ④

꼭짓점을 제외한 서로 다른 대각선의 교점은 꼭짓점을 공유하지 않는 두 대각선에 의하여 결정되고, 이 두 대각선은 4개의 꼭짓점에 의하여 결정된다.

따라서 구하는 대각선의 교점의 최대 개수는 9개의 꼭짓점 중에서 4개를 택하는 방법의 수와 같으므로

$_9C_4 = 126$

044 답 110

10개의 점 중에서 3개를 택하는 방법의 수는 $_{10}C_3 = 120$

한 직선 위에 있는 5개의 점 중에서 3개를 택하는 방법의 수는

$_5C_3 = _5C_2 = 10$

그런데 한 직선 위에 있는 3개의 점으로는 삼각형을 만들 수 없으므로 구하는 삼각형의 개수는

$120 - 10 = 110$

045 답 ②

구하는 사각형의 개수는 7개의 점 중에서 4개를 택하는 방법의 수와 같으므로

$_7C_4 = _7C_3 = 35$

046 답 72

9개의 점 중에서 3개를 택하는 방법의 수는 $_9C_3 = 84$

한 직선 위에 있는 4개의 점 중에서 3개를 택하는 방법의 수는

$_4C_3 = _4C_1 = 4$

이때 한 직선 위에 4개의 점이 있는 직선은 3개이고, 한 직선 위에 있는 3개의 점으로는 삼각형을 만들 수 없으므로 구하는 삼각형의 개수는

$84 - 3 \times 4 = 72$

047 답 200

12개의 점 중에서 3개를 택하는 방법의 수는 $_{12}C_3 = 220$

(i) 한 직선 위에 4개의 점이 있는 경우

한 직선 위에 4개의 점이 있는 직선은 3개이 므로 한 직선 위에 있는 4개의 점 중에서 3개를 택하는 방법의 수는

$3 \times _4C_3 = 3 \times _4C_1 = 3 \times 4 = 12$

(ii) 한 직선 위에 3개의 점이 있는 경우

한 직선 위에 3개의 점이 있는 직선은 8개이 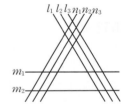 므로 한 직선 위에 있는 3개의 점 중에서 3개를 택하는 방법의 수는

$8 \times _3C_3 = 8 \times 1 = 8$

(i), (ii)에 의하여 구하는 삼각형의 개수는

$220 - (12 + 8) = 200$

048 답 60

가로 방향의 평행한 직선 5개 중에서 2개, 세로 방향의 평행한 직선 4개 중에서 2개를 택하면 한 개의 평행사변형이 결정되므로 구하는 평행사변형의 개수는

$_5C_2 \times _4C_2 = 10 \times 6 = 60$

049 답 ④

(i) l_1, l_2, l_3 중에서 2개를 택하고, m_1, m_2를 택하는 방법의 수는

$_3C_2 \times _2C_2 = _3C_1 \times _2C_2 = 3 \times 1 = 3$

(ii) m_1, m_2를 택하고, n_1, n_2, n_3 중에서 2개를 택하는 방법의 수는

$_2C_2 \times _3C_2 = _2C_2 \times _3C_1 = 1 \times 3 = 3$

(iii) l_1, l_2, l_3 중에서 2개, n_1, n_2, n_3 중에서 2개를 택하는 방법의 수는

$_3C_2 \times _3C_2 = _3C_1 \times _3C_1 = 3 \times 3 = 9$

(i), (ii), (iii)에 의하여 구하는 평행사변형의 개수는

$3 + 3 + 9 = 15$

050 답 10

가로 방향으로 놓인 3개의 선 중에서 2개, 세로 방향으로 놓인 4개의 선 중에서 2개를 택하면 한 개의 직사각형이 결정되므로 직사각형의 개수는

$_3C_2 \times _4C_2 = _3C_1 \times _4C_2 = 3 \times 6 = 18$

작은 정사각형의 한 변의 길이를 1이라 하면 정사각형의 개수는 한 변의 길이가 1인 것이 6개, 2인 것이 2개이므로

$6+2=8$

따라서 구하는 정사각형이 아닌 직사각형의 개수는

$18-8=10$

051 답 21

공역의 원소 7개 중에서 5개를 택하여 작은 수부터 순서대로 정의역의 원소 1, 2, 3, 4, 5에 대응시키면 되므로 구하는 함수 f의 개수는

$_7C_5=_7C_2=21$

052 답 ⑤

$f(2)<f(3)<f(4)$이므로 공역의 원소 5개 중에서 3개를 택하여 작은 수부터 순서대로 정의역의 원소 2, 3, 4에 대응시키면 된다.

따라서 이 경우의 수는 $_5C_3=_5C_2=10$

또 정의역의 원소 1, 5에 대응되는 공역의 원소를 택하는 방법의 수는 각각 5이므로 구하는 함수 f의 개수는

$10\times5\times5=250$

053 답 ①

㈎에서 $f(1)<f(2)<f(3)<f(4)<f(5)$ ┈┈ ㉠

㈏에서 $f(4)=1$이므로 ㉠에 의하여 $f(5)$의 값이 될 수 있는 집합 Y의 원소는 2, 3의 2가지이다.

또 집합 Y의 원소 -3, -2, -1, 0 중에서 3개를 택하여 작은 수부터 순서대로 $f(1)$, $f(2)$, $f(3)$의 값이 되도록 하면 된다.

따라서 구하는 함수 f의 개수는

$2\times_4C_3=2\times_4C_1=2\times4=8$

054 답 301

공 7개를 똑같은 상자 3개에 빈 상자가 없도록 나누어 담을 때, 각 상자에 담을 수 있는 공의 개수는

1, 1, 5 또는 1, 2, 4 또는 1, 3, 3 또는 2, 2, 3

(ⅰ) 1개, 1개, 5개로 나누어 담는 방법의 수

$_7C_1\times_6C_1\times_5C_5\times\dfrac{1}{2!}=7\times6\times1\times\dfrac{1}{2}=21$

(ⅱ) 1개, 2개, 4개로 나누어 담는 방법의 수

$_7C_1\times_6C_2\times_4C_4=7\times15\times1=105$

(ⅲ) 1개, 3개, 3개로 나누어 담는 방법의 수

$_7C_1\times_6C_3\times_3C_3\times\dfrac{1}{2!}=7\times20\times1\times\dfrac{1}{2}=70$

(ⅳ) 2개, 2개, 3개로 나누어 담는 방법의 수

$_7C_2\times_5C_2\times_3C_3\times\dfrac{1}{2!}=21\times10\times1\times\dfrac{1}{2}=105$

(ⅰ)~(ⅳ)에 의하여 구하는 방법의 수는

$21+105+70+105=301$

055 답 105

10명을 5명, 5명으로 나누는 방법의 수는

$_{10}C_5\times_5C_5\times\dfrac{1}{2!}=252\times1\times\dfrac{1}{2}=126$

여학생 3명을 같은 조에 포함되도록 나누는 방법의 수는 남학생 7명을 2명, 5명으로 나누는 방법의 수와 같으므로

$_7C_2\times_5C_5=21\times1=21$

따라서 구하는 방법의 수는

$126-21=105$

다른 풀이 각 조에 적어도 한 명의 여학생이 포함되려면 남학생 4명과 여학생 1명, 남학생 3명과 여학생 2명의 두 개의 조로 나누어야 한다.

남학생 7명 중에서 4명과 여학생 3명 중에서 1명을 뽑아 한 조가 되면 되므로 구하는 방법의 수는

$_7C_4\times_3C_1=_7C_3\times_3C_1=35\times3=105$

056 답 ⑤

7명의 학생을 2명, 2명, 2명, 1명으로 나누는 방법의 수는

$_7C_2\times_5C_2\times_3C_2\times_1C_1\times\dfrac{1}{3!}=21\times10\times3\times1\times\dfrac{1}{6}=105$

4개의 조를 4곳의 봉사활동 장소에 배정하는 방법의 수는

$4!=24$

따라서 구하는 방법의 수는

$105\times24=2520$

057 답 3000

빈 상자가 3개가 되어야 하므로 상자 3개에 공 5개를 나누어 넣으면 된다.

서로 다른 상자 6개 중에서 공이 들어 가는 상자 3개를 택하는 방법의 수는 $_6C_3=20$

상자 3개에 공 5개를 나누어 넣을 때, 각 상자에 담을 수 있는 공의 개수는

1, 1, 3 또는 1, 2, 2

(ⅰ) 1개, 1개, 3개로 나누는 방법의 수

$_5C_1\times_4C_1\times_3C_3\times\dfrac{1}{2!}=5\times4\times1\times\dfrac{1}{2}=10$

이때 서로 다른 상자 3개에 배정하는 방법의 수는 $3!=6$

즉, 공 5개를 1개, 1개, 3개로 나누어 상자 3개에 배정하는 방법의 수는

$10\times6=60$

(ⅱ) 1개, 2개, 2개로 나누는 방법의 수

$_5C_1\times_4C_2\times_2C_2\times\dfrac{1}{2!}=5\times6\times1\times\dfrac{1}{2}=15$

이때 서로 다른 상자 3개에 배정하는 방법의 수는 $3!=6$

즉, 공 5개를 1개, 2개, 2개로 나누어 상자 3개에 배정하는 방법의 수는

$15\times6=90$

(ⅰ), (ⅱ)에 의하여 상자 3개에 공 5개를 넣는 방법의 수는

$60+90=150$

따라서 구하는 방법의 수는

$20\times150=3000$

058 답 ②

구하는 방법의 수는 6개의 학급을 2개, 2개, 2개의 세 조로 나눈 후 준결승을 하지 않는 한 조를 택하는 방법의 수와 같으므로

$$\left({}_6C_2 \times {}_4C_2 \times {}_2C_2 \times \frac{1}{3!}\right) \times {}_3C_1 = 15 \times 6 \times 1 \times \frac{1}{6} \times 3 = 45$$

059 답 ③

구하는 방법의 수는 5개의 학급을 3개, 2개의 두 조로 나눈 후 3개인 조에서 부전승으로 올라갈 한 학급을 택하는 방법의 수와 같으므로

$$({}_5C_3 \times {}_2C_2) \times {}_3C_1 = 10 \times 1 \times 3 = 30$$

060 답 ④

구하는 방법의 수는 7개의 팀을 4개, 3개의 두 조로 나눈 후 4개인 조를 다시 2개, 2개의 두 조로, 3개인 조를 2개, 1개의 두 조로 나누는 방법의 수와 같다.

(i) 7개의 팀을 4개, 3개로 나누는 방법의 수

$${}_7C_4 \times {}_3C_3 = 35 \times 1 = 35$$

(ii) 4개의 팀을 2개, 2개로 나누는 방법의 수

$${}_4C_2 \times {}_2C_2 \times \frac{1}{2!} = 6 \times 1 \times \frac{1}{2} = 3$$

(iii) 3개의 팀을 2개, 1개로 나누는 방법의 수

$${}_3C_2 \times {}_1C_1 = 3 \times 1 = 3$$

(i), (ii), (iii)에 의하여 구하는 방법의 수는

$$35 \times 3 \times 3 = 315$$

061 답 ④

$${}_7C_3 + {}_7C_4 = {}_7C_3 + {}_7C_3 = 2 \times {}_7C_3$$
$$= 2 \times \frac{7!}{3!4!} = 2 \times \frac{4 \times 7!}{4 \times 3!4!}$$
$$= \frac{8!}{4!4!} = {}_8C_4$$

062 답 ③

${}_{n+1}P_2 + {}_{n+1}C_{n-1} = 63$에서

$$(n+1)n + \frac{(n+1)!}{(n-1)!2!} = 63$$

$$(n+1)n + \frac{(n+1)n}{2 \times 1} = 63$$

$$\frac{3n(n+1)}{2} = 63$$

$$n(n+1) = 42 = 6 \times 7 \qquad \therefore n = 6$$

063 답 **30**

A모둠 학생 6명 중에서 3명을 뽑는 방법의 수는

$${}_6C_3 = 20$$

B모둠 학생 5명 중에서 3명을 뽑는 방법의 수는

$${}_5C_3 = 10$$

따라서 구하는 경우의 수는

$$20 + 10 = 30$$

064 답 ④

2부터 40까지의 짝수 중에서 3으로 나누었을 때 나머지가 0, 1, 2인 수의 집합을 각각 A, B, C라 하면

$A = \{6, 12, 18, 24, 30, 36\}$

$B = \{4, 10, 16, 22, 28, 34, 40\}$

$C = \{2, 8, 14, 20, 26, 32, 38\}$

(i) 집합 A에서 2개의 원소를 택하는 경우의 수

$${}_6C_2 = 15$$

(ii) 집합 B, C에서 각각 1개의 원소를 택하는 경우의 수

$${}_7C_1 \times {}_7C_1 = 7 \times 7 = 49$$

(i), (ii)에 의하여 구하는 경우의 수는

$$15 + 49 = 64$$

065 답 ①

a, b를 포함하여 택하는 방법의 수는 a, b를 제외한 5개의 문자 중에서 2개를 택하는 방법의 수와 같으므로

$${}_5C_2 = 10$$

a, b를 포함하지 않고 택하는 방법의 수는 a, b를 제외한 5개의 문자 중에서 4개를 택하는 방법의 수와 같으므로

$${}_5C_4 = {}_5C_1 = 5$$

따라서 구하는 합은 $10 + 5 = 15$

066 답 ⑤

구하는 방법의 수는 A, B를 제외한 7편의 영화 중에서 4편을 택하고, A, B 중에서 한 편을 택하는 방법의 수와 같으므로

$${}_7C_4 \times {}_2C_1 = {}_7C_3 \times {}_2C_1 = 35 \times 2 = 70$$

067 답 ⑤

9개의 자연수 중에서 5개를 택하는 방법의 수는 ${}_9C_5 = 126$

(i) 9의 약수 1, 3, 9를 1개도 포함하지 않고 택하는 방법의 수

$${}_6C_5 = {}_6C_1 = 6$$

(ii) 9의 약수 1, 3, 9 중에서 1개가 포함되도록 택하는 방법의 수

$${}_6C_4 \times {}_3C_1 = {}_6C_2 \times {}_3C_1 = 15 \times 3 = 45$$

(i), (ii)에 의하여 구하는 방법의 수는

$$126 - (6 + 45) = 75$$

068 답 **5자루**

9자루 중에서 3자루를 택하는 방법의 수는 ${}_9C_3 = 84$

연필을 n자루라 하면 연필만 3자루 택하는 방법의 수는 ${}_nC_3$

이때 볼펜이 적어도 1자루 포함되도록 택하는 방법의 수가 74이므로

$$84 - {}_nC_3 = 74, \quad {}_nC_3 = 10$$

$$\frac{n(n-1)(n-2)}{3 \times 2 \times 1} = 10$$

$$n(n-1)(n-2) = 60 = 5 \times 4 \times 3$$

$$\therefore n = 5$$

따라서 연필은 5자루이다.

069 답 ④

수학 부스 4개 중에서 2개를 고르는 방법의 수는 $_4C_2=6$

과학 부스 3개 중에서 1개를 고르는 방법의 수는 $_3C_1=3$

3개를 일렬로 나열하는 방법의 수는 $3!=6$

따라서 구하는 방법의 수는

$6 \times 3 \times 6 = 108$

070 답 ⑤

민수, 현재, 동현이를 제외한 학생 6명 중에서 3명을 뽑는 방법의 수는

$_6C_3=20$

민수와 현재를 제외한 학생 3명을 일렬로 세우는 방법의 수는

$3!=6$

3명의 사이사이와 양 끝의 4개의 자리에 민수와 현재를 세우는 방법의 수는 $_4P_2=12$

따라서 구하는 방법의 수는

$20 \times 6 \times 12 = 1440$

071 답 ①

구하는 직선의 개수는 7개의 점 중에서 2개를 택하는 방법의 수와 같으므로

$_7C_2=21$

072 답 54

구하는 대각선의 개수는 12개의 꼭짓점 중에서 2개를 택하여 만들 수 있는 선분의 개수에서 정십이각형의 변의 개수를 뺀 것과 같으므로

$_{12}C_2-12=66-12=54$

073 답 ③

한 직선 위에 있는 4개의 점 중에서 2개를 택하는 방법의 수는

$_4C_2=6$

한 직선 위에 있는 6개의 점 중에서 2개를 택하는 방법의 수는

$_6C_2=15$

따라서 구하는 사각형의 개수는

$6 \times 15 = 90$

074 답 150

가로 방향의 평행한 직선 5개 중에서 2개, 세로 방향의 평행한 직선 6개 중에서 2개를 택하면 한 개의 평행사변형이 결정되므로 구하는 평행사변형의 개수는

$_5C_2 \times _6C_2 = 10 \times 15 = 150$

075 답 5

집합 Y의 원소 5개 중에서 4개를 택하여 작은 수부터 순서대로 정의역의 원소 1, 2, 3, 4에 대응시키면 되므로 구하는 함수 f의 개수는

$_5C_4=_5C_1=5$

076 답 ②

공역 Y의 원소가 4개이므로 치역과 공역이 일치하려면 정의역 X의 원소 5개 중에서 2개의 함숫값이 같아야 한다.

집합 X의 원소 5개 중에서 같은 함숫값을 갖는 2개를 택하는 방법의 수는

$_5C_2=10$

택한 2개의 원소를 한 묶음으로 생각하여 집합 X의 원소 4개를 집합 Y의 각 원소에 대응시키는 방법의 수는

$4!=24$

따라서 구하는 함수의 개수는

$10 \times 24 = 240$

077 답 ①

$a=_6C_3 \times _3C_3 \times \dfrac{1}{2!}=20 \times 1 \times \dfrac{1}{2}=10$

$b=_6C_2 \times _4C_4=15 \times 1=15$

$\therefore b-a=5$

078 답 150

7명을 3명, 2명, 2명으로 나누는 방법의 수는

(ⅰ) 윤우와 선호가 3명인 조에 포함되는 경우

윤우와 선호를 제외한 5명을 1명, 2명, 2명의 3개 조로 나누는 방법의 수와 같으므로

$_5C_1 \times _4C_2 \times _2C_2 \times \dfrac{1}{2!}=5 \times 6 \times 1 \times \dfrac{1}{2}=15$

(ⅱ) 윤우와 선호가 2명인 조에 포함되는 경우

윤우와 선호를 제외한 5명을 2명, 3명의 2개 조로 나누는 방법의 수와 같으므로

$_5C_2 \times _3C_3=10 \times 1=10$

(ⅰ), (ⅱ)에 의하여 7명을 3명, 2명, 2명으로 나누는 방법의 수는

$15+10=25$

3개의 조를 지하철, 버스, 택시의 3개의 교통수단에 배정하는 방법의 수는

$3!=6$

따라서 구하는 방법의 수는

$25 \times 6 = 150$

079 답 315

구하는 방법의 수는 8개의 팀을 4개, 4개의 두 조로 나눈 후 4개의 팀으로 이루어진 각 조를 다시 2개, 2개의 두 조로 나누는 방법의 수와 같다.

(ⅰ) 8개의 팀을 4개, 4개로 나누는 방법의 수

$_8C_4 \times _4C_4 \times \dfrac{1}{2!}=70 \times 1 \times \dfrac{1}{2}=35$

(ⅱ) 4개의 팀을 2개, 2개로 나누는 방법의 수

$_4C_2 \times _2C_2 \times \dfrac{1}{2!}=6 \times 1 \times \dfrac{1}{2}=3$

(ⅰ), (ⅱ)에 의하여 구하는 방법의 수는

$35 \times 3 \times 3 = 315$